Алексей Маврин

Псоглавцы

Санкт-Петербург
2011

УДК 882
ББК 84(2Рос-Рус)6
М 12

Текст публикуется с сохранением особенностей авторской орфографии и пунктуации.

Оформление Вадима Пожидаева

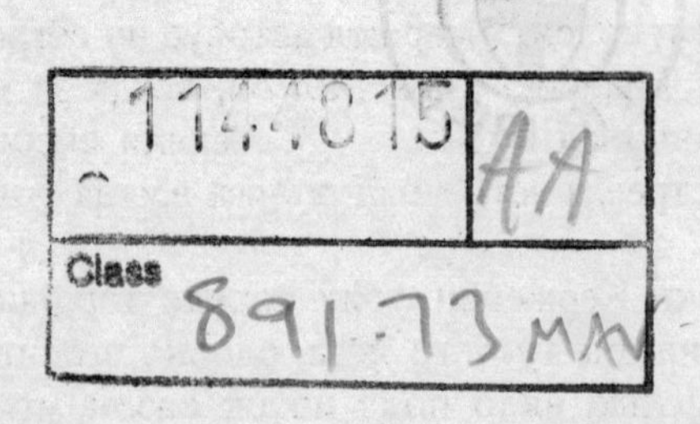

ISBN 978-5-389-01647-7

1

— За бортом полное пекло, — сказал Гугер, искоса глянув на панель с приборами. — Плюс тридцать два. Африка, блин.

Левую руку он безвольно вывесил в открытое окно, меж пальцев дымилась сигарета. Правой рукой Гугер крепко держал руль.

— Когда ты стекло опускаешь, весь холод просто вылетает, — недовольно заметил Валерий, ладонью подгребая себе в лицо воздух от сопла автомобильного кондишна.

Кирилл сидел в салоне и ногой придерживал кофры.

Тёмно-синий микроавтобус «мерседес» катился по гравийной дороге, переваливаясь с боку на бок. Последний раз по этой дороге грейдер гоняли года три назад, не меньше, и с тех пор колёса автомобилей и весенние ручьи накопали новые ухабы и колеи. Гугер вёл автобус по встречной полосе. «Закон Мерфи, — пояснил он, когда за посёлком Рустай закончился асфальт. — Соседняя очередь всегда движется быстрее, а встречная полоса всегда более ровная».

Здесь, вокруг реки Керженец, тоже горели торфяники. Дорога лежала на дне густого леса, словно в осиновом ущелье. По ущелью вяло полз поток сизой мглы, душной и жгучей. Размытое и бледное пятно солнца висело в перспективе дороги, стекая к горизонту.

Кирилл подумал, что эта муть высасывает все силы. В движении машины, в зыбкости марева глаза мучительно пытаются определить неверные очертания деревьев и дороги, будто бы напряжением воли сконцентрировать расплывшиеся вещи в прежних чётких формах, но ничего не получается, только напрасное истощение разума.

Гугер выбросил окурок, перехватил руль левой рукой, а правой вытащил откуда-то маленькую бутылку воды «Перье» и протянул её горлышком к Валерию:

— Вэл, открой.

Гугер не отрываясь смотрел вперёд на дорогу. Валерий с хрустом свинтил с горлышка бутылки металлическую пробку. Гугер сунул горлышко в рот и, как в бочку, без остановки перелил минералку в себя. Пустую бутылку он швырнул наружу и надавил пальцем клавишу, поднимая в окошке стекло.

— Вон же сзади мешок для мусора стоит, — укорил Валерий.

— Да пофиг.

— Здесь заповедник.

— Да пофиг.

Кирилл молча смотрел на дымные заросли. Такой же дым месяц назад затопил Кутузовский, где он жил. С восьмого этажа земля уже не просматривалась. Блочные высотки на другой стороне проспекта плыли в тумане, будто айсберги. Окна в квартире, что снимал Кирилл, были наглухо закрыты, стеклопакеты не пропускали запах гари. Но квартира раскалилась, как мангал, а вместо кондишна у Кирилла был дурацкий вентилятор, который тупо месил жару, взбивая в масло.

Вероника в одних трусах стояла у окна, задумчиво барабаня пальцами по раме, смотрела на призрачный город. Спина у Вероники блестела от пота, черные волосы прилипли к плечам. «Кирюша, это всё несерьёзно», — негромко, но убеждённо произнесла Вероника.

— Притормози, — вдруг встрепенулся Валерий.

«Мерседес» мягко увяз в зное. На обочине, отшагнув в бурьян, стояла женщина с рюкзаком и в платочке. Валерий опустил стекло.

— Нам в Калитино, — сказал он женщине.

— А то она не догадалась, — скептически буркнул Гугер.

Дорога вела только в Калитино и больше никуда. В округе и не было других деревень.

Кирилл пригнулся и посмотрел на женщину сквозь пыльное окно. Ему показалось, что этой деревенской бабе лет сорок. Она нелепо дёргала на себя ручку роликовой дверки «мерседеса».

— Кир, открой ворота этой дуре, — оглянулся Гугер.

Кирилл потянулся, отщёлкнул замок и толкнул дверку в сторону. Дверка откатилась, и в салон ввалился густой банный жар с запахом углей и веников. Женщина, наклонившись, неловко влезла в салон, цепляясь обеими руками за края дверного проёма.

— Сюда, — велел Кирилл и пошлёпал по сиденью напротив себя.

Женщина послушно села, не снимая рюкзака. Кирилл с разгоном закатил дверку обратно и грохнул ею.

— По лбу себе дай! — ругнулся Гугер через плечо. — Это тебе не «ГАЗель», дверью-то бабахать!

В салоне микроавтобуса должны были стоять четыре ряда диванчиков, но ещё в парке, где Валерий брал «мерседес» в прокат, Гугер снял два последних ряда. Теперь на их месте лежали пластиковые ящики, кофры из жёсткой тезы и зелёные армейские канистры — багаж и снаряжение экспедиции. В дороге Кирилл следил, чтобы на ухабах эта груда не развалилась. Пассажира можно было посадить только на диванчик, соседний с диванчиком Кирилла.

Женщина с рюкзаком за спиной притулилась на краешке сиденья. Она держалась за лямки, будто за ремни парашюта. Кирилл рассматривал попутчицу. Стоптанные городские ботинки, серые от сухой грязи. Вытянутые треники с выцветшим двойным лампасом. Заправленная в штаны клетчатая рубашка. Рукава раскатаны, а обшлага застёгнуты — от комаров. Блёклый платок туго обматывал всю голову.

— В Калитине живёте, или на даче здесь? — спросил Кирилл.

Женщина быстро глянула на него и кивнула. Кирилл не понял, местная она или нет. Зато понял, что ни шиша ей не сорок лет. Лет двадцать с небольшим, как и ему. Просто загорелая и одета как баба.

— Как тебя зовут?

Попутчица вцепилась в лямки рюкзака и молчала, опустив глаза.

— Да ладно, чего ты, — улыбнулся Кирилл. — Я Кирилл, это Валера, это Гугер. Мы к вам в деревню в экспедицию едем, на неделю.

Попутчица вдруг странно кулдыкнула и как-то икнула, словно её тошнило. Она совсем отвернулась, горло её напряглось.

— Ль-ль... — промычала она. — Ль-ль...

— Немая, что ли? — оглянувшись, удивился Гугер.

— Денис, это бестактно, — негромко сказал Валерий.

— Я не Денис. Я Гугер. Гу-гер.

— Лена? — подсказал Кирилл.

Попутчица отрицательно помотала головой.

— Лида? — предположил Валерий.

— Лиза?

Кирилл понял, что угадал. Попутчица кивнула.

— Рюкзак-то сними, неудобно же.

Такой допотопный брезентовый рюкзак типа «колобок» Кирилл видел у родителей в кладовке. Наследие пионерского детства.

Не вставая, Лиза выгнулась, неловко вытаскивая руки и плечи из лямок рюкзака. Кирилл увидел, как у неё на груди остро натянулась рубашка. Девушка явно волновалась. Кирилл подумал, а какие у неё трусы? Не стринги же. Рейтузы какие-нибудь байковые до ляжек.

Кирилл вытащил из-под спины Лизы рюкзак, Лиза забрала его и положила себе на колени, словно прикрываясь рюкзаком от взглядов.

— За грибами в лес ходила? — спросил Кирилл.

— Для грибов пока не сезон, — наставительно заметил с переднего сиденья Валерий.

— Лыко драла,— хмыкнул Гугер.

— За ягодами?

Лиза кивнула.

— Продай ягод,— тотчас попросил Гугер.— Сколько возьмёшь?

Глядя в пол, Лиза затрясла головой, пытаясь назвать цену, и наконец показала два пальца.

— Две тысячи? — спросил Кирилл.

— Двести? — поправил Валерий.

Лиза кивнула.

— Баксов? — оглянулся Гугер.

Лиза не отреагировала. Похоже, она не знала, что такое баксы.

— Идёт,— согласился Валерий. Он заведовал кассой.

Лиза послушно отстегнула клапан рюкзака и развязала шнурок. В рюкзаке стояла обрезанная поверху пластмассовая канистра. Лиза достала из неё газету в розовых пятнах сока и, наклонив рюкзак, показала, что канистра на треть полна земляникой. Чтобы собрать столько земляники вручную, Кириллу потребовалось бы пять дней.

— Зачем нам столько? — запротестовал Валерий, выглядывая из-за подголовника.— Нам грамм триста. Просто у меня желудок слабый.

Кирилл достал из мусорного мешка пустую пластиковую бутылку, вытащил нож из ножен на ремне и с треском разрезал бутылку пополам. Получилось нечто вроде стакана. Кирилл опустил его в канистру и осторожно нагрёб земляники.

— Хватит,— сказал он.

Валерий из-за подголовника протянул две бумажки по сто рублей.

Лиза взяла их, сложила пополам и сунула в нагрудный карман. Потом бережно закрыла канистру газетой, завязала рюкзак и застегнула ремешки.

«Интересно, она блондинка или брюнетка?» — подумал Кирилл.

Гугер вдруг надавил на тормоз. «Мерседес» клюнул носом.

— Сорри! — сказал Гугер.

Кирилл наклонился в проход и посмотрел в лобовое стекло, радужное от пыли и крапчатое от разбитых мух. Гравийную дорогу пересекала обширная и глубокая промоина. Сейчас она была сухая, а весной или в ливень здесь, наверное, бежала целая речка.

— Шесть километров ещё до деревни, — заметил Гугер, посмотрев на экранчик джи-пи-эс навигатора, прилепленного на присоске к лобовому стеклу. — Я проверю, проедем ли...

Гугер открыл свою дверку и выпрыгнул наружу. Валерий, подумав, отстегнул ремень и тоже выбрался из автобуса.

Кирилл видел, как они ходят по промоине, глядя под ноги. Гугер присел на корточки и сощурился, оценивая клиренс автобуса. Гугер был маленьким, в остроносых туфлях, в тугих джинсах, в чёрной майке и в бейсболке задом наперёд. На затылке у него сидели чёрные очки. А у рослого Валерия обозначился аккуратный гуманитарный животик, и его не мог замаскировать даже камуфляж, слишком новый, чтобы казаться брутальным. Образ Валерию портили ещё и кроссовки — но в жару берцы превратились бы в пытку вроде испанского сапога.

Вдруг Лиза забилась и замычала, торопливо вдевая руки в лямки рюкзака. Она глядела вовсе не на промоину, а куда-то поверх груды вещей в салоне, в задние окошки автобуса. Она вскочила и со свисающим рюкзаком кинулась к двери, принялась дёргать ручку.

— Ты чего? — изумился Кирилл.

Лиза обернулась на него. Тёмные зрачки её расширились во всю радужку. Она крупно сглотнула, неестественно повела головой, будто вывинчивала шею из плеч, и хриплым шёпотом сказала:

— Открой!..

Кирилл ошарашенно посмотрел туда, куда глядела Лиза, и сквозь задние окошки увидел, что там над кустами обочины поднимается глиняный откос метра два высотой. Из него, словно чёрные руки погребённых мертвецов, свисали древесные корни. А над обрывчиком стояли и смотрели на автобус две собаки. Совсем обычные собаки, дворняги. Одна побольше, серая, другая поменьше, рыжая с белыми пятнами. Собаки не лаяли, не вертели хвостами, не улыбались, высунув языки, как деревенские псины улыбаются любому встречному. Собаки просто молча смотрели на людей, как равные на равных.

И Кириллу тоже стало страшно, не понятно почему. Непролазный комариный лес, пустынная дорога, дым торфяных пожаров, зной нечеловеческий... Вековая тишина. Суровая река Керженец, где двести лет по чащобам прятались раскольники, молились, строили храмы, сжигались заживо и чёрт их знает, какую нечисть приворожили. И ещё немая, которая вдруг заговорила. И ещё эти молчаливые псы.

— Открой! — прохрипела Лиза и ударилась в дверку всем телом.

Кирилл поднялся, шагнул вперёд, взял Лизу за круглое плечо и отодвинул в сторону, потянул на себя рукоятку и откатил дверь. Лиза выпрыгнула на дорогу. На миг она замерла, а потом оглянулась и показала пальцем куда-то на промоину, на Гугера с Валерием, на дальний поворот дороги, расплывающийся в мареве.

— Не надо туда! — глухо выдавила из груди Лиза.

Из-под платка на скулы выбились две тонкие пряди, но Кирилл так и не разобрал, тёмные они или светлые. Лиза поддёрнула лямку рюкзака и побежала по обочине прочь от автобуса, по-женски растопырив руки. Рюкзак на её спине болтался туда-сюда. Внезапно Лиза повернула, пересекла дорогу, перепрыгнула канаву и исчезла в пыльных, жухлых кустах.

Кирилл выбрался из автобуса — словно погрузился в банку с горячим вареньем. Он глядел на глиняный откос с чёрными корнями. Собаки исчезли.

От промоины к автобусу шли Гугер и Валерий.

— Куда это она рванула, Кир? — издалека крикнул Гугер.

Кирилл пожал плечами.

— Надеюсь, это не из-за тебя? — подходя, осторожно спросил Валерий. — Понимаешь, нам конфликты с местными не нужны.

— Я тут вообще ни при чём.

— Да хрен с ней, — Гугер сунул в рот сигарету. — Немые — они те же сумасшедшие. Поехали давай. Как-нибудь проскребёмся через яму.

2

Лес рассеялся, и открылась мглистая пойма реки. Керженец оказался нешироким, тёмным, мутноватым от дыма. Деревня Калитино протянулась вдоль берега длинной прерывистой цепочкой домов. Над серыми и бурыми крышами поднимались жухлые копны деревьев и бревенчатые телеграфные столбы с перекладинами.

«Мерседес» дважды подпрыгнул, переезжая ржавые рельсы узкоколейки. Налево вдали рельсы поворачивали к деревне и заканчивались в каком-то запертом сарае. Направо — убегали за редкую рощу высоких старых тополей.

— Похоже, здесь уже и паровоз видали, — хмыкнул Гугер.

— Просто цивилизация добирается везде, — согласился Валерий. — Поглядите-ка вон туда...

Между рощицей и рекой, наособицу от деревни, стоял кирпичный двухэтажный замок с башенками, стрельчатыми окнами и кровлями из черепицы. Замок был обнесён глухой оградой из бетонных плит, поверху отороченной спиралью колючей проволоки. Железные ворота сторожил домик охраны, похожий на маленький бастион.

— Наверняка с той стороны на речке купальня, — предположил Валерий. — В Братеево такие же усадьбы понастроили.

— Вот откуда здесь связь и вай-фай, — сообразил Гугер.

На скате крыши у фронтона сидела огромная серебряная тарелка.

— Думаете, этой деревне нужен Интернет? — спросил Кирилл.

— Телефоны-то всё равно нужны.

— Понимаешь, такие дачи в заповеднике строить просто так не разрешают,— тоном знатока пояснил Валерий.— Всегда навязывают обременение. Дорогу провести для деревни, водопровод, газ или вот связь. Новая экономика вытягивает деревни из совка. Социальная ответственность состоятельных людей.

Кирилл недоверчиво фыркнул. Лично его из совка вытягивала тётка. Социально-ответственных богачей на Кирилла не хватило.

Деревню окружали бугристые пустыри, заросшие бурьяном. Кое-где на них виднелись уцелевшие заборы, груды кирпича. Наверное, недавно деревня была куда больше, чем сейчас. Пустыри остались от разобранных домов. Теперь их превратили в свалки. Из крапивы торчали скелеты кроватей, изгибы автопокрышек, кабина трактора, мятое железо. Поблёскивало битое стекло. Ветерок от проезжавшего мимо «мерседеса» лохматил мусор — клочья бумаги, рваные тряпки.

Возле первого деревенского дома на брёвнах у обочины сидели четыре загорелых мужика, то ли выпивали, то ли играли в подкидного, то ли чинили тракторный прицеп, что стоял за брёвнами на домкрате и без одного колеса. Мужики дружно проводили автобус взглядами.

«Мерс» ехал по улицам деревни Калитино. Тротуары заросли травой и акацией, и в деревне все ходили по дороге — автобус объехал старуху с вёдрами, мужика, толкавшего тележку с сеном, двух баб, что болтали на перекрёстке. Все дома поначалу казались одинаковыми, но потом Кирилл начал различать крыши: серые шиферные, ржавые железные, на сараях — из чёрного рубероида. Заборы разной степени сохранности прерывались только калитками или воротами гаражей. Поверх заборов Кирилл рассматривал дворы — то чистые и ухоженные, то захламлённые и заросшие. Кое-где во дворах на верёвках сохло бельё. В пыли проулка купались курицы. За проулком мелькнула река, на песчаном берегу лежали яркие резиновые лодки и суетились полуголые люди — туристы, что приплыли по Керженцу.

— Ну и какой же дом нам подойдёт? — хмуро спросил Гугер и нацепил чёрные очки, словно они помогали выбирать.

Кирилл оценил, что в деревне домов пятьдесят. Жилыми казались два десятка, ещё столько же стояли с заколоченными окнами и запертыми воротами, но не выглядели брошенными. А совсем ничейные дома никак не привлекали: редкозубые заборы покосились, в крышах зияли дыры, под стенами топорщился огромный дремучий бурьян ростом выше подоконников.

Деревня закончилась, и Гугер притормозил. Впереди расстилалась унылая луговина, где вдали паслись коричневые коровы.

— Можно, конечно, вскрыть какой-нибудь дом, но это чревато, — задумчиво сказал Валерий. — Понимаете, бывает, что хозяева живут в городе, а деревенский дом держат как дачу. Нехорошо получится.

Гугер молчал. Кирилл вздохнул:

— Надо у деревенских спросить, какой дом можно занять на время.

— Ты и спрашивай, — тотчас сказал Гугер.

— Спрошу, — нехотя согласился Кирилл. — Поехали обратно к тем мужикам, что возле прицепа сидели.

— Не лучше ли какую-нибудь бабульку поймать?

— Просто спрашивать надо, так сказать, у дееспособных, — пояснил Валерий. — Чтобы потом не было конфликтов.

Гугер принялся разворачивать автобус.

Они вернулись через всю деревню, но теперь у тракторного прицепа с домкратом возился уже только один парень. Недостающее колесо прицепа было насажено на ось и привинчено.

Гугер остановился. Пока Кирилл выбирался из салона, парень сложил у домкрата ржавые станины и забросил его в кузов, а сам направился к «мерсу».

— Чего катаетесь тут? — спросил он у Гугера в окошке автобуса.

— Э... дом ищем, чтобы на недельку пожить...

— У нас дома никто не сдаёт, — отрезал парень.

— Да нам бы ничейный... — Гугер не был готов к разговору.

— Мы просто поживём немного и уедем, никому не помешаем, — наклонившись к окошку Гугера, убедительно пояснил Валерий.

Кирилл вышел из-за кормы автобуса и молчал. Парень был немного его постарше. Загорелый. Патлы выцвели почти добела. Грязные камуфляжные штаны. Босые ноги в резиновых бассейновых сланцах. Майка-тельняшка, под мышками кислая волосня. На плече — татуировка: крылышки с буквами «ВДВ», внизу подпись «ДМБ 2008». Ногти что на руках, что на ногах отросшие и чёрные. Рожа в белёсой щетине. А тапки от каких-нибудь туристов, — подумал Кирилл. — Забыли на берегу. Или ворованные.

— Может, покажете нам какой-нибудь дом? — предложил Валерий.

— Полтинник, — с вызовом заявил парень.

— Пойдёт, — кивнул Гугер.

Парень обошёл автобус с кабины и по-хозяйски открыл дверку Валерия. Валерий сообразил, что ему надо убраться, и выпрыгнул на дорогу, уступая своё место. Вслед за Кириллом он полез в салон.

Усевшись, парень сунул Гугеру ладонь:

— Лёха.

— Г-г... Денис, — сказал Гугер, пожимая руку.

В кондиционированном салоне от Лёхи отчётливо запахло потом, маслом и перегаром.

— Очки-то сними, чего как пидарас.

Гугер послушно снял очки, повесил на зеркальце заднего вида и начал разворачивать автобус, отвернувшись от Лёхи.

— Много в деревне жителей? — спросил у Лёхи Валерий. Он сидел на том месте, где недавно сидела Лиза, и подался вперёд.

— Да хер знает,— не оглядываясь, сказал Лёха.— Летом много, из города приезжают. Зимой человек тридцать, если со старухами.

— Дома закрытые — это городских?

— Ихние.

Лёха смотрел по сторонам, словно что-то выискивал. Внезапно он опустил в дверке стекло, высунулся и заорал:

— Ты где шляешься с утра? Я через час приду, жрать готовь!

Кирилл отклонился, чтобы Валерий не загораживал ему окошко, и увидел молодую носатую бабёнку, отошедшую от автобуса на обочину. Волосы бабёнки были жестоко выбелены до синтетического отлива, а лицо — смуглое, загорелое.

— Явишься — и сготовлю! Я хер знаю, может, ты бухаешь! — яростно крикнула бабёнка в ответ.

— Сука Верка,— откидываясь на спинку сиденья, пробормотал Лёха.

Валерий деликатно помолчал, оставляя паузу для этой семейной драмы, а потом снова подался вперёд:

— А какая тут работа есть?

— Да никакой,— буркнул Лёха, глядя в лобовое стекло.— Какая на хер тут работа. Была зона — была работа. А ща только в заповеднике егерем. Кому охота, на хер, за гроши по лесам шарашиться.

— И что, все безработные?

— Работают, дебилы, егерями.

— А ты сам? — вдруг спросил Гугер.

— Я не долбанутый. Я рыбу глушу, туристам продаю.

— Чем глушишь? Взрывчаткой?

— Ну, не глушу,— скривился Лёха.— Заповедник, бля. Есть места, сыпанёшь пакет стирального порошка — без шума рыба всплывает.

— Она же отравленная будет,— осуждающе заметил Валерий.

Затылок Лёхи окаменел.

— Да чё отравленная-то? Ни хера не отравленная. А вам-то чё? На хера сами приехали? — Лёха посмотрел на Гугера.

— Мы... из музея, — нашёлся Валерий. — Будем вашу церковь... э-э... измерять, описывать...

— На хера? — Лёха всё равно не оглянулся.

— То есть? — растерялся Валерий.

— На хера? Кому она нужна? Была зона — ещё туда-сюда, а щас?

Валерий смешался.

— А где вообще церковь? — сменил тему Гугер. — Что-то не видно.

— Церковь там, далеко, — Лёха махнул рукой. — Вон лес, в нём кладбище. За лесом дом Шестакова. А уже за ним церковь.

Разговаривая с Гугером, Лёха смотрел на собеседника. Видимо, того, кто за рулём, он считал главным, равным себе и достойным общения. Все остальные были ерундой.

— Дом Шестакова — это особняк за бетонным забором?

— Угу.

Завидев какого-то встречного мужика, Лёха опять высунулся в окошко. Похоже, ему приятно было показать всем знакомым, что он едет в шикарной машине.

— Серый! — крикнул он. — Ты мне когда пилу вернёшь?

Ответа Серого Кирилл не расслышал.

— Кто этот Шестаков? — спросил Гугер.

— Шестаков-то? Мудила один. Депутат он там в Москве, что ли, или банкир. Отгрохал себе крутую дачу в заповеднике. У нас все бабы на него работают. Убираются, цветы поливают. Ништяк, но получают.

— Этот Шестаков часто здесь бывает?

— Иногда приезжает с корешами и блядями. А так тут его вертухай за порядком следит. Он и вызванивает баб, кому когда на работу надо.

— Но ведь деревне польза,— заметил Валерий.— Заработок.

— Польза,— нехотя кивнул Лёха.— Без Шестакова кончилась бы деревня. Осталось бы три двора, их бы отселили. Заповедник же, сука.

Валерий вздохнул:

— Да, вопрос с жильём везде самый острый...

— Эта хаза подойдёт? — Лёха указал направо за борт.

Автобус ехал мимо дома, одна половина которого была целая, а другая сгорела и вытянула, как чёрные пальцы, обугленные брёвна.

— Чего-нибудь получше бы,— ответил Гугер.

— Тогда сворачивай туда.

Гугер повернул в проулок.

— А есть у вас какие-нибудь легенды, предания? — спросил Кирилл.

— Сказки, что ли? — не оборачиваясь, скривился Лёха.— Нам тут, бля, не до сказок. Ничего тут нету. Мы не сказки сочиняем, а пашем тут на вас, москвичей херовых. Всю Россию, бля, обожрали.

Гугер молча ухмыльнулся. Кирилл подумал, как же тут Лёха пашет на Москву, в краденых-то сланцах? Рыбу травленую продаёт?

— Лизка! — вдруг заорал на улицу Лёха.— Ты куда это ходила?

Кирилл снова отклонился и увидел на обочине Лизу, которую они подвезли по дороге. Остаток пути до деревни Лиза прошла пешком. Пропуская автобус, она стояла в бурьяне в том же платочке и с рюкзаком за спиной. Автобус, который её напугал, в сочетании с Лёхой, похоже, напугал её ещё больше. На Лизе просто лица не было.

— А что, у вас в лесах собаки дикие бегают? — спросил Кирилл.

Лёха впервые обернулся назад и внимательно осмотрел Кирилла.

— У нас ваще собак нет,— веско произнёс он.— Нигде. Ни в лесу, ни в деревне. Дохнут, на хер.

— Почему? — холодно спросил Кирилл, не отводя взгляда.

— Я доктор, что ли, чтобы знать?

— А этот дом? — перебил Гугер.

Он притормозил возле длинного одноэтажного здания с большими одинаковыми окнами. Здание стояло посреди просторного заросшего двора. В чертополохе торчал ряд вкопанных автопокрышек, некогда окрашенных в синий цвет. Забор вокруг двора был вполне крепким. Из-за угла здания высовывался какой-то сарай с железной кровлей.

— Это школа, — пояснил Лёха. — Я в неё угланом ходил. Четыре года назад её закрыли.

— А если мы в ней поселимся?

Лёха подумал.

— Да так-то она ничья.

Гугер решительно завернул во двор и остановил автобус.

— Я посмотрю, — сказал он и выбрался из кабины.

— Вход назади там! — крикнул Гугеру Лёха.

Сначала Гугер заглянул в пыльное окно, потом ушёл за угол.

— Я тут сам недалеко живу, — сказал Лёха, оборачиваясь на Валерия и Кирилла. — Могу баню истопить, по сотне с рыла. Чё надо — дак спрашивайте. Годовалов я. Самогонка там, рыба, молоко, всё есть. Баб только нету. Но если чего не то начнёте, отмудохаю, пацаны.

— Проблем не будет, — вежливо сказал Валерий.

Возле автобуса появился Гугер.

— Жить можно, — сообщил он.

Валерий и Кирилл полезли из салона «мерса» на улицу. Потом из кабины выбрался Лёха и хлопнул дверцей.

— Хороший бэтэр у вас, пацаны, — похвалил он и пошлёпал автобус по капоту. — Давайте полтинник.

Валерий протянул Лёхе бумажку в пятьдесят рублей. Лёха сунул её в карман камуфляжных штанов и пошагал к воротам.

— Дегенерат, — вслед ему тихо сказал Гугер. — Аж курить хочется.

— Полный деградданс, — согласился Валерий.

Гугер полез в кабину за сигаретами и с досадой присвистнул:

— Очки солнечные украл, сволочь.

— Догони, забери, — посоветовал Кирилл.

— «Труссарди», палёнка. За такое не стоит связываться.

3

Церковь стояла на вершине плоского бугра, наглухо заросшего бурьяном. Она была пятиглавой, но от малых глав сохранились лишь кубические тумбы на углах основного здания, а от большой главы на чёрном дырявом куполе торчал пустой барабан с узкими прозорами. Шатровая колокольня казалась обглоданной. Похоже, храм пытались как-то сохранить: окна и вход аккуратно заколотили досками. Вокруг храма, прижимаясь к стенам, разлапились огромные липы.

За излучиной Керженца дымился торфяной закат. Неестественный и воспалённый свет окрасил листву лип и лохмы бурьяна синевой, словно они были пришельцами с Венеры. Церковь, некогда белёная, а сейчас облупленная, выглядела багровой, как шмат мяса.

— Ближе-то не подъехать? — вертел головой Гугер.

— Уж сто метров можно пешком пройти, — укорил Валерий.

— Мне кабель тянуть, а не гулять.

Они выбрались из автобуса и через бурьян пошагали ко входу в храм, спотыкаясь о какие-то обломки, невидимые в зарослях.

В дощатом щите, что перекрывал портал, была прорезана дверь. Сейчас её запирал висячий замок на ржавых петлях.

— И где взять ключ? — обескураженно спросил Валерий.

— Щас принесу, — сердито буркнул Гугер и ушёл обратно.

— Лурия говорил, что здание не подлежит ремонту, — Валерий оглядывал колокольню, уходившую в ядовито-сиреневое небо, как баллистическая ракета. — Фундамент просел, стены треснули... Жаль.

— А чего жаль? — пожал плечами Кирилл.

— Ну, просто могли бы восстановить храм — и деревня бы ожила.

— Как?

Гугер вернулся с молотком и гвоздодёром. Он без колебаний подцепил одну из петель замка и со скрипом выдернул её.

— Взлом, — сказал Кирилл.

— Уже вертушка со спецназом летит, — проворчал Гугер.

Он распахнул дверь и перешагнул порог.

— Понимаешь, начались бы службы, люди бы вспомнили божьи заповеди, — назидательно продолжил Валерий, не двигаясь с места. — А там и себя просто в порядок бы привели, хозяйство бы наладили.

Кирилл оглянулся на перелесок с кладбищем, за которым скрывалась деревня Калитино. Ага. Колосятся золотые нивы, тучные стада пасутся на лугах, над которыми плывёт нежный колокольный перезвон. А вечерами в храм идут усталые жнецы и румяные босоногие селянки, что уже напоили бурёнушек медовыми росами.

— А ты бы в это время играл на рынке «Форекс» и смотрел три-дэ блокбастеры, — сказал Кирилл Валерию. — Каждому по способностям.

Валерий молча пошёл за Гугером. Кирилл — за Валерием.

В церкви было темно, просторно и мусорно. На полу громоздились груды кирпичей, досок и арматуры. Потолка не было, вместо него где-то высоко сияла дырами ветхая кровля. От стены к стене над головами протянулись грубо врезанные швеллеры. Из щелей заколоченных окон бил красный закатный свет и прозрачными плоскостями резал объём помещения на ломти. В этих плоскостях, как в стёклах, заклубилась пыль, поднятая Гугером.

— Вот она, икона, — Гугер глядел на простенок между окнами.

Валерий и Кирилл подошли.

Псоглавец был изображён в полный рост. Он стоял на голубом фоне в синем одеянии и в чёрных сапогах, по голенищам которых были повязаны какие-то платки. Грудь и живот Псоглавца закрывал панцирь. В правой руке, слегка опущенной, Псоглавец держал хрупкий на вид крест с тремя перекладинами — маленькой, большой и косой. В левой руке, поднятой, у Псоглавца было тонкое и длинное копьё. С плеч Псоглавца складками свисал алый плащ, застёгнутый на горле.

Хотя главное, конечно, — голова. Тёмно-рыжая, шерстяная, с острыми звериными ушами. Впрочем, Кирилл не назвал бы эту голову собачьей. Тут была какая-то помесь муравьеда со щукой — наивная, нелепая и потому особенно правдоподобная. Думалось: художнику не сложно ведь нарисовать собаку, но если здесь — что-то другое, значит, автор не механически поставил пёсью башку на человеческие плечи, а срисовал это чудище с натуры. Выходит, оно существует в реальности. И золотой нимб казался каким-то воротником-жабо у средневекового барона оборотней.

— Оборотень, — убеждённо сказал Кирилл.

— Анубис, — снисходительно поправил Валерий.

— Гнолл, — хмыкнул Гугер.

Псоглавец опустил длинную, хищную, острую морду и со стены тихо смотрел на людей. Кириллу почудилось, что маленький глаз Псоглавца хранит в себе багровую искорку заката.

— Какую только хрень не нарисуют, — Гугер вставил в рот сигарету и закурил, разрушая гипнотическое оцепенение. — Везде вон нормальные апостолы. Обычные дядьки с обычными черепухами. На фига этого гнолла намалевали? Ему ещё секиры не хватает. В натуре будет монстрюк типа из «Варкрафта».

Валерий протянул руку и указал на подпись под ногами Псоглавца: «Св. Христофоръ».

— Собачья голова святого — наследие языческих культов,— пояснил Валерий.— Отголосок тотемизма.

— Что такое тотемизм? — тотчас спросил Гугер.

— Почитание животных. Когда какое-нибудь животное объявляют священным, потому что оно покровитель племени. Или прародитель людей. Или после смерти души вселяются в этих животных.

— Как коровы в Индии,— вспомнил Кирилл.

— В образе Псоглавца крещёные язычники просто продолжали почитать своих богов-зверей.

— А какие тут язычники? — не понял Кирилл.— Тут давно уж одни крещёные, фреска — девятнадцатый век.

— Фреске сто пятьдесят лет, а почитание Псоглавца очень древнее. С тех времён, когда христиане крестили язычников.

— А-а...

— Церковь догадалась, что Псоглавец — языческое божество, и при Петре Первом запретила изображение святого Христофора с собачьей головой. Его можно было рисовать только с человеческой. А почти все иконы и фрески или уничтожили, или перерисовали.

— А эта как сохранилась? — удивился Гугер.

— Ну, она вообще не при Петре Первом сделана. Гораздо позже. Понимаешь, тут уже раскольники виноваты. Они же были за всё старое — против новых книг, новых обрядов, новых икон. Крестились двумя пальцами,— Валерий показал Гугеру два пальца, словно Гугер не понимал слов,— а не тремя. Раскольники из принципа продолжали изображать святого Христофора с собачьей головой — как в древности.

— Эта церковь не раскольничья,— сказал Кирилл и кивнул на соседний простенок.

Там на таком же голубом фоне была изображена женщина в ниспадающих одеждах. Под её ногами бежала надпись: «Св. Варвара». Женщина благословляла зрителя тремя пальцами.

Валерий задумался.

— Ну, да, обычная, — кивнул он. — Раскольникам вообще запрещали строить храмы. Но здесь, видимо, просто местный художник на свой страх и риск изобразил святого Христофора так, как принято у раскольников. Лурия же говорил, что в Калитине был местный культ святого Христофора. Деревня-то староверческая.

— А ты откуда всё это знаешь? — с сомнением сощурился Гугер.

— Просто есть такая штука — Интернет называется.

Кирилл посмотрел вокруг: тёмная, гулкая кубатура храма, тусклые росписи, красные лучи больного и дымного заката, верещание птиц в листве лип за досками окон. Язычники, раскольники, Псоглавцы... Всё это было какое-то чужое, ненастоящее, случайное, не ему, словно кришнаиты в метро. Эта деревня вырожденцев, этот убогий мир — они, конечно, существовали, но никому не были нужны, даже себе. У этого мира прошлое не имело никакой цены, потому что в настоящем оно присутствовало только постыдной и мучительной разрухой. Индийские священные коровы и то были реальнее и важнее.

— Сохранилось только шесть православных икон с Псоглавцем, — продолжал Валерий. — На Русском Севере, на Урале, в Ростове и три в Москве. В Третьяковке, в соборе Кремля и в старообрядческом соборе.

— А где он?

— На Рогожском кладбище. Это между Таганкой и Лефортовом, в районе «Авиамоторной».

— Странно, не знаю такого, — снова удивился Гугер. — У меня там френд живёт, надо спросить.

— И ещё есть три фрески. В Ярославле, в Свияжске и в Макарьеве, это около Нижнего. Наша фреска получается четвёртой.

— А в Европе про него знают? — Гугер указал на Псоглавца.

— Знают, но там к нему относятся как-то без пафоса. Из больших святых просто разжаловали в какие-то поменьше.

— И чего, он тоже с собачьей башкой?

— Нет, там его считают человеком, но великаном. Например, он покровитель Вильнюса.

— Эстония, нашёл Европу, — хмыкнул Гугер.

— Литва, — поправил Валерий.

Кириллу вдруг остро захотелось домой. Даже не домой — в город, к нормальной жизни, к нормальным людям, не псоглавцам.

— Слушай, Гугер, — спросил он, — а сколько тебе нужно времени, чтобы снять фреску?

Гугер деловито перевернул бейсболку козырьком вперёд.

— Завтра я вырежу её болгаркой по контуру, — Гугер пальцем очертил некий прямоугольник, словно раму для фрески, — почищу и пропитаю раствором на первый раз. Через сутки — второй раз, ещё через сутки — третий. Получается, на четвёртый день можно будет снимать. И ещё сутки надо будет подождать, когда пропитаю с внутренней стороны.

— Поня-атно... — удручённо выдохнул Кирилл. Пять суток...

— А как будешь снимать? — спросил Валерий.

— Видал — листы фанеры везём?

— Видал.

— Соберу из них щит по размеру фрески и наклею на фреску. Когда высохнет, подцеплю к щиту вибратор и тихонечко отделю штукатурку от стены. Амплитуду движения мне инструктор сказал установить на три миллиметра. Чудеса технологии.

— Вибратор? — поднял брови Валерий.

— Это не то, что вам нравится, девочки, — грубо ответил Гугер. — Это строительный инструмент. «Мерс» поставлю поближе, чтобы генератор не переть, шнур для болгарки и вибратора подтяну сюда.

— А бензина хватит для генератора?

— Если вы с Киром пить его не будете, то хватит.

Пять суток в этой глуши, с тоской думал Кирилл. Ну чего — пять суток? Вроде, немного. В Хургаде две недели для него пролетели, как секунда. Но ведь то Хургада. А здесь, в Калитине, всё не так. Здесь словно бы в воздухе невидимые руины. И дело вовсе не в деревенских алкашах, не в нищете. Здесь какое-то осатанелое, раскольничье, дикое упрямство: мы сдохнем от цирроза, по пьяни порубим друг друга топорами, сгорим в торфяных пожарах, но не будем жить иначе, не будем делать свою жизнь лучше. Здесь люди ходят на двух ногах, носят штаны и говорят, но живут неизменно, как животные, — не зря, видно, их предки поклонялись человекозверю.

Наверное, он и сейчас ходит по этим лесам. Человек с головой собаки, с клыками собаки, с судьбой собаки. Может, и не во плоти, но он жив, он нюхает дым, он смотрит в окна, он не любит чужаков.

Вдалеке заскрипела, медленно отворяясь, дверь. Валерий, Гугер и Кирилл оглянулись. Вот сейчас в полосе света появится длинная морда то ли щуки, то ли муравьеда, подумал Кирилл. Лопатки под рубашкой взмокли. Кирилл обвёл глазами пространство вокруг себя — нет ли палки, арматурины...

Он увидел что-то иное, но не понял что. Битые кирпичи, крошево штукатурки, серые обломки реек с ржавыми, кривыми гвоздями, литая станина какого-то станка, мятые пластиковые бутылки из-под пива «Красный Восток»... Не то. Огненные щели заката меж досок заколоченного окна... Фреска... Фреска.

Псоглавец на стене повернул голову и смотрел теперь на дверь.

Кирилл попятился. Нет, он точно повернул голову! Его морда раньше перекрывала крест в правой руке, а теперь перекрывает копьё в левой! Кирилл крепко-накрепко зажмурился, открыл глаза и снова посмотрел на Псоглавца. Псоглавец смотрел на дверь. Он всегда смотрел на дверь, сто пятьдесят лет. Почудилось. Почудилось.

4

Здесь, пред очами Псоглавца, Кирилл стоял, конечно, из-за Вероники. *Кирюша, всё это несерьёзно.* Их отношения несерьёзны, потому что квартира на Кутузовском — не Кирюши, а его тётки. И старый «форд» не Кирюши, а его папы. И деньги не Кирюши, а его мамы. А у Кирюши только второй курс факультета электроники в МИЭМ. Кирюше этого хватало, а Веронике — нет. И она ушла.

Она не требовала «майбах» и студию на Софийской. Ей хотелось, чтобы Кирюша просто стал самостоятелен. Чтобы зарабатывал хотя бы на то, что есть. Пока Вероника ушла недалеко, у Кирилла был шанс её вернуть. И тут на его почту пришло это письмо.

«Здравствуйте, Кирилл. Меня зовут Даниил Львович Лурия. Я сотрудник Континентального музейного фонда NASS (международное подразделение UNESCO, штаб-квартира Basel, Schweiz). Наш фонд организует краткосрочные экспериментальные экспедиции, в которые приглашаются люди, отобранные тестированием авторских страниц Livejournal. Тест-программа в числе многих возможных кандидатов назвала и Вас. Я воспользовался тем, что Вы указали свой e-mail, и обращаюсь к Вам лично. Фонд NASS предлагает Вам в июле этого года принять участие в поездке по Нижегородской области. Продолжительность поездки 5—7 дней. Гонорар $3000. Если Вас заинтересует наше предложение, прошу в течение 3 дней ответить мне, чтобы я организовал встречу участников экспедиции».

Может, это была разводка. Никакого NASS из Basel в Schweiz, никакого Лурии Даниила Львовича Кирилл по Сети не отыскал. Но три тысячи долларов — нормальная зарплата за два месяца, а тут — всего-то неделя напряга. Денег вперёд не просили. И Кирилл решил узнать, в чём дело. Лурия пригласил его на ланч в ресторан «Ильдаруни» возле Рижской.

Кирилл думал, что ресторан окажется армянской дыренью в полуподвале, пропахшем маринованным луком бастурмы, но во дворе стандартной высотки он увидел двухэтажный хай-тековский пристрой с крытой верандой на втором этаже. На парковке у входа блестели совсем не дешёвые тачки. В холле с панелями из морёного дуба Кирилла встретила красивая девушка-армянка с бейджиком «Эрмине».

— Вы Кирилл Шелехов? — улыбаясь, спросила она. — Я вас провожу.

По деревянной винтовой лесенке она повела Кирилла на второй этаж, профессионально качая задом.

На веранде за одним столиком обедала пожилая армянская чета, за другим моложавый джентльмен читал «Эсквайр», и перед ним стоял высокий стакан яблочного фрэша. У балюстрады возле совсем пустого стола молча сидели два молодых человека — маленький чернявый и полноватый блондин. Эрмине провела Кирилла к этим парням и заботливо отодвинула ему стул.

— Что-то пожелаете? — спросила она.

Кирилл сел и посмотрел на парней, примеряя, кто из них Лурия.

— Нам, милая, пока только четыре эспрессо, — вдруг прозвучало за плечом у Кирилла, и Кирилл оглянулся.

Моложавый джентльмен со стаканом фрэша уверенно отодвинул четвёртый стул.

— Господа, это я вас пригласил, — сообщил он. — Будем знакомы, я Даниил Львович Лурия. Вы — Кирилл, — он кивнул Кириллу, словно слегка поклонился. — Вы — Валерий. А вы — Денис.

— Предпочитаю, когда называют Гугер, — пробурчал чернявый.

— Как будет угодно, — вежливо согласился Лурия.

Кирилл внимательно разглядывал его. Светлая рубашка Finamore, расстёгнутая на верхнюю пуговицу, часы Emporio Armani, ремень Piquadro, брюки и туфли Baldessarini. Всё итальянское, хоть и не премиум-класс, но ничего.

— Во-первых, хотелось бы узнать, как вы нас нашли, — несколько раздражённо потребовал блондинистый Валерий.

— Лиф джорнал, — просто ответил Лурия. — Я же указал в письме.

— А почему мы? Какие у вас критерии отбора?

— Наш фонд разработал тест из пятидесяти четырёх вопросов. Вы ответили так, как нам необходимо.

— Понимаете, я ни на какие анкеты не отвечал.

— И я не отвечал, — вставил Кирилл.

— Вопросы никто не задавал, — согласился Лурия, — но ответы содержались в ваших записях в ЖЖ.

— У меня там только перепосты и трындёж про игры онлайн, — сказал Гугер. — Я вообще ничего не писал.

— Значит, и этого оказалось достаточно, — терпеливо объяснил Лурия. — Наш тест несовершенный, но и нужен он отнюдь не для поиска избранного Нео, как в «Матрице».

— А что за вопросы? — не унимался Валерий.

— Самые разные. Например, купили бы вы себе такой смартфон, какой Стив Джоббс подарил Медведеву? Я могу предоставить вам список этих вопросов, но только при следующей встрече, если она состоится. И не для копирования, всё-таки это ноу-хау нашего фонда.

Кирилл вспомнил, что в своём ЖЖ он и вправду издевался по поводу нового iPhone. Но в целом ему было безразлично, как его вычислили. Главное — что предложат.

— А что у вас за фонд? — спросил теперь уже Гугер.

— Он существует с семьдесят четвёртого года при ЮНЕСКО, финансируется частными лицами, иногда выигрываем гранты на исследовательские работы. Обычно считают, что наш фонд занимается спасением памятников культуры второго-третьего эшелонов. Тех памятников, что не имеют особой ценности. Районного значения, говоря по-русски. Но это не совсем так. Спасение памятников и арт-объектов — цель номер два.

— А номер один?

Лурия задумчиво постучал по стакану полированным ногтем.

— Цель номер один совсем иная. Фонд финансирует исследования по социальному бытованию этих памятников и объектов. То есть как эти вещи изменяют жизнь общества.

— Например.

— Н-ну... — Лурия усмехнулся, глядя куда-то в сторону. — Например, дерево Бодхи. Под ним принц Гаутама достиг просветления и стал Буддой. За два с лишним века до нашей эры царь Ашока построил на месте просветления храм Махабодхи. Потом храм рухнул и полтора тысячелетия лежал под джунглями. В девятнадцатом веке его восстановил лорд Каннингэм. С тех пор вокруг храма — город Бодх-Гая размером с Можайск. Город живёт паломниками. Выдумано множество преданий и ритуалов, чтобы паломники оставляли деньги. Вот так дерево — памятник культуры — повлияло на жизнь социума. Правила жизни в Бодх-Гая — предмет наших исследований.

Официантка Эрмине принесла кофе.

— Что будете заказывать?

— Я ничего не буду, спасибо, — сказал Валерий, словно боялся, что Лурия его отравит.

— И я не буду, — сказал Кирилл. Ему не хотелось быть обязанным.

Гугер вроде не отказался бы от халявы, но теперь пришлось из солидарности. Лурия поглядел на Эрмине и виновато улыбнулся.

— А чего исследовать в городе Будды? — строптиво усомнился Валерий. — Чего в жизни этого города не понятно?

— В Бодх-Гая всё понятно, — кивнул Лурия. — Туристический бизнес. Все новые обряды придуманы для туристов, они не изменили генетику социума. Но фонд и не собирался предлагать вам поездку в Индию.

— А куда собирался?

— В Керженский заповедник. Это Поволжье, река Керженец. Там находится вымирающая деревня Калитино. В деревне — заброшенный храм. В храме — редкая фреска святого Христофора. Святой изображён с собачьей головой. Его, кстати, так и называют — Псоглавец. Фреску нужно законсервировать и снять со стены, соблюдая технологию и все предосторожности.

— В Европе её загоните? — догадался Гугер.

Лурия невозмутимо отчеканил:

— Фреска погибает в аварийном здании. Её изъятие согласовано с Росохранкультурой, документы я предъявлю. Снятую фреску нужно передать Нижегородскому государственному историко-архитектурному музею-заповеднику. Наш фонд не присутствует на арт-рынке.

— Если обидел — извините, — буркнул Гугер и сунул в рот сигарету.

— Но это цель номер два, да? — подсказал Валерий.

— Да. А цель номер один — пронаблюдать реакцию социума.

— Социум ужрётся и отмудохает нас, — не сдержался Гугер.

Лурия рассмеялся:

— По правде говоря, риск есть. Надеюсь, что до этого не дойдёт. Но подобный риск присутствует в России повсеместно.

— А как деревня может отреагировать? — спросил Кирилл.

Лурия развёл руками:

— Если бы мы знали, то не искали кандидатов для эксперимента.

— Может, никто вообще ничего не заметит, всем плевать?

— Может. Однако наши специалисты считают, что реакция будет.

— Почему?

— Видите ли, друзья, фреска — не шедевр, но очень редкая. Мы подняли архивы и установили, что храм был расписан в тысяча восемьсот пятьдесят восьмом году. Но в то время святого Христофора уже больше столетия не изображали с собачьей головой. Значит, в деревне был местный культ Псоглавца.

— Считаете, он сохранился до наших дней? — не поверил Валерий.

— Наша гипотеза заключается в том, что сакральные культы существуют не только в сознании социума, но и в подсознании. Некие события могут активировать поведенческие стратегии, которые социум, казалось бы, давно утратил. Нужны примеры?

— Без примеров не понятно.

— Извольте. В девяносто третьем году в кургане на священном алтайском плато Укок была найдена женская мумия, которую назвали Принцессой Укока. Её перевезли в Новосибирск, в Академгородок. А на Алтайский край обрушились бури, катастрофы, разгул коррупции. Всё это алтайцы объяснили тем, что лишились покровительницы. Началась массовая истерия, возродился забытый культ мертвецов. Самое удивительное в том, что количество несчастий действительно сильно выходит за пределы статистически вероятного.

— Ну, как в «Дозорах», — вспомнил Гугер. — Открыли могилу Тамерлана — сразу Гитлер напал.

— Примерно так, — кивнул Лурия.

— Мистика, — презрительно заметил Валерий.

Кирилл отвернулся, разглядывая двор, зелёные тополя, парковку. Принц Гаутама и Принцесса Укока, Алтай и Гималаи — всё это было так далеко, так несопоставимо. Где он и где Будда? Издалека доносился вой сирены — то ли по проспекту Мира, то ли по Рижской эстакаде катил очередной кортеж. Кирилл вполуха слушал, что говорит Лурия.

— Не мистика, а магия. Но вряд ли на Алтае магия. Просто неясные нам пока законы бытования социума.

Могу привести другой пример. В тысяча восемьсот пятьдесят третьем году Оренбург вымирал от холеры. Болезнь остановили только тем, что принесли в город чудотворную икону Богоматери. Но божьему чуду есть рациональное объяснение. Городские интенданты тайком раздевали мертвецов и продавали их одежду на рынке, тем самым разносили болезнь по городу. Когда в город внесли икону, интенданты просто побоялись грешить вблизи почитаемого образа.

— То есть на Алтае народ просто подсознательно боялся мести Принцессы, а когда её увезли, то обнаглел? — предположил Валерий.

— Понятие «подсознание», конечно, спорное, но используем его в трактовке Юнга. Однако я говорю не о личном подсознании отдельных людей, а о подсознании всего социума. Любой отдельный человек не сможет дешифровать это подсознание, хотя когда разнонаправленные векторы частных усилий суммируются, то получается такое действие социума, которого никто не ожидал. И такая ситуация транслируется из века в век, пока сохраняется культура как носитель архетипов.

— Какая культура-то на Алтае? — усомнился Валерий.

— Язык — вербальная фиксация культуры. Есть и другие способы фиксации. Религия. Неизменность образа жизни. И так далее. Что касается случая, ради которого мы собрались, то наши специалисты считают таким фиксатором изображение Псоглавца. И его толкования.

К их столику опять направилась красивая Эрмине, и Лурия сразу отрицательно покачал головой: ничего не надо.

— Этот Псоглавец чудотворный? — спросил Гугер.

— Сам по себе — нет. Но он фиксирует местные поведенческие нормы. К сожалению, в мифологическом ключе, и поэтому мы не можем их понять, интерпретировать, предсказать, объяснить.

— Что это за нормы?

— Могу назвать только прецеденты, — вздохнул Лурия. — Деревня возникла в начале восемнадцатого века как раскольничий скит Калитин. Его основали некие Иафет и Христофор. Достаточно близко от их обители находился другой скит, женский. И так получилось, что Христофор случайно встретился с одной из девушек-монахинь этой обители и полюбил её. Для скита это кощунство. Иафет взмолился, чтобы господь избавил Христофора от соблазна. И скитник Христофор, как святой Христофор, получил собачью голову, стал псоглавцем, — и при следующей встрече растерзал свою возлюбленную.

— Я слышал что-то такое. Это просто местные пересказали библейскую легенду на свой лад, — подумав, сделал вывод Валерий.

— Конечно. Но есть другой прецедент. В тысяча восьмисотом году для разрушения раскольничьих общин была создана Единоверческая церковь. Эдакий компромисс между старообрядцами и официальной Церковью. Многие раскольники перешли в единоверие, потому что это давало больше возможностей для социального роста. Из скитов уходили тайно. Из Калитина скита с тысяча восемьсот двадцатого по тысяча восемьсот шестидесятый год ушло двадцать семь человек. Из них восемнадцать по дороге в город в лесах были на куски разорваны зверьём. В других скитах не было ничего подобного.

— Ух ты! — оживился Гугер. — Это Псоглавец их догонял и рвал!

Лурия усмехнулся:

— Я уверен, есть и другие предания. Но их можно узнать только там. Поэтому ваша миссия, Кирилл, — разговаривать с местными. И записывать на диктофон. Вы... э-э... Гугер, надеюсь, вполне справитесь с технической частью — снимете фреску со стены. Я направлю вас к инструктору. А вы, Валерий, помогайте Гугеру по мере необходимости, и на вас будет общее руководство, финансы и отчётность.

Кириллу совсем не понравилась перспектива втираться в доверие к каким-то деревенским алкашам.

— Мне задание не нравится, — сказал он.

Лурия помолчал.

— Вашу тройку мы подбирали по психотипам, — сообщил он. — Как и две другие тройки, что были до вас. Они отказались. Вы тоже можете.

— По психотипам — на совместимость? — спросил Валерий.

— Как космонавтов, — добавил Гугер.

— Нет. По психотипам — чтобы спровоцировать местный социум на реакцию. Деревня Калитино деградирует. Люди просто не хотят жить. Им надо предъявить антиподов, которые жить хотят, и хотят активно.

— Будет мордобой, а не чудеса в церкви, — мрачно сказал Валерий. — Теперь я понимаю, почему вы не посылаете туда каких-нибудь реставраторов или студентов-практикантов.

— Ещё посмотрим, кто кому чего начистит, — хмыкнул Гугер.

— Хотите — мы предоставим вам травматическое оружие. Дадим спецтелефоны, чтобы всегда была устойчивая связь и джи-пи-эс. У вас будет отличный автомобиль, на котором вы всегда сможете уехать. В конце концов, мы платим неплохие гонорары и возмещаем все расходы. Условия весьма недурные. Хотя наши специалисты считают, что опасаться следует всё-таки чего-то экстраординарного.

— Псоглавца на нас натравят, — убеждённо сказал Гугер.

— Ну и работа... — покачал головой Валерий.

Кирюша, всё это несерьёзно, сказал себе Кирилл.

5

Грузно опираясь на палку с рукоятью, порог храма тяжело переступил рослый и сутулый человек. Сощурившись со света, он постоял у двери, а потом тщательно и широко перекрестился.

— Господи, помилуй! — прогудел он, с трудом кивнул, изображая поклон, и медленно двинулся к Валерию, Гугеру и Кириллу.

На широких и тощих плечах пришельца висел хороший пиджак, а под пиджаком белела какая-то застиранная майка. Чистые и глаженые брюки были аккуратно заправлены в резиновые сапоги. Гость подошёл и остановился, внимательно разглядывая, кто это здесь хозяйничает.

Гость смотрел набычась и не двигал головой, а просто переводил глаза — бесцветно-голубые глаза то ли кретина, то ли наркомана. У гостя был мощный, голый, окатистый череп, похожий на фашистскую каску, и небритая, мохнатая рожа с увесистым подбородком. На загорелой костлявой груди из-под майки выползали синие завитки татуировки. Гость протянул для рукопожатия широкую ладонь.

— Саня Омский, — сказал он. — Слышали небось?

Обе руки были густо исписаны какими-то словами, как школьная доска на перемене. А палка у Сани Омского была не палкой, а дорогой лакированной тростью. Казалось, что барская трость, пиджак и брюки принадлежат одному человеку, а щетина, майка и татуировки — совсем другому. Этот другой, видимо, считал, что славное имя Сани Омского гремит по всей стране и все его знают.

Валерий, Гугер и Кирилл неуверенно пожали Сане руку. Они не представились, но Саня и не заметил этого. Так ведёт себя человек высшей касты. Кирилл сразу опознал в госте старого уголовника.

— Московские? — спросил Саня.

— Московские, — кивнул Валерий.

— Я вас по номеру срисовал.

Саня вдруг шагнул на Кирилла, и Кирилл оторопело отступил. Саня, кряхтя, нагнулся, вытащил из груды мусора обрывок жёлтой газеты, постелил его на ржавую станину станка и осторожно опустил на газету свой поджарый зад.

— Давно я сюда не заходил, — сообщил он, оглядывая храм.

Валерий, Гугер и Кирилл не знали, что сказать.

— Чего делаете тут? — наконец снизошёл Саня Омский.

— Мы, э-э... из музея, — Валерий неуверенно посмотрел на Гугера и Кирилла. — Понимаете, фреску вот будем снимать на реставрацию.

Валерий махнул рукой в сторону Псоглавца.

— Картину сбиваете? — понял Саня. — Ну-ну. Знаю про такое. Был у нас один барыга, только за доски чалился, не за штукатурку, — Саня пожевал губами, вспоминая. — Сколько слупите?

— То есть? — растерялся Валерий.

— Это для музея, — буркнул Гугер.

— Ну, для музея — так для музея. Честный фраер не треплется.

Валерий, видно, наконец сообразил, что за тип к ним пожаловал. Он прижал ладонь к груди, беззвучно извиняясь, вытащил телефон и отошёл в сторону позвонить.

Перед отъездом Лурия выдал всем одинаковые аппараты, которые поймают сигнал даже в этой глуши. В аппаратах были и встроенные диктофоны. Свой подарок Кирилл повесил на тесёмке на грудь. Сейчас он включил запись и переложил аппарат в нагрудный карман рубашки, чтобы не отвлекать Саню светящимся экраном.

— Дайте закурить,— ревниво приказал Саня Омский.

Гугер вытащил пачку «Парламента», открыл и протянул Сане.

Саня, не торопясь, извлёк из внутреннего кармана пиджака оранжевую пластмассовую мыльницу, отколупнул крышку и вытащил из пачки Гугера сразу пучок сигарет. Он сделал это спокойно и привычно, словно принял налог. Он сложил сигареты в мыльницу, как в портсигар, убрал мыльницу и поманил Гугера. Гугер опять покорно протянул пачку. Теперь Саня вставил сигарету в рот.

— Огоньку,— велел он.

Гугер, играя желваками, звякнул крышкой зажигалки «Zippo» и поднёс огонь Сане к лицу. Саня дунул на зажигалку.

— Баклан,— сказал он.— Огонь не подают. Если ты нормальный пацан, просто дай фугас, и всё.

Саня забрал зажигалку, прикурил и возвратил зажигалку Гугеру.

Кириллу стало невыносимо в этой вязкой блатате. Он отвернулся. Как такие уроды умеют нагнуть всех вокруг, повязать по рукам и ногам одним своим присутствием?

— Как девочка пукнула,— проворчал Саня, вынул сигарету изо рта, оторвал фильтр и теперь затянулся с удовольствием.— Садитесь, чего стоять. Я не прокурор, долго не просидите.

Гугер и Кирилл покорно уселись на груду мусора, кто где смог. Гугер тоже достал телефон и молча принялся тыкать пальцем в экранчик — писал эсэмэску. А Сане, видимо, хотел поговорить, поучить новичков.

— Здесь зона была — знаешь? — Саня угрюмо поглядел на Кирилла.— Её спецлютой называли. Я на ней два квадратика и уголок отмотал.

Кирилл рассматривал Саню Омского, будто какого-то волосатого тропического паука в программе Animal Planet. И впечатления были подобные: смесь омерзения и любопытства. Инопланетянин. Только не IT, а скорее ALF. Два квадратика — наверное, дважды по четыре года, подумал Кирилл. А уголок — год. Итого девять лет.

Саня Омский сопел, вспоминая былое.

— Подняли меня сюда при дедушке, в семьдесят седьмом, а откинулся уже при меченом. Хорошая зона была, правильная. Я ещё на централе слышал, что в Калитине зона чёрная. На красной меня бы суки запрессовали, в конверт бы заклеили, я ж на любой киче всегда в первой пятёре был. А здесь как кот. Кандер по полной, планом и ханью грели, через баркас ко мне такие вафлёрки из местных бегали, у одной биксы — о! — Саня ладонями показал огромные женские груди.

Кирилл не сомневался, что старый уголовник просто понтуется. Чем-то надо заплющить московских. И оправдать свою жизнь, которую бездарно просвистел по гадюшникам. Но всё равно было противно.

Валерий ходил взад-вперёд за кучами хлама, разговаривая по телефону. Гугер отрешённо пережидал визит гостя.

Саня наклонился и уронил изо рта себе под ноги харчок, а в него воткнул окурок.

— А когда зона закрылась? — спросил Кирилл.

— Зона? В девяносто втором. Здесь стали заповедник делать, а зону перевели под Котельнич. Жаль, хорошая зона была.

— Чем на ней занимались? Лес валили?

— Ну, поначалу-то лесоповал был, да. Потом лес на хер вырубили и стали торф добывать. Там, подальше, вскрыша начинается.

— Какая крыша?

— Не крыша, а вскрыша. Где землю вскрыли. Торфоразработки. Котлованов там два десятка, бурты стоят брошенные. Это вот дым-то от них. Они горят, котлованы.

— И что, никто не тушит?

— Да чего-то возились, потом бросили. Хера ли. Будут дожди, дак сами погаснут. Каждый год так. Сюда ж никак не проехать. Раньше узкоколейка была от разработок до Семёнова. Как лагерь закрыли, так и она сдохла. Какой-то фраер её на металлолом сдал. Остался только хвост от Калитина до котлованов. Туда местные за торфом катаются. У нас же торфа вместо дров.

— Как — катаются? — не понял Кирилл. — На чём? На велосипедах?

— Плашкеты, что ли, на лисапедах? — ухмыльнулся Саня Омский. — Мурыгин, гумза, дрезину заныкал. Он её у кума с зоны выкупил. Щас сдаёт за деньги, кому на котлованы надо. Километров восемь туда.

Наверное, этот Саня как вышел из зоны, так и остался в деревне у какой-нибудь сердобольной «вафлёрки с биксами», подумал Кирилл. Будь Саня настоящим вором в законе, неужели на просторах Союза он не нашёл бы местечко потеплее, чем деревня Калитино?

— Тяжело на котлованах работать было? — сочувственно спросил Кирилл, провоцируя Саню или на возмущение, или на жалобы.

— Шлангуешь, — обиделся Саня. — Я вор правильный, я на кичмане ничего тяжелее весла не подымал. Мне на ментов мантулить западло. Они рады были, если Саня Омский для фортецела на поверку выйдет, а на промзону я ни ногой. У меня в бараке однажды бугор свои лопаря с моими спутал и надел, так я потом их на хер выбросил. Саня Омский — не мужик и не тварь, чтоб носить лопаря, которыми торфа топтали.

За что он сидел здесь, весь такой расписной? — думал Кирилл. Наверное, в своём Омске в пьяном кураже с такими же ублюдками где-нибудь в ЦПКиО разломал билетный киоск и получил на всю катушку за групповое ограбление. А сейчас корчит из себя тираннозавра, хотя как был вонючим хорьком, так и остался.

— Там, за церковью, где выпас, бараки находились. Там и там КПП стояли. Охрана в деревне жила. А тут вот биржа была. А здесь, — Саня покрутил пальцем над головой, — слесарный цех. Вон швеллера от него остались. — Саня показал вверх. — Здесь станки были. —

Саня похлопал ладонью по станине, на которой сидел. – Точили и разводили фрезы для торфорезок. Ну, и финкари делали. На композитора их меняли.

Валерий закончил разговор, убрал телефон и подошёл поближе, но не настолько близко, чтобы Саня решил, что заполучил слушателя.

– На какого композитора? – издалека удивился он.

– На Чайковского. Из которого чифир заваривают.

Гугер хмыкнул, глядя в окно.

Кирилл представил, что по этому большому помещению тянутся ровные ряды станков, люди в робах что-то фрезеруют или точат. Воют моторы, визжит металл, а над работающими тихо и невесомо стоят фигуры святых в длинных одеяниях. И с простенка на зэков, сжав в руке древко копья, смотрит Псоглавец, опустив длинную морду.

На улице уже клубились мглистые сумерки. Меж досок в окнах угасли огненные щели. В храме потемнело. Псоглавец, как настоящий хищник, почти растворился в полумраке, словно замаскировался в засаде, но его выдавали белёсый панцирь и светлый нимб.

Кириллу надоела лагерная ностальгия Сани Омского, коей он вроде как должен был внимать с сочувствием и уважением. Но Лурия поручил ему собирать байки о Псоглавце, а не мемуары старожилов.

– Святые-то не мешали? – Кирилл насмешливо кивнул на стены.

– Я не работал, мне не мешали, – ухмыльнулся Саня.

– А это кто? – Кирилл напрямую указал на Псоглавца.

Дикий, фантастический Псоглавец возвышался над ублюдочным миром российской зоны, словно башня Саурона над Средиземьем. Святой Христофор был совершенно чужд этому миру, но вот Псоглавец казался неотъемлемо и органично встроенным в него.

Валерий за спиной Сани покрутил пальцем у виска. Гугер перевёл взгляд на Кирилла. Оба они оторопели от подобной дерзости, будто Псоглавец был чем-то таким, о чём нельзя говорить бесцеремонно. А Саня вдруг встал и шагнул к Псоглавцу. Он замер у простенка, сутуло опираясь на трость, и закинул голову, рассматривая фреску.

— Его у нас звали Торфяной гапон, — проскрипел Саня. — Сука он.

— Понимаете, это же святой, — с тихим осуждением сказал Валерий.

— Какой, на хер, святой. Псина. Овчарка.

— Написано «святой Христофор», — указал Кирилл.

— Где? — презрительно спросил Саня и сплюнул на кучу мусора.

Похоже, за тридцать с лишним лет он так ни разу и не удосужился прочитать, что начертано под ногами Христофора.

— Так кто он, Сань? — настаивал Кирилл.

Саня закопошился, вытаскивая свою мыльницу, и грязным ногтем стал выколупывать из неё сигарету. Курить свои, когда рядом есть чужие, означало, что Саня забыл все понты и правила авторитетного зэка. Саня поднял трость и стукнул её копытцем в колено Псоглавцу.

— А он не один. Гапонов много. Очко не сыграет, если узнаете?

— Не сыграет, — ответил Кирилл.

— Борзый ты парнишка...

Саня курил, словно торопился на казнь.

— Я сам Торфяного гапона не видел, и слава тебе господи, — Саня перекрестился сигаретой. — Они здесь ещё при Сталине появились, хер знает откуда. Живут в лесу и на торфяных болотах. Люди, а бошки пёсьи. В тридцать седьмом начальник зоны полковник Рытов их как-то приручил, что ли... Да чё как-то, человечиной прикормил... Если кто с зоны оборвётся, Рытов не вохровцев посылал, а этим гадам знать давал. Они же собаки. След берут. И никто от них не уйдёт. Любого догонят и в куски порвут. И многих, говорят, порвали. А вохра потом приносила в мешках головы и руки откушенные, кости кровавые.

Саня замолчал.

— И что? — осторожно спросил Кирилл.

— А что? — разозлился Саня. — Здесь же тогда лесоповал был! Хоть узкоколейку ещё не протянули, всё одно до города сто километров, три дня ходу. Там на железку — и привет, свободен, зэка! С лесоповала бежать сам бог велел. Пуля вохры для зэка как мама, на овчарок ножи были, топоры. Такого никто не боялся. А нечисти этой уссаться, как боялись. Когда гапоны три или четыре рывка растерзали — всё, зэка за баркас ни шагу. У КПП Рытов приказал стол поставить, а на него — банные шайки, в них и лежали головы отгрызенные. До писят третьего, до амнистии, когда усатый помер, никто больше из зоны на отрыв не дёргался. Хера ли, когда такой упырь тебя в лесу стережёт? Лучше целым срок домотать, хоть четвертак, чем с таким страхом бодаться. Рытов, кум лагерный, звезду за звездой привинчивал.

У Кирилла волосы на руках стояли дыбом. Это святой Христофор? *Не надо туда!* — вспомнил Кирилл мольбу немой Лизы.

— А после смерти Сталина бегали?

— В писят шестом узкоколейку провели и лесоповал закрыли, перешли на торф. Кто отчаянный был, те ещё бегали. На плотах по реке в молевой сплав, на вагонетках. Кого-то вохра принимала, кто-то уходил... Но через лес никто не рыпался. Их же всё равно видали после Рытова, гапонов-то. Мелькали издаля на болотах, на вырубках. А зона помнила, что это за черти. Как тут забудешь, если эта падла на стене нарисована, и охрана эту картину караулит, как красное знамя?

Все четверо молчали.

И вдруг Саня осклабился — его волосатая морда словно треснула пополам. Во рту у Сани Омского Кирилл увидел гнилые обломки зубов.

— А я от него всё равно ушёл, — злорадно сказал Саня. — По-чистому ушёл, не взять меня!

Саня повернулся к Псоглавцу, криво отдал честь и гаркнул:

— Здравия желаю, гражданин начальник, сука торфяная!

Опустив руку, Саня заковылял к выходу. Кирилл не сразу понял, что Саня отправился восвояси. Как-то ни «прощай», ни «до свиданья».

Саня оглянулся.

— Эй, — окликнул он сразу всех, Кирилла, Валерия и Гугера, — если у вас с нашими непонятки начнутся, обращайтесь. Я всю здешнюю хевру за шкварник держу.

Саня тростью толкнул дверку, тяжело переступил порог и растворился в дымной синеве сумерек.

6

Российскую деревню вблизи Кирилл впервые увидел в школе, в седьмом классе. Он был под Малоярославцем с приятелем в гостях у его бабушки. И Кириллу в деревне даже понравилось. Все друг друга знают, маленькие чистые дома в кружевах резьбы, акации огорожены заборчиками, чтобы козы не объели. Там мужики катали пацанов в открытом кузове грузовика. Женщины, даже немолодые, ездили в магазин на велосипедах без рамы. Утром пели петухи. На грядках росла клубника. Ещё играли в «картошку» и в «московский зонтик» – задирали девчонкам подолы. Купались в речке под названием Лужа.

Калитино было похожим, но совсем не таким. Его словно бы кто-то проклял. Кирилл шагал по мягкой улице к перекрёстку с колодцем. Над заборами свешивались ветви деревьев с вялой листвой. Тускло светлели шиферные крыши с тёмными заплатами. В окнах метались голубые отсветы телевизоров. Высокие деревянные столбы торчали, словно воткнутые с размаха, как копья в жертву, без всякой телеграфной романтики. Тротуары давно заросли косматой травой, и Кирилл шёл по дороге. Вокруг было темно, дымно и жарко. Кирилл любил летние ночи, но, оказывается, он любил южную тьму – яркую и глубокую. А здешняя темнота была душная, глухая, опасная. Она не просматривалась насквозь, и потому вся деревня казалась декорацией.

Разбухший сруб колодца стоял посреди лужи, не высохшей даже в такой зной. Сруб перекрывала заплесневелая двускатная кровля с дверкой. На ворот с железной рукоятью была намотана собачья цепь с прикованным ведром. Кирилл откинул дверку, бросил ведро в глубину, подождал, пока цепь, бренча, раскрутится, и принялся с натугой вращать рукоятку обратно, вытягивая ведро. Наверное, раньше эта процедура доставила бы ему удовольствие.

В темноте нельзя было разглядеть, насколько вода чистая. Хотя с чего ей быть грязной? Промышленности вокруг никакой. Кирилл поставил ведро на край колодца, наклонил одной рукой, выливая воду тонкой струйкой, и сунул под неё свою бутылку. Бутылка, наполняясь, заиграла в ладони и увесисто тяжелела.

Кирилл закрутил горлышко бутылки пробкой и пошагал обратно.

Гугер втиснул автобус вдоль забора между торцом школы и линией вкопанных покрышек. По спинам покрышек Кирилл проскакал мимо автобуса, как на физкультуре, и спрыгнул на тропинку, которую они уже протоптали в бурьяне. Стараясь не оступиться, поднялся на расшатанное крыльцо и вошёл в здание заброшенной школы.

Его рюкзак, свёрнутый в рулон коврик и тушка спального мешка лежали в бывшей прихожей, где на стенах ещё сохранились доски с вешалками для учеников. Из глубины здания доносились голоса Гугера и Валерия. Одна стена коридора была слабо освещена и чешуйчато блестела растрескавшейся краской. Кирилл бросил рюкзак и спальник за дверь первого попавшегося на пути класса.

Гугер и Валерий сидели на полу на развёрнутых ковриках из пенополиуретана. Между ними стояла сумка-холодильник Campingas и — торчком, линзой вверх — мощный полицейский светодиодный фонарь Inova, какими торгует фирма «Экспедиция». Конус света бил в жёлтый потолок, покрытый разводами и паутиной. Кирилл расстелил свой коврик, замкнув пространство вокруг сумки и фонаря, и тоже уселся.

Валерий аккуратно поедал куриный окорочок, время от времени вытирая рот салфеткой, и запивал колой. Гугер курил и дул «Туборг» из банки, ещё две банки стояли рядом.

Гугер первым стал называть школу базой. Вернувшись из церкви на базу, они обнаружили, что жить там невозможно. Электричества не было. Свет не горит, фумигатор не включить, ужин без микроволновки не приготовить, даже чаю не выпить. Пришлось ужинать как попало.

— Хоть костёр разводи,— в сердцах сказал Гугер.

— Котелка-то всё равно нет,— вздохнул Валерий.

— Пивом не наешься,— заметил Гугеру Кирилл.

— Банка пива по калорийности равна котлете.

— Я «Шеш-Беш» люблю,— грустно вспомнил Валерий.— Бозартма вне конкуренции. Это такие кусочки курицы тушёные.

— А мне пофиг,— сказал Гугер.— Я рано утром жру, у меня рядом с домом фастфуд круглосуточный.

— Почему так странно? — удивился Валерий.

— Ночью я в Сети. С часу до шести трафик самый дешёвый. В шесть жру и спать.

— Гугер — твоё сетевое имя? — догадался Кирилл.

— Гугер — великий воин, маг третьего круга, кавалер ордена Семи Мечей, бессмертный из рода Бьёфурда. А это,— Гугер ткнул себя в грудь,— всего лишь его аватар в реале.

— И где этот аватар работает? — скептически спросил Кирилл.

— А-а...— Гугер отмахнулся сигаретой.— Нигде. Так, Интернетом приторговываю, хватает.

— Это как это Интернетом торгуешь? — не отставал Кирилл.

— Отпиливаю маленькими кусочками и продаю на Басманном.

Гугер не хотел говорить про свои доходы.

— Понимаешь, сервис, мелкий софт, рассылка, веб-дизайн, — с видом знатока сообщил Валерий. — Пол-Москвы этим живёт.

— А ты, Валер, где работаешь?

— Я менеджер. Ну, старший менеджер, точнее.

— Где?

— В Доме книги на Ладожской.

— Где-то учился?

— Филфак МГУ.

— Не хило, — уважительно сказал Кирилл.

Валерий изобразил недоумение, подняв брови. Типа «ну а где ещё я мог учиться? В урюпинском техникуме на механизатора?».

— Гугер, а ты где-то учился? — допытывался Кирилл.

— Кир, ты чего, у военкома на подхвате? — разозлился Гугер.

— Ладно-ладно, — быстро отступил Кирилл. — А где живёшь? Или про это тоже нельзя спрашивать?

— В Кунцеве, — отчеканил Гугер. — С родителями. Не женат. Не привлекался. Восемьдесят пятого. Дальше Вэла доставай.

— А ты, Валер? — Кирилл внял совету Гугера.

— Я на Лосиноостровке живу, даже метро нет, — вздохнул Валерий.

— Чего в такой заднице? — удивился Гугер.

— Можно подумать, Кунцево намного ближе к центру, — обиделся Валерий. — Живу, просто где у жены квартира.

Кирилл откусывал бургер и запивал из бутылки. Кто такой Кирилл, где он учился и где он живёт, Гугера и Валерия, видимо, не интересовало.

— Надо решать, как нам очеловечить эту пещеру, — сказал Гугер.

— Электричество необходимо, — важно изрёк Валерий. — У меня телефон разряжается.

— У меня тоже ноутбук не от педалей работает. Где электричество возьмём? ДнепроГЭС на речке построим?

— Ну... Провод протянем... — неуверенно предложил Валерий.

Они помолчали. Кирилл не знал, откуда взять электричество. Гугер всё более раздражался.

— Так, значит, — решительно начал он. — У меня есть две бобины кабеля на двести двадцать, с пилотом. Кир, ты ведь ответственный за сказки? Когда пойдёшь по домам опрашивать, договорись воткнуться в розетку. Лучше в ближайшем доме. За счётчик хозяевам заплатим.

Кириллу не понравилась идея связываться с местными.

— У нас же Валера — организатор всего,— напомнил он.

— Вэл мне завтра будет нужен.

— А если от генератора? — пробовал альтернативы Кирилл.

— Может, ты тогда сюда бензовоз пригонишь?

— Слушайте, здесь какая-то дикая деревня, — заволновался Кирилл. — Как мне одному тут ходить? Мне тоже нужен помощник.

— Неужели такой простой вещи не сумеешь сделать сам? — укорил Кирилла Валерий, который явно обрадовался, что не ему надо будет стучать в двери калитинским алкашам и уголовникам.

— Ну, ладно, пацаны,— согласился Кирилл, разозлившись. Валерий и Гугер были ему случайными знакомыми, они не станут по-дружески входить в его положение и помогать.— Тогда я спать иду. Мне для завтрашних переговоров нужен здоровый цвет лица.

Он встал, поднял свой коврик и ушёл в коридор.

— Обиделся, — услышал он за спиной негромкое и снисходительное пояснение Валерия.

— Не маленький, — буркнул Гугер.

Кирилл завернул в класс, куда он бросил свои вещи, и закрыл за собой дверь. Класс был довольно просторным. В обоих окнах уцелели стёкла. У стен стояли старые деревянные парты, каждая с наклонной столешницей, с дыркой под чернильницу и с двумя откидывающимися крышками. Такие парты Кирилл видел только в советском кино.

Посреди помещения Кирилл ногами разгрёб с пола мусор и куски штукатурки, положил коврик, достал из чехла и расстелил спальник, под голову пристроил рюкзак и приплющил его ударами кулака. В классе пахло извёсткой, затхлостью, древесной гнилью досок, но всё перекрывала горечь гари с торфяных болот. Было достаточно светло, хотя как-то блёкло, подслеповато. Кирилл прислушался, но так и не уловил зуденья комаров. Видимо, их выжгло жарой и дымом.

Залезать в спальный мешок Кирилл не стал, испечёшься, а просто разделся до трусов и лёг на спальник сверху. Он представил, как завтра пойдёт по домам, и тут же придумал ещё один аргумент для спора с Валерием и Гугером. Ведь организовать быт их команды было обязанностью Валерия, за это Валерий и деньги получал. Цепляться к розетке — это быт. Значит, Валерий станет держать Гугеру стремянку, а он, Кирилл, будет выполнять работу за Валерия?..

Кирилл вообразил Гугера с болгаркой в руках лицом к лицу с Псоглавцем, потом вспомнил Саню Омского, его рассказ, как зэки бежали с зоны, а начальник посылал Псоглавца в погоню... Кирилл представил, что он — зэк, что он бежит из лагеря, бежит по осеннему лесу... Он выставил вперёд руки, чтобы ветки не выкололи глаза. Ветки хлещут по ладоням. Октябрь, быть может, начало ноября... Ещё не вся листва опала, вокруг — круговерть жёлто-бурых пятен, деревья, деревья. Рукава телогрейки мокрые, руки и лоб исцарапаны, шапку с него сорвало сучком. Ноги в грубых сапогах бьют в землю, покрытую жухлой травой, и он знает, что в лесу за ним тянется цепочка чёрных следов, тихо наполняющихся водой.

Он знает, что за ним погоня, но кто гонится? Вохровцы с собаками или вправду это чудище, что нарисовано в церкви? Лая не слышно. Хрипя от удушья, он забирается на какой-то бугорок и оглядывается, утирая лицо. По другую сторону бугра он видит просторную лысину давней вырубки, густо заросшую мелкими ёлочками. Тусклое небо, осиновые заросли, заброшенный лесоповал...

По ёлочкам к нему приближается полоса дрожи. Так дрожит вода, когда близко к поверхности проплывает большая рыбина. Кто там, в ёлочках? Собака? Он вытаскивает из-за голенища самодельный нож. Если человек — плохо, вохра не ходит в одиночку, у вохры — винтари и разрешение на отстрел. А у собаки только зубы, и он насадит собаку на перо, когда та прыгнет ему на грудь... Собака — это хорошо.

Он видит в ёлочках, что под зелёными лапами мелькает тёмная спина большой собаки. Спустили с поводка, дуболомы... Собака останавливается, задирает голову, нюхает влажный воздух. Он видит острую собачью морду, напряжённые уши... А потом вдруг собачья башка поднимается над ёлочками — словно распрямляется человек, стоявший до этого на четвереньках. Человек с головой собаки...

Кирилл подпрыгнул и проснулся, весь в холодном поту. Он лежал на спальнике посреди класса в заброшенной школе. Тускло и дымно светились грязные окошки. Вроде бы кто-то только что стоял у одного из них, но на улице, и смотрел, что там делает Кирилл.

И вдруг завопила сигнализация микроавтобуса.

В соседнем классе тотчас раздался стук, что-то шаркнуло, грохнуло, хлопнула дверь, и по коридору мимо двери Кирилла пробарабанили быстрые шаги. Наверное, это Гугер кинулся к машине.

Кирилл сунул ноги в расшнурованные кроссовки и тоже побежал к выходу. Сигнализация улюлюкала и завывала.

Возле автобуса метался сноп света от фонаря, выхватывая то заднюю стенку автобуса, то угол школы, то забор, то бурьян.

— Убью ворюгу! — заорал откуда-то Гугер.

Свет обрушился на Кирилла.

— Убери! — крикнул Кирилл, заслоняясь.

Гугер отвёл фонарь. Кирилл подошёл. Гугер тоже был в трусах, только на ноги надел пляжные сланцы. В левой руке у него был фонарь, на запястье болталась барсетка. В правой руке Гугер сжимал травматический пистолет.

— Отруби сирену, — морщась, сказал Кирилл.

Гугер сунул пистолет на поясницу под резинку трусов, пошарил в барсетке, вытащил брелок с ключами и, нацелив брелок на автобус, надавил кнопку. Трели сигнализации оборвались.

— Хотелось бы знать, что случилось? — спросил с крыльца Валерий.

Он стоял у перил в шортах и футболке.

— Вувузела моя заорала, сам же слышал, — злобно ответил Гугер. — Кто-то хотел автобус вскрыть.

— Кто? — глупо спросил Валерий.

— Жак-Ив Кусто, — огрызнулся Гугер. — Я в автобус спать перехожу. Надо караулить от этих уродов.

— Я с тобой, — тотчас сказал Валерий. — Просто в доме душно, а в машине кондишн включить можно.

Третьему в неразгруженном автобусе места не было. Кирилл вернулся в свою комнату, закрыл дверь и прислонился к ней спиной. Он слышал, как за стенами ходят Гугер и Валерий, скрипят досками пола, вжикают молниями, шуршат. Потом их шаги протопали мимо двери Кирилла, гулко простучали по крыльцу. Одно окно сбоку осветилось — это Гугер включил свет в автобусе. Потом свет погас. Кирилл остался в заброшенной школе один.

Он стоял и слушал, не зная, что ожидает услышать. Вроде бы настала тишина. И потом сквозь неё проступили звуки медленно умирающего деревянного дома. Тихо скреблась о шифер ветка тополя. Что-то протяжно дышало, оседая. Чуть слышно вздрагивало стекло в раме. Щёлкнула треснувшая штукатурка, потёк песчаный ручеёк. Хруст. Еле различимый стон. Шелест.

Это же не замок с привидениями, — сказал себе Кирилл. Здесь никого не пытали, не убивали. Это заброшенная школа вымирающей деревни Калитино. Здесь детей учили читать-писать, показывали им, как крутится глобус, как в воде кипит кусочек натрия, как проросший горох доказывает законы Менделя... Здесь ставили двойки и пятёрки, вручали грамоты, читали наизусть Некрасова...

Все эти вещи Кирилл понимал словно бы одной половиной сознания. Другая половина пыталась освоить, привести к обыденности ошеломительное впечатление:

негромкий цокот собачьих когтей в пустом коридоре. Словно бы собака бродила по мусору, смотрела на двери, нюхала что-то на полу...

В этой деревне нет собак, говорил себе Кирилл. Когда завопила Гугерова вувузела, в ответ не раздалось ни одного гавка. В этой деревне нет собак. А в этом доме, кроме него, нет других людей.

Словно кто-то провёл пальцем по груди Кирилла. Кирилл резко повернулся. Оказывается, он, слушая, плотно прижимался щекой к фанере двери. По груди просто стекла капля пота. А как-то раз было, что напротив стояла голая Вероника и вот так же проводила пальцем ему по груди. *Кирюша, это несерьёзно*, сказала Вероника. *Не надо туда*, ответила ей деревенская немая девушка Лиза. Не надо туда, потому что на самом деле там всё очень серьёзно.

Если я не узнаю, что происходит за дверью, я сдохну от страха, подумал Кирилл. Но если я увижу за дверью собаку, то эта собака, медленно распрямившись, поднимется и встанет передо мною Псоглавцем, и я тоже сдохну, — довёл Кирилл до конца свою мысль. Я выживу, только если там никого и ничего нет. Но ведь я слышу цокот собачьих когтей...

Кирилл зарычал, распахнул дверь и выскочил в коридор. Конечно, коридор был пуст. Но в нём отчётливо пахло кислой псиной.

7

Завтрак оказался ещё хуже ужина.

— Двадцать первый век! — ворчал Гугер, с отвращением хлебая йогурт пластиковой ложечкой. — В глухой деревне сотовая связь и вай-фай! А умыться, блин, нечем, и пожрать нечего...

— Это и называется постиндустриальная цивилизация, — пояснял Валерий, запивая чипсы выдохшейся минералкой.

Они сидели на досках крылечка, не желая пропускать прохладу.

Кирилл жутко не выспался. Он помнил, что его глаза стали закрываться, только когда мутный восход высветил все углы в классе. Трястись, как скаут после «Ведьмы из Блэр», ему вовсе не нравилось. Он никогда не был пугливым, но сейчас твёрдо понимал: здесь ему страшно. И не важно, оправдан этот страх, или же самовнушение. Со страхом надо бороться, вот и всё. Лучший способ — чтобы Гугер и Валерий тоже ночевали в здании. Но ведь и автобус надо караулить...

— Кирилл, может, ты и с водой проблему решишь? — осторожно спросил Валерий.

— Как? Колодец выкопаю?

— Ну, просто принести несколько канистр...

— Вы, пацаны, чего-то попутали, — зло сказал Кирилл Валерию и Гугеру. — Я вам тут кто? Водопроводчик, электрик, повар, сантехник? А сауну не закажете? Я и девочкой по вызову могу поработать.

Гугер ухмыльнулся.

Утром дым торфяников подняло куда-то в высоту и тусклое небо неясно лучилось, хотя размазанное солнце не набирало яркости, чтобы вещи начали отбрасывать тени. Кирилл с крыльца оглядывал двор школы. Бурьян, бурьян... В нём чёрные гребёнки пошатнувшихся заборов, словно какие-то рыбацкие запруды. Надежду внушал только большой сарай с широкими двустворчатыми воротами.

Кирилл спрыгнул с крыльца и направился к сараю.

В створки ворот были вбиты ржавые скобы, сейчас перемотанные проволокой. Кирилл с трудом размотал её и швырнул в сторону, по густой траве с натугой отволок одну створку и протиснулся в щель.

А вроде ничего. Ширина ворот позволяет проехать микроавтобусу. Внутри места вполне хватит. Только надо убрать хлам — доски, руины мебели, какие-то мятые баки. Железная крыша вся в дырах, ну и что?

— Гугер, иди сюда! — позвал Кирилл, выглядывая.

Через некоторое время Гугер с сигаретой пролез в сарай. Вслед за Гугером появился и Валерий.

— Ну как? Годится под гараж для нашего «мерса»?

— А чего? Можно, — согласился Гугер. Он посмотрел наверх. — Как в планетарии, — заметил он.

— Прорехи — это плохо, — подтвердил Валерий. — Зато через такую кровлю местные не проберутся. На неё же вылезать просто опасно. Провалишься и об железо изрежешься.

— Только замок надо.

— Замок добуду, — пообещал Кирилл. — Валер, выдай мне штук десять на хозяйство.

— А почему так много?

— Я же не в казино иду! Верну сдачу! Гугер, а ты отдай мне ствол.

— На фиг тебе ствол? — тотчас встопорщился Гугер.

— Вас там двое, а я один.

— Да тут все квашеные, плевком повалишь...

— Вот ты оставайся и плюйся по ним. А я пойду в церковь стенку канифолить.

— Я думаю, он прав,— поддержал Кирилла Валерий.— Ну, просто деревня же... Мало ли чего.

— О'кей,— не стал спорить Гугер.

В автобусе Гугер достал из бардачка увесистую кожаную кобуру.

— Обойма,— показал он, вытащив большой чёрный пистолет.— Предохранитель. Курок. Пуля вылетает из этой дырочки.

«Streamer»,— прочитал на пистолете Кирилл.

— Сколько патронов?

— Тринадцать для врагов, один для себя.

Валерий в это время отсчитывал деньги.

— Лучше мелкими, наверняка сдачи нет,— посоветовал Кирилл.

— Постарайся взять товарный чек,— попросил Валерий.

— Тут не «Ашан», какой товарный чек?

— Ладно, я разрулю этот вопрос с Лурией...

Гугер с Валерием ещё некоторое время возились со снаряжением и наконец захлопнули дверки. Автобус тихонько зафырчал и упятился за угол школы. Кирилл отправился в свой класс, собрал шмотки и спрятал их в дальний угол за сломанные парты. Пистолет Кирилл бережно завернул в какую-то ветошь и зарыл в кучу мусора и хлама: никакой вор не догадается искать что-либо здесь.

На улице возле дома Мурыгина, местного торговца, толклись и галдели какие-то дети совсем не местного вида. Кирилл завернул в проход между двумя штакетниками. Выстланная досками дорожка вела к крылечку веранды.

Веранду Мурыгин использовал как магазин. Помещение пополам перегораживал прилавок, возле него отоваривались шестеро или семеро туристов — молодых мужиков и женщин. Кирилл понял, что это их дети околачиваются на улице. Места у прилавка Кириллу не было, и он встал у стены, ожидая своей очереди и разглядывая туристов.

Мужики были загорелые, небритые, потные, голые по пояс, в банданах, в длинных трусах до колен и в пляжных сланцах. Женщины пришли в бейсболках, в тугих майках, в обтягивающих бриджах и кроссовках. Туристы казались здоровыми, полными сил, весёлыми. Но раздражённому Кириллу всё не нравилось. Мужественность мужиков выглядела дешёвкой, бодрячеством мелких клерков или автослесарей, палаточных бизнесменов или установщиков еврокон. Сексапильность женщин с круглыми задницами и налитыми грудями напоминала вчерашний воздушный шарик, который за ночь одряб, но утром на жаре и солнце раздулся обратно.

— А фанта у вас есть? Мне полторашку.

— Скотча широкого моток.

— Девочки, я такое мороженое только в детстве ела! Вафельные стаканчики! Надо взять детёнышам!

— С пятихатки сдашь?

— Репелленты какие? Только эти?

— Хлеба не забудьте, четыре булки.

— Смотрите, сухофрукты! Какой кошмар, полный совок!

— А молока свежего где можно купить?

— Ленка, ты мне тысячу не разменяешь?

— И вот этих конфет ещё пакетик. Так по конфетам соскучилась!

— Серёжа, не бери ты чипсы, опять изжога будет.

— Вискаря нету, да?

— Девчонки, мы берём «Балтики» четыре кейса и две водки. А вам красного или белого?

— Дима, куда вам столько пива?

— Нет, я такое не пью... Это ужас какой-то, а не вино!

— Сока яблочного две коробочки дайте.

— Батареек пальчиковых упаковку.

После нескольких дней одичания весь ширпотреб цивилизации для туристов был неудержимо соблазнителен. Они покупали, отходили от прилавка, возвращались и покупали снова ещё что-нибудь. Кирилл еле дождался, пока туристы двинутся к выходу.

За прилавком сидел жирный щетинистый хозяин в клетчатой рубахе. С висков у него стекал пот, вид был страдальческим. Наверное, это и был местный кулак Мурыгин.

— Замок навесной есть? — спросил Кирилл.

— Нет, — просипел Мурыгин.

Упс, вот и всё. Нет замка — нет гаража для автобуса. Нет гаража — местные уроды опять полезут что-нибудь красть. Полезут уроды — Гугер и Валерий заночуют в «мерсе». А Кирилл останется один в здании школы. И снова явятся эти кошмары.

Может, конечно, Псоглавец и вправду предводитель призрачных собак деревни Калитино. Только вот в личных страхах его, Кирилла, виноват не Псоглавец, не раскольники, не тот безвестный богомаз, что намалевал чудище на стене храма. Виновата деревня Калитино, где нет нормального магазина, нет нормальной дороги, нет какого-нибудь приемлемого приюта для гостей, хотя здесь — заповедник, а по реке плывут и плывут туристы. И ещё тут есть алкаши и деграданты, от которых не спрятаться — не скрыться ни днём ни ночью.

Кирилл тупо разглядывал витрины мурыгинского магазинчика. Это были даже не витрины, а какие-то нелепые шкафы с открытыми полками. Кирилл увидел, что на их стенках краской криво написано: «инв. № 571», «инв. № 577», «инв. № 578». Что, Мурыгин переписал своё добро? А потом до Кирилла дошло, что эти шкафы — из бывшей школы. Шкафы для наглядных пособий. Мурыгин переволок их к себе.

Немудрено, если Мурыгин знал, в чём нуждается деревня. Он и торговал хлебом, макаронами, крупами, сахаром, чаем. В углу урчал и трясся облупленный холодильник, где, видно, хранилась колбаса. В замасленных коробках лежали разнокалиберные гвозди. Имелись в продаже удлинители, изолента, кисти, ножовки, банки клея, мотки верёвки и проволоки. Но адресно туристам были выставлены бутылки с минералкой, китайские бейсболки и носки, водка и вино, кейсы пива «Балтика» и баллоны «Красного Востока», печенье и конфеты, скотч, батарейки Panasonic, упаковки салфеток, рулон полиэтилена, одноразовая посуда Upax-Unity, фонари Led lenser, бритвенные станки Gilette, наборы Nivea, пакетики дешёвого шампуня Head & Shoulders, тюбики зубной пасты Colgate, даже дорогой топор Fiskars с пружинящим и фосфоресцирующим топорищем. У этого Мурыгина была снайперская точность попадания в нужды насущные.

А ведь такой же хмырь, как Саня Омский или этот Лёха. Вон сидит, потеет с похмела. Значит, дело не в объективной гибели деревни Калитино. Дело в деградации.

Что такое деградация? Катастрофическое упрощение. Но простая вещь — живуча. Сложный компьютер сломать легко, а примитивный молоток — очень трудно. Вот и Калитино, выживая, деградировало в простоту. Нет работы, власти, магазина, дорог, газа, водопровода — ну и что? Их заменили картошкой, воровством, самогоном, мордобоем, дровами. Всё это — вечное, потому что элементарное. И этого уже не отнять. А шариковый одорант Nivea и репелленты Gardex — для пришельцев из сложного мира, для чужаков, которым тут не выжить.

Вот эта разница в степени сложности и напрягает. Пугает. Кирилл понял, что он боится этой деревни, как умный дрессированный сеттер, живущий в особняке лорда, боится гадюки из придорожной лужи. А все привидения — лишь овеществление его страха. Давно же известно, что лучшие романы ужасов сделаны из массовых фобий. Европа боялась наследия своего Средневековья, и родился готический роман с Дракулой. Америка мегаполисов боится маленьких городков, где чёрт знает что происходит, и Стивен Кинг становится королём. Русская провинция боится осатаневшей Москвы, и в бреду провинциалов рождается вампирская Москва «Дозоров».

А он боится деревни Калитино, затерянной в дыму торфяных пожаров. Здесь, в Калитине, для страха нет никакой «точки сборки», как сказал бы Кастанеда, кроме дикого здешнего Псоглавца. Который выжил, потому что очень прост: человек с башкой собаки, и всё. Ведь никто здесь наверняка не знает про святого Христофора, про тотемы язычников, про староверов и скиты. Но Кирилл-то знает. Пусть он и некрещёный, но он понимает: христианский святой не может повелевать демоническими собаками, которые разрывают беглых зэков.

Эти привидения — в его голове. Их нет. Они обусловлены тем, что он, человек урбанизированный, боится деградантской деревни. А отформатированы привидения еретической фреской. Был бы святой Христофор не с собачьей головой, а с кенгуриной, то ночью по коридору школы скакали бы кенгуру. Ему, Кириллу, на ночь нужен вовсе не пистолет с серебряными пулями, а хорошая девушка.

— Ты будешь чего-нибудь брать или нет? — страдальчески спросил у Кирилла Мурыгин.

— Мне замок нужен... — тупо повторил Кирилл.

— Сказал же, нету.

Кирилл молчал, не зная, что сказать.

— Иди на хер отсюда, — посоветовал Мурыгин.

8

Кирилл с улицы поверх забора изучающе разглядывал соседний дом. Наверное, это было жильё под дачу, принадлежавшее местным «городским». Крышу дома перекрыли профильным железным листом, стены отделали сайдингом, концы брёвен забрали в короба, поставили евроокна. Недешёвый тюнинг. Кирилл вспомнил, как на экскурсии в Коломенском экскурсовод объяснял им, туристам, как важно для деревянного строения «дышать». А в этой упаковке дом сопреет за пять лет. Ну, да и ладно, не его дело. Сто пудов, что в этом доме есть электричество, может даже генератор. Но есть ли хозяева?

Хозяев не было. Звонок у ворот не работал, на стук никто не отозвался. Значит, придётся подключаться к другому соседу, справа.

Кирилл прошёл мимо фасада школы, «базы», и по пути начал считать шаги. Школу и другой дом разделял огород, где на бурых грядках густо зеленела лохматая картофельная ботва. Среди ботвы, согнувшись, возилась пожилая женщина. От дома и двора огород был отделён кривым штакетником. Кирилл насчитал восемьдесят восемь шагов. Нормально. Ему в распоряжение Гугер оставил две бобины провода, каждая длиной по пятьдесят метров, должно хватить с изрядным запасом. Да и шаг ведь у него не метровый.

Ворота стояли не запертые. Кирилл толкнул чуть приоткрытую створку и вошёл во двор. Домик у правых соседей оказался не ахти. Небольшой и явно ветшающий. Когда-то он был добротным, крылечко тесовое, фундамент покрыт жестяным козырьком, наличники — или как там называются эти доски вокруг окна — выпилены фигурно. Сейчас крыльцо скосилось, жесть поржавела, краска наличников облупилась.

Во дворе между крыльцом и дровяным сараем колола чурбаки на поленья та самая полунемая девушка Лиза, которую они подвезли по пути в деревню. Кирилл сразу воспрянул духом.

На Лизе была прежняя клетчатая рубаха, теперь навыпуск, но уже не пенсионерские треники, а старые мужские штаны, обрезанные ниже колен на манер бриджей. На ногах — расшлёпанные ботинки без шнурков и с вываленными по-собачьи языками. Густые русые волосы Лиза собрала в узел на затылке, но несколько прядей выбились и смешно торчали в разные стороны. От работы загорелая Лиза жарко раскраснелась, пухлые сочные губы казались влажными.

— Привет, — сказал Кирилл и смущённо кашлянул в кулак.

Лиза опустила топор и настороженно посмотрела на гостя. Кирилл ничего не мог с собой поделать — он опять взглядом зацепился за грудь Лизы и отвёл глаза в сторону.

— Мне бы, э-э... кто хозяин у вас, поговорить, — путано объяснил он. Если эта Лиза здесь живёт, конечно, и она — тоже хозяйка, но как разговаривать с немой?

Лиза, не отвечая, легко показала топором за штакетник на старуху, что торчала в огороде.

— Спасибо, — сказал Кирилл.

Он отыскал в штакетнике калитку, зашёл на огород и через грядки стал пробираться к старухе. Старуха тяпкой окучивала картошку. Только вблизи Кирилл увидел, что старуха передвигается с помощью табуретки. Одна нога у старухи то ли не сгибалась, искалеченная артритом, то ли не держала, парализованная, и старуха переставляла перед собой табуретку, опиралась на неё обеими руками и вместо шага совершала какое-то странное телодвижение, подволакивая себя вперёд. В этом было что-то от насекомого. Похоже ползает жук с оторванной конечностью, припадает на бок. Но у наблюдателя нет ощущения, что жук страдает. Повреждённый робот, не более.

— Здравствуйте, — сказал Кирилл погромче.

Старуха медленно распрямилась, разглядывая Кирилла.

— Здравствуйте, — по-деревенски певуче ответила она.

На старухе был синий сатиновый халат школьной уборщицы и какие-то белые, больничные, бязевые штаны, для которых Кирилл нашёл только определение «исподнее». На ногах — галоши, на голове — платок, завязанный под подбородком.

— Я ваш новый сосед, — внятно и громко начал объяснять Кирилл. — Нас трое товарищей. Мы на неделю поселились в том здании, — Кирилл махнул рукой, — где школа была. У нас командировка в вашу деревню.

— То-то я и вижу, машина-то большая заворачивала. Кто такие, думаю? Городские, не иначе. Заповедниковские-то по-другому, всех здесь знают, им чего в брошенном доме-то сидеть...

Старуха говорила свободно и складно, как сказительница.

— Нам в тот дом электричество нужно. Я хочу попросить вас, чтобы разрешили наш провод в вашу розетку подключить. Мы заплатим. За каждый день — пятьсот рублей.

— В день по пятьсот? — переспросила старуха.

— Да. Пятьсот в день. Дней на пять-семь. Это будет где-то две с половиной — три с половиной тысячи.

— Три-то пятьсот много...

— Ничего, для нас нормально.

— Три-то пятьсот за всё лето нагорает. Дорогой нынче ток стал. Раньше-то жги — не хочу, а сейчас за всё дерут. Тысячу сюда, тысячу туда, вот и пенсии нету, а ведь жить надо, есть-пить... Картошка-то своя, овощи там, лук, яйца, но ведь хлеб нужен, без хлеба что за еда, и прикупить чего, хоть лампочки, хоть одёжу какую...

Кириллу сначала показалось, что старуха пожалела его расходы, а сейчас он понял, что старуха, не думая о нём, сразу приложила деньги за электричество к своему бюджету. Складность и певучесть речи была не от мудрости, а от глупости и равнодушия к тому, как сказано.

— Тогда я пойду схожу за проводом — и к вам в дом. Как вас зовут?

— Раиса Петровна я. Токарева. Да просто Рая Токарева, меня тут все знают, мы же у своих-то все на виду. А ты иди вон к дочери, Лиза она. Лизка-то и розетку покажет в доме...

Дочь? — удивился Кирилл. По старухе — так внучка... Хотя сколько этой Раисе Петровне? Лет шестьдесят. Как тётке, у которой он снимал квартиру. А тётка любовника имеет, ездит на Кипр...

— Только Лиза у меня, ну, это, говорит плохо, ты не пугайся, — всё журчала старуха. — Так-то она нормальная, заикается сильно. Я бы сама подошла, дак нога отказала, цельный час буду ковылять...

— Хорошо-хорошо, — торопливо заверил Кирилл.

Через забор он перелез с огорода во двор школы, достал обе бобины с проводом и улицей пошёл снова к воротам Токаревых.

Лиза всё ещё колола дрова. Она вогнала топор в чурбан и никак не могла развалить чурбан надвое или достать лезвие. Она нелепо стукала чурбаном на топоре о плаху, на которую ставила поленья. Кирилл шёл к Лизе, смотрел на её терзания, но видел лишь то, что груди Лизы от движений и наклонов увесисто качаются под рубашкой.

— Это снова я, — весело сказал Кирилл, бросая в траву бобины.

Он деловито забрал у Лизы топор с чурбаном на лезвии. Колоть дрова он не умел, но знал по кино, как справляются, если заклинило топор. Он закинул топор с чурбаном за спину, с натугой размахнулся через плечо и ударил обухом топора о плаху. Чурбан лопнул.

Кирилл отложил топор.

— Ты Лиза, — сказал он. — А я Кирилл. Я из Москвы. Я с друзьями тут, мы вчера тебя на автобусе подвезли немножко, помнишь?

Лиза настороженно кивнула.

Кирилл поймал себя на том, что ему Лиза нравится. У неё был чуть вздёрнутый нос и серые глаза. Обветренные скулы, рыжая летняя конопатость и густой загар, не курортный, а деревенский, делали её простушкой, однако сквозь крестьянку просвечивала барышня с египетским разрезом глаз, нежным овалом лица и таким изгибом губ, потрескавшихся от жары, словно эти губы знали о жизни всё.

— Мы с друзьями вон в том доме остановились, получается, соседи ваши, — пояснил Кирилл. — А электричества нет. Твоя мама разрешила мне к вам в розетку подцепиться. Я платить буду, по пятьсот в день. Это дней на пять, на неделю. Покажешь мне, куда воткнуться можно?

С разгона Кирилл не сразу осознал двусмысленность просьбы.

Лиза помолчала и кивнула. Они стояли и смотрели друг на друга.

— Ну так веди меня, — осторожно произнёс Кирилл. Это указание прозвучало совсем странно, будто он попросил Лизу провести его сразу в постель. Лиза покраснела, повернулась и пошла к крыльцу. Кирилл задумчиво подобрал бобины и пошагал за ней.

Крыльцо вело на дощатую веранду с маленьким окошком. Веранду использовали как кладовку — здесь вдоль стен стояли какие-то мешки, похоже с кусками торфа, а на полках блестели трёхлитровые пыльные банки. Дверь в дом была утеплена и обита дерматином.

Центр дома занимала большая белёная печь. Устье её находилось на кухне. Шершавый белый бок вылезал в большую комнату, где на полу были половики, а на окнах шторки. Стол застилала скатерть, в шкафу-серванте стоял телевизор, подушку на кровати украшала кружевная салфетка. Кирилл почему-то думал, что кровать должна быть высокой, двуспальной, с металлическими шариками на спинке, но кровать оказалась обычной панцирной койкой. Другую такую же койку Кирилл успел увидеть в узкой комнатушке сбоку, проём в эту комнату Лиза сразу задёрнула занавеской. Кирилл догадался, что комнатка — спальня Лизы. Две односпальные койки в доме означали, что здесь живут только Лиза и её мать и у Лизы нет ни мужа, ни отца. Хотя, конечно, и на односпальную кровать можно лечь вдвоём.

— Где розетка? — озираясь, спросил Кирилл.

Лиза указала под стол.

Кирилл залез под стол и увидел у плинтуса допотопную розетку. Он потрогал её — розетка шаталась. Кирилл выглянул из-под стола.

— Она болтается. Можно, я прикручу её покрепче?

Лиза молчала.

— Отвёртка имеется?

Лиза подумала и отрицательно покачала головой. Точно, мужчины в доме нет, понял Кирилл.

— Тогда принеси ножик.

Лиза ушла и вскоре вернулась, присела и протянула тупой нож. Кирилл подкрутил шурупы и воткнул в розетку вилку одной своей бобины. Этот жест показался ему откровенным намёком на секс. Он вылез из-под стола, разматывая провод. В душе всё ходило ходуном.

— Готово, — сказал он, не двигаясь с места.

Лиза смотрела в сторону, избегая глянуть ему в лицо. Кирилл ясно видел её смущение, которое не соответствовало мелочному поводу.

— Лиза, ты ведь можешь говорить? — тихонько спросил он.

Лиза наконец взглянула ему в глаза — недоверчиво и робко. Потом зажмурилась, затаила дыхание и произнесла:

— Не... много...

Глаза Лиза не открывала, точно ждала поцелуя.

Она не смотрит, почти не говорит, и он с ней наедине, подумал Кирилл. Всё вокруг будто зазвенело. Он ощутил, что вдруг очутился за той границей, за которой он волен сделать всё, что захочет. Ведь Лиза ничего не увидит, не скажет и не сделает. Расплаты не последует.

Конечно-конечно, он Лизу не обидит. Сейчас не будет ничего. Но ведь могло быть всё. Похоже, она сразу и не поняла, что допустила, но теперь Кирилл вот как-то легко и сразу получил доступ к ней. Это было уже очень лично, и тайно сближало помимо воли. Сложно, когда это впервые, но то, что случилось один раз, повторить уже не трудно. Кириллу показалось, что он с Лизой как бы обо всём уже условился, только ночь главной встречи наступит ещё не сегодня. Кирилл молча рассматривал Лизу и думал: а какая она в любви? Если в постели она закричит, это станет словно бы возвращением дара речи.

Кирилл отвернулся, чтобы не смущать Лизу и не травить себя. В простенках между окнами висели фотографии и какие-то грамоты. Кирилл положил бобины на стол и направился к фотографиям.

На самом большом цветном портрете Лиза с букетом стояла с распущенными волосами, в косметике, в светлом полупрозрачном платье, смеющаяся. Наверное, это был выпускной вечер в школе.

— Ты красивая, — сказал Кирилл, не оборачиваясь, чтобы не видеть Лизу. Так она не могла возразить ни голосом, ни жестом, а потому не могла установить дистанцию и этим будто подтверждала их близость.

Кирилл рассматривал другие фотографии. Незнакомые лица, непонятные события. Дети, деревенские тинейджеры, женщины, мужчины, старики. Чужая жизнь. Это остужало. На снимке ярких, крикливо-химических тонов провинциальной студии Fujifilm Кирилл увидел Лизу-ребёнка на руках затрёпанного дядьки.

— Отец?

— Да, — сзади тихо ответила Лиза.

Кирилл почувствовал, что она волнуется и стесняется, как на медосмотре, хотя чего такого-то — семейные снимки? Или ею, немой, никто никогда не интересовался и потому ей всё кажется интимным?

— Он жив? — Лиза сзади молчала. — Понятно...

Кирилл увидел фотку с «мыльницы», где Лизу-подростка обнимал за плечи рослый беловолосый парень. Кирилл вспомнил этого парня, хотя сейчас он стал куда старее, жилистее, ублюдистее. Это был Лёха Годовалов, который показывал им с Гугером и Валерием пустые дома в деревне. Ну, конечно. Куда здесь деться друг от друга?.. Хоть Лиза и немая, но ведь всё при ней, и ей не шестнадцать лет, кто-то это всё уже посмотрел и попробовал... Кирилл понял, что заревновал.

Кирилл оглянулся. Лиза смотрела на него с испугом, виновато и с надеждой. Кирилл отвёл глаза. Можно подумать, Вероника легла с ним девочкой... Но этот Лёха Годовалов, вор в сланцах, «ДМБ-2008»...

По снимку было видно, что Лиза не хотела фотографироваться. И всё же была рада и горда, что сильный парень обнимает её, готовый защитить и сделать счастливой. Лёха-то?.. Что он может в этом мире?

Кирилл вспомнил тот мир, который Лёхам был недоступен, но не из-за денег, а потому, что Годоваловым там нечего было делать, только бухать, а бухать дешевле и вольготнее дома. Кирилл любил кафешки у Нескучного и Пушкинскую набережную с трогательно-могучим космическим самолётом «Буран». Вспомнил пляжи Хургады и англичанина, инструктора по дайвингу, который, ухмыляясь, обучал Веронику, как брать в рот загубник акваланга. Вспомнил ледяные, мелко огранённые пики Домбая и страшную высоту под качающейся кабиной фуникулёра. Вспомнил Озёрку под Рузой, храмик Волынщино над водой, большой катер, который они всегда арендовали компанией, и всегда девчонки загорали топлес... Разве это сравнится с Лёхиной крутизной в деревне Калитино? Лиза хочет этого, да?

И тут Кириллу стало стыдно. Чего он понтуется? Лиза — полунемая бедная девушка из дремучей деревни. Ей не из чего выбирать. Она никогда не увидит «Бурана», Домбая, Хургады. Она не попробует мохито, не испытает шкодливого девчачьего удовольствия загорать топлес, она даже радости секса не узнает. В её судьбе ничего этого не будет. А жизнь у неё одна, как и у Кирилла, и другой никто не даст. Её жизнь безжалостно прогорит здесь вместе с торфяными болотами.

— Ты бы хотела уехать отсюда? — хрипло спросил Кирилл.

А Вероника? — подумал он и оглянулся.

Лиза закрыла лицо ладонями.

— Не... пустят, — с трудом сказала она.

— Кто не пустит?

— Они... Они не пустят.

— Кто они?

— Они.

9

Первым делом Кирилл набрал пустых пластиковых бутылок, сходил на колодец и принёс воды. Потом достал из своего рюкзака электрочайник, залил и включил в сеть. Потом приготовил кружку, ложку, упаковку сахара и банку растворимого кофе Nescafe. И только после всего торжественно водрузил на парту ноутбук.

Ноутбук симфонично вздохнул, просыпаясь, и на экране появился такой забытый и такой привычный флажок, разделённый на четыре квадрата: красный, зелёный, синий, жёлтый. И рядом, как «слава тебе, господи», — «Microsoft Windows XP». Кирилл впервые почувствовал не умом, а шкурой, насколько справедливо это название — «Окно».

Исчезла деревня Калитино, торфяные пожары, немая девчонка — Кирилл купался и парил в большом мире, чья сложность была ему так понятна и так желанна. Он проверил почту, поглядел новости, пробежался по любимым сайтам, упиваясь обновлениями. Очень-очень хотелось нырнуть в ЖЖ, но Кирилл не рискнул. Это слишком надолго. И тут, словно поддерживая его решение, заклокотал чайник.

С кружкой кофе Кирилл вышел на крыльцо. Вот это и есть кайф, подумал он. Неужели здесь ему могло быть так тягостно и страшно?

Кирилл посмотрел на сарай с приоткрытыми воротами и вспомнил, как хотел спрятать там автобус, чтобы не ночевать в доме в одиночку. Все кошмары только в моей голове, подумал он. Горе от ума. Но со своей головой, когда есть кофе, он как-нибудь уж справится.

Хотя внутренний скептик резонно возразил, что слишком уж он самонадеян. Собачьи шаги в ночном коридоре, запах псины — да, это Кирилл сам себе внушил. Но ведь предание о беглых зэках, которых разрывали псоглавцы, выдумал не он. Смятение Лизы — тоже реально. И Лурия предупреждал, что здесь может случиться нечто странное...

Кирилл вздохнул, допил кофе, вернулся к ноутбуку и сел за парту. Он вывел на экран Google и вколотил запрос: «псоглавцы». Он ожидал штук пятьдесят ссылок и пару картинок. И душа дрогнула, когда поисковик выдал 15 тысяч результатов и 360 изображений.

Раньше Кирилл никогда не слышал о псоглавцах. Вообще-то, он считал себя в культуре человеком вполне осведомлённым. А сейчас вдруг почувствовал себя так, словно в своей двушке на Кутузовском обнаружил третью комнату, в которой к тому же кто-то живёт.

Оказывается, существовал даже знаменитый роман «Псоглавцы» чешского писателя Алоиса Йирасека. По нему в 1955 году сняли кино. Роман входил в золотой фонд исторической литературы. Оп-па. Ничего такого Кирилл не знал и кинулся искать пересказ содержания.

Действие происходило, разумеется, в Чехии где-то во времена Стеньки Разина. В Чехии существовало некое крестьянское сообщество — «ходы», они прежде были пограничниками, потом типа как егерями в барских лесах. Император установил у них крепостное право, а они забунтовали. То-сё, злые вельможи, благородные и свободолюбивые холопы, императорские войска и плахи. У этих «ходов» на флаге была изображена собачья голова, потому их и звали псоглавцами. Кирилл понял, что с этим романом он промахнулся мимо темы.

Но ссылок на псоглавцев с избытком хватало и без чешских бунтарей. Кирилл погрузился в бездны Сети.

В общем, чаще всего о псоглавцах говорилось, что они высокого роста, под два метра. Голова у них была собачья, а тело человеческое, только на пальцах когти. Про хвост писали что-то невразумительное: то ли есть, то ли нету, то ли лохматый, то ли гладкий. А башка сплошь заросла шерстью, рыжей или бурой. На затылке могла быть мощная грива. Конечно, клыки. Уши круглые, как у гиены, и не на макушке, а по бокам. Псоглавцы ходили на ногах, но сильно сутулились и опускали голову. В описаниях этих чудищ Кирилл сразу узнал бегло-серьёзный тон сетевых специалистов по всем вопросам — раскованный псевдонаучный стиль самозваных авторитетов.

Псоглавцы носили одежду из выделанных кож и шкур. Ношение одежды предполагало наличие стыда, а наличие стыда предполагало обладание душой. Псоглавцам остаётся лишь покреститься и вступить в партию, подумал Кирилл. Речь псоглавцев напоминала лай. Понять её люди не могли, зато псоглавцы отлично понимали речь людей, хотя тоже не могли говорить по-человечески.

Жили псоглавцы племенами. Во главе племени стоял альфа-самец — вожак, у которого была гвардия из бета-самцов. Вожак был женат на альфа-самке, у которой имелась своя гвардия из бета-самок. Впрочем, супружеской верностью псоглавцы не отличались. Детей растили всех вместе. Охотились и воевали. Врагов съедали, в голодные годы жрали и своих слабаков, а если уж прижимало, могли отобедать ребёнком. Всё как у нас, подумал Кирилл.

Война с другими племенами и с людьми была главным делом псоглавцев. Сетевые интеллектуалы детально анализировали оружие псоглавцев: мечи, копья, дротики, секиры, луки. Псоглавцы сражались сначала в пешем строю, потом врассыпную. В племенах имелись свои кузнецы и музыканты, которые печально играли на свирелях. А всё племя, наверное, при этом хором выло на луну, подумал Кирилл.

Происхождение псоглавцев объяснялось в основном греческими мифами. Их было два. Первый утверждал, что псоглавцев рожали свирепые амазонки, которые не подпускали к себе мужчин, а совокуплялись с собаками. А чего ждать иного, подумал Кирилл, если сексуальная жизнь ограничена такими безобразными правилами?

По другой версии, псоглавцы были потомством древнегреческого царя Ликаона. Однажды в гости к этому царю пришёл странник, а царь решил посмеяться над ним. Слуги зарезали ребёнка, пожарили и подали гостю. Но странник оказался Зевсом. Он взбесился, перевернул стол, молниями убил 49 сыновей Ликаона, а самого царя превратил в волка. Хорошо, что я уже не ребёнок, с облегчением подумал Кирилл. Кстати, убитого младенца звали Аркад, и страну Ликаона прозвали Аркадией — той самой, благословенной и счастливой. Но в ней волк-Ликаон наплодил псоглавцев.

От имени Ликаона людей-псов и людей-волков стали называть ликантропами. Вроде бы врачи даже выделили болезнь ликантропию. От мифической ликантропии головы больных изменялись, обрастали шерстью и становились похожи на собачьи, как проказа превращает лицо человека в львиное. А при обычной, клинической ликантропии, психи воображают себя собаками, волками или оборотнями. От психа до пса один шаг, подумал Кирилл.

Псоглавцами, оказывается, были некоторые боги. У армян, к примеру, боги-аралезы, псоглавцы, после сражений спускались с неба на поле боя и зализывали раны воинов. Кирилл подумал, не связано ли это предание с рестораном «Ильдаруни», где назначал встречу Лурия, но решил, что это совпадение.

Голову шакала имел знаменитый древнеегипетский бог Анубис, которого Кирилл помнил по фильму «Мумия». Анубис был владыкой стран Запада, охранителем некрополей и погребальных обрядов. Он повелевал миром мёртвых, сопровождал умерших и вершил загробный суд, взвешивая сердца. Сердце покойника он клал на одну чашу весов, а на другую — перо богини Маат, которое весило столько же, сколько весит истина. Между прочим, в гробницах города Гермополя учёные нашли мумии псоглавцев. Не хило.

Русские, вернее, славяне тоже имели бога-псоглавца — Полкана. Правда, его потом стали изображать в виде кентавра, потому что, как всегда, было туго с грамотой: имя Полкан прочитали как Полуконь.

Полкан происходил родом от иранского бога, крылатого змеепса Сэнмурва. Сэнмурв жил на острове в океане, на великом Древе Всех Семян. Когда он взмахивал крыльями, семена сыпались в море, и с водою их выпивал конь Тиштар. Потом конь орошал землю дождём, засевая, и Кирилл не решился уточнить способ орошения. Но от Сэнмурва отпочковался и древнеславянский бог Симаргл, и волшебная птица Симург, сестра Сирина и Гамаюна, и крылатый пёс Паскудж.

Библия тоже не забыла псоглавцев. Согласно Священному Писанию, псоглавцы являются «яфетическими солдатами», из которых будут состоять полчища Гога и Магога. Эти полчища незадолго до второго пришествия Христа вторгнутся на земли Израиля с севера, будут жечь, грабить и убивать, и господь спалит их огнём с небес.

В общем, конечно, шанс быть чем-то порядочным у псоглавцев имелся, но не очень надёжный. Можно было простить и пёсьи бошки, и лай, и грабежи, но сильно смущало людоедство. Хотя адвокаты псоглавцев исхитрились доказать, что их подзащитные людоедства не допускали. Всему виной латинское слово «канис» — «собака». От этого слова происходит, к примеру, приятный термин «каникулы» — время звезды Сириус, чьё латинское название Каникула, то есть «маленькая собачка». Но в случае с псоглавцами вместо «каникул» от «каниса» произвели «каннибалов».

Псоглавцев встречали во все времена по всей земле, кроме Австралии и Антарктиды. Мудрые и любопытные древние греки слышали, что эти чудища живут в Тунисе. Потом прошёл слух, что и в Индии тоже. Но индийские псоглавцы, в отличие от африканских, рождаются седыми и производят потомство раз в жизни. Сразиться с этими существами возжелал Александр Македонский, по-азиатски — Искандер Двурогий, но он так и не отыскал врагов, хотя потом многие летописи украсили миниатюры о битвах эллинов с псоглавцами. А римляне считали, что бородатые люди-псы кочуют по Эфиопии.

С новгородцами было всё ясно. Для них псоглавцы были жителями Сибири, с которыми торговали ушкуйники. Наверное, новгородцев ввели в заблуждение меховые шапки аборигенов. А для средневековой Европы псоглавцы жили и в Прибалтике, и в Скандинавии, и в том же Великом Новгороде, и вообще по всей Руси. Кирилл подумал, что относительно России европейцы, в общем, были правы.

Марко Поло обнаружил псоглавцев на атоллах Индийского океана, Колумб – на островах Карибского моря, а конкистадоры божились, что псоглавцы живут в Бразилии. Японцы заселили псоглавцами Сахалин и Приморье, а китайцы – Гималаи.

Обшарив планету, европейцы так и не нашли псоглавцев в диких краях, а потому стали искать у себя под боком. У Кирилла создалось ощущение, что без псоглавцев Европе было скучно. Конечно, новым видом псоглавцев оказались оборотни.

Когда дело дошло до оборотней, Кириллу стало совсем весело. Он поднялся, снова залил в чайник воду, включил, помахал руками, разминаясь, и опять сел за парту перед ноутбуком. Всё происходило в точности по Стивену Кингу, только у Кинга предысторию своего кошмара герои устанавливали в местных библиотеках по кипам старых газет. В Калитине не было библиотеки, и газет не было, да и вообще: советская пресса была коллективным агитатором и организатором, а вовсе не информатором, так что надеяться на неё не приходилось. Неужели в лагерной многотиражке «На свободу с чистой совестью» Кирилл мог бы найти статейку про то, что у КПП в банном тазу в назидание контингенту лежит отгрызенная псоглавцем человеческая голова? Местную прессу Кириллу заменял Интернет. Итак, оборотни.

Кирилла интересовали те оборотни, которые превращаются в волков. Кстати, обыкновенная собака принадлежала к виду волков и роду волков, а собачьим было только семейство. Кирилл даже открыл на рабочем столе отдельный файл и записал названия. Немецкие оборотни-волки назывались вервольфами, французские — ругару, армянские — мардагайлами, английские — werewolf, испанские — hombre lobo, итальянские — lupo mannaro, португальские — lobisomem, древнеримские — faunus ficarius. Зачем ему это надо, Кирилл не знал.

Русские волки-оборотни — это волколаки. Пушкин переименовал их в вурдалаков, так с тех пор и пошло. Помимо прочих талантов, волколаки умели глотать солнце и луну. Кирилл посмотрел в окошко на дымное небо. Ни солнца, ни луны над деревней Калитино он так ещё и не видел. Волколаки съели?..

Стать волколаком можно разными способами. Самый надёжный — продать душу дьяволу, но в этом случае обратного пути нет. Можно надеть волчью шкуру и произнести особые заклятья. Но требуется знать другие заклятья, чтобы сбросить шкуру. Можно подпоясаться заговорённым поясом. Но вернуть человечий облик удастся лишь тогда, когда пояс сам по себе износится и порвётся. Можно быть укушенным другим волколаком. Тогда для освобождения нужно найти того, кто тебя укусил, убить и сожрать его сердце. Это хлопотно, но зато положено в основу сюжетов половины ужастиков. А можно тихо дружить с ведьмой или колдуньей и потом умереть без покаяния. Все чародеи сами по себе — уже оборотни. Впрочем, при дружбе с ними следует помнить, что от соития рождаются дети без костей.

Далеко не всякий имеет счастливую возможность превратиться в оборотня. Такие люди вообще сразу отмечены судьбой: они ужасно некрасивые, но хитрые, сильные и во всём удачливые. Оборотни — убийцы, под настроение — людоеды, но никак не вампиры. Любимое развлечение совсем уж одичавших оборотней — рыть могилы и грызть кости мертвецов. Явно собачья повадка. В волчьем состоянии оборотни себя не контролируют.

Оборотни бывают двух типов — при жизни и после смерти.

Оборотни первого типа, которые «при жизни», — днём люди, а ночью — волки. Волками они могут становиться каждую ночь или только в полнолуние, а самые умелые — когда захотят. Будучи волками, они вполне упитанные и здоровые звери, лохматость нормальная, как у дяди Фёдора из мультика.

Оборотни второго типа, которые «после смерти», — лежат в могилах людьми, а выходят из могил волками. У них железные зубы. В волчьем виде они выглядят болезненно: шкура висит, шерсть клочьями и синюшная, глаза красные. Убежище оборотня-покойника находят с помощью молодого жеребца: его приводят на кладбище и смотрят, возле какой могилы конь испугается и заржёт.

Убивают оборотней традиционно — серебряными пулями. Можно убить и как колдуна: законопатить в спину осиновый кол, отрубить голову, а потом сжечь. Но Кирилл надеялся, что до этого не дойдёт.

Он откинулся на спинку парты и потянулся. Чайник клокотал.

Кирилл прокачал сквозь себя море информации — ну и что? Он ничего не узнал и ничего не понял про деревню Калитино и про свои кошмары. Обычный итог использования Интернета при неконкретно и некорректно сформулированном запросе: бездна сведений, нулевой результат. Отыскалась такая толпа псоглавцев, что не определить, какой из них нужен. «Всё» значит «ничего». *Кирюша, это несерьёзно.*

Вдруг кипящий чайник затих, а экран ноутбука мигнул, и под клавиатурой загорелся огонёк «battery». Кончилось электричество. Может, это коварные псоглавцы перегрызли провод, а может, Лиза мыла пол и случайно выдернула вилку из розетки. Но Кирилл услышал где-то на улице истошный женский крик.

10

Кирилл выскочил на крыльцо и с его высоты увидел, что на дворе у Лизы случилась какая-то заваруха. Кричали оттуда. И кричала не Лиза. На воздухе вопль расслоился на два женских голоса.

Кирилл хотел побежать, но сдержался и вышел на улицу шагом. К забору Токаревых уже сходились люди — несколько баб, старухи, пара мужиков. Пока Кирилл приближался, крики не смолкали.

Небольшая толпа, негромко переговариваясь, стояла в открытых воротах. Среди деревенских жителей Кирилл заметил и детишек, что приехали из города: детишки смотрели во двор, открыв рты, — так всё им было интересно и необычно. А вообще толпа напоминала участников похорон, когда кто-то воет и бьётся у гроба, но остальные не пытаются унять эти припадки. Кирилл протолкался сквозь людей, но не сразу поверил тому, что увидел перед токаревским домом.

На ступеньках крыльца дрались Раиса Петровна и носатая, белокрашеная девка, которую Кирилл уже встречал где-то на улице.

Женские драки Кирилл знал только по видео. «Ангелы Чарли», «Малышка на миллион», конечно, любимый тарантиновский «Kill Bill»... А здесь было совсем не так. Эта драка могла показаться комичной, если бы не была такой постыдной, жалкой и обыденной.

Раиса Петровна косо лежала на ступеньках крылечка, подогнув парализованную ногу, её табуретка отлетела к забору. В волосы Раисе Петровне вцепилась крашеная девка, трясла старухе голову и пинала в живот коленом. У Раисы Петровны была разбита губа, у девки на щеке алели глубокие царапины. Старуха одной рукой держалась за край ступеньки, а другой по-куриному драла девке грудь и бок. Она не давала скинуть себя с лесенки, и девка не могла прорваться в дом.

— Сука паскудная! — визжала девка. — Я те космы вырву, глаза выдавлю! Зарежу Лизку твою блядунью!

— Шалава! — выла Раиса Петровна. — Верка-прошмандовка! Гадина ты и муж твой гадина! Провалитесь вы оба, чтоб вам в аду сгореть!

— Пусти, сука! Пусти к мужу! Лёша! Лёшенька мой!..

— Накажи тя господи, и Лёшку твово накажи!..

Кирилл оглянулся на стоявших рядом мужиков и баб.

— Что происходит? — спросил он.

— Годовалов пьяный к Лизке Токаревой завалился, — пояснил один из мужиков. — Верка хочет его вытащить, Райка не пускает.

— Почему не пускает?

— Верка Лизку порежет.

— А вы чего стоите? — гневно спросил Кирилл.

— Не суетись, — посоветовали ему. — У Годоваловых с Токаревыми такое кажен месяц. Ухайдакаются, сами расползутся.

Смотреть на дерущихся баб Кириллу было невыносимо.

— Знаю, сука! — орала Верка. — Ты мужа моего хочешь к блядовке своей переманить!.. Лёшка, козёл, выходи!.. Пусти меня к нему, сука!

А что там Годовалов с Лизой? — подумал Кирилл.

Он побежал к крыльцу, чтобы оттащить Верку от Раисы Петровны и вместо неё пробиться в дом. Пинаясь, Верка дрыгала ногами, и подол платья съехал ей на задницу. Кирилл увидел белые Веркины ляжки и ниже колен — загар, похожий на гетры. Кирилл со спины обхватил Верку за талию. Верка была сильная, гибкая. Здоровая деревенская тёлка, двужильная в работе и охочая до мужика.

— Уйди! — заорала Верка. — Лёшка, ко мне мужик лезет!..

Кирилл под мышки, пятясь, поволок Верку к воротам, но она двинула Кирилла локтем в бок, рванулась, вырвалась, упала на траву и кинулась обратно к Раисе Петровне. Она с ходу снова вцепилась старухе в волосы и стукнула Раису Петровну головой о ступеньку.

Кирилл опять облапил Верку за талию и потащил назад, но теперь Верка тянула старуху вслед за собой за волосы. Раиса Петровна завыла, сползая по лесенке.

— Сдохни, сука! — визжала Верка.

Всё это было ирреально. Омерзительная бабья драка, проклятая деревня, звериные нравы, животная жизнь, деграданты, дно...

Кирилл сунул руки Верке под мышки, схватил тугие Веркины сиськи и сжал что было сил, как резиновые мячи. Верка завопила и отпустила волосы старухи, повалилась на Кирилла и когтями впилась ему в ладони. Кирилл отдёрнул руки и отпрянул. Верка шлёпнулась на землю, извернулась и куснула Кирилла в голень. Кирилл отлягнулся, отбрасывая Веркину голову, отпрыгнул в сторону, наклонился и схватил Верку за ногу. Так он и потащил Верку по траве к воротам.

Верка извивалась, орала матом, порванное платье на ней бесстыже задралось, оголив живот, хорошо хоть трусы оказались не тонкими стрингами, а более-менее широкими плавками.

— Пидара-а-ас! — орала Верка.

Кирилл дотащил Верку до ворот и бросил к ногам толпы. Мужики в толпе ржали, бабы от стыда отворачивались. Посреди толпы, опираясь на трость, стоял Саня Омский с сигаретой и ухмылялся.

— Молоток, зёма, — довольно сказал он.

— Да подержите её кто-нибудь! — рявкнул Кирилл, бросаясь назад.

Раиса Петровна уже сползла с крылечка и сидела в траве, рыдала, широко открывая рот. Кирилл пролетел мимо, взвился на крыльцо, ворвался на полутёмную веранду. Он дёрнул за ручку дверь в дом. Дверь была заперта изнутри. Из-за двери донёсся слабый крик Лизы, похожий на стон. А может, это и был стон? Может, Лиза сама звала Годовалова в гости и Верка была права?..

Кирилл замер, не зная, что делать. Всё это было нестерпимо нелепо. При чём тут он? Здесь, в деревне, уже не люди — так, какие-то человекоподобные существа, бандерлоги, троглодиты. У них своя жизнь, свои правила, свои отношения... Они друг с другом пьют, друг у друга воруют, друг друга имеют, варятся в своём котле... Они уже не из нормального мира, который с онлайн-трансляциями, шаттлами, дауншифтингом, стритрейсерами, феттучини альфредо... Они живут в своей гнилой вечности, где на гнойнике одного поколения нарастает гнойник другого, и эта простейшая грибница поганок не знает смерти, повторяясь, повторяясь, повторяясь...

Рядом с Кириллом в дверь шлёпнулось какое-то тело. Эта была всё та же Верка, её никто не стал держать у ворот. Верка заколотила в дверь кулаками, заревела коровой:

— Лёшенька! Открой!..

Омерзение так скрутило Кирилла, что он толкнул Верку в плечо, разворачивая к себе лицом, и ударил под дых. Верка ахнула и согнулась. Кирилл ударил её снова, вымещая свой позор у крыльца, всю низость своего участия в этой деревенской жизни. Драться он, в общем, не умел. Да он бы просто постеснялся драться при свидетелях, а тут, на веранде, его никто не видел. И бить Верку — это вовсе даже не драться. Верка, хрипя, села задом в мешки с торфом, сложенные у стены, прижала руки к животу. А Кирилл лупил её снова и снова.

— Ох, родненький!.. — как-то по-бабьи всхлипывала она. — Только не по роже... Ох, милый!..

Кирилла бы вытошнило, но тут за дверью снова послышался крик Лизы, уже надрывный и отчаянный, а потом грохот мебели и звон разбитого стекла. Нет, там в доме Лиза вовсе не миловалась с Лёхой. Лёха её просто насиловал.

Кирилл снова дёрнул дверь за ручку. Как ни дёргай, щеколду ему не выдрать. Но есть другой способ остановить всё это.

Кирилл выскочил с веранды на крыльцо, перепрыгнул через перила, приземлился в траву, побежал к штакетнику, перемахнул его, помчался по огороду, увязая в картофельных грядах и обрывая ногами ботву. Он протиснулся сквозь дырку в школьной ограде, заскочил на крыльцо школы, отшвырнул с пути дверь и ринулся в свой класс.

Кирилл ногами разворошил кучу мусора, руками выгреб обсыпанный извёсткой тряпичный свёрток, присел и развернул ветошь. В ладонь ему увесисто лёг пистолет Гугера.

Уже с оружием Кирилл прежним путём вернулся к дому Лизы, но не сунулся на веранду к запертой двери, а забежал сбоку, где окна.

Одно окошко было разбито. Кирилл встал на ржавую жестяную полосу, покрывающую фундамент, и заглянул в дом.

Комната была разгромлена. На полу среди смятых половиков и осколков битой посуды лежали эмалированные кастрюли. Створка шкафа безвольно висела, косо прикрывая телевизор. Кровать стояла поперёк, бельё с неё съехало клином. На белёном печном боку темнел какой-то потёк. Входную дверь Лёха задвинул обеденным столом. Сам Лёха сидел возле стола на стуле в длинных тёмно-синих семейных трусах и в полосатой майке с оборванной лямкой. Он устало наливал водку из полупустой бутылки в гранёную стопку.

А где Лиза? — озирался Кирилл.

Лиза на корточках скорчилась за печью. Она была лохматая, вся зарёванная, клетчатая рубашка на ней осталась без пуговиц, и Лиза внахлёст запахнула её, заправив в штаны. Рядом с Лизой на полу лежала кочерга. Видимо, Лиза сопротивлялась, ничего приятного Лёхе пока ещё не обломилось. Ярость выдохлась, и Лёха набирался сил для следующей атаки. *Не надо туда...*

Но при всей дикости, всей безысходности этой картины Кирилл уловил в ней и какую-то привычность, покорность. Словно сейчас был антракт в спектакле, всегда одном и том же, но герои, как гладиаторы, не играют, а живут по-настоящему. И Лёха, и Лиза, похоже, не раз испытали всё это. Лёха напивается, вламывается в дом к Токаревым, выгоняет Раису Петровну, пытается изнасиловать Лизу, Верка пытается вытащить мужа, Раиса Петровна не пускает Верку, потому что лучше уж Лёха получит своё, чем психованная Верка пырнёт дочь ножом, и Лёха получает своё, и Лиза лежит и плачет, а Лёха уходит домой, и Верка по дороге бьёт его и материт на всю деревню, которой эта пьеса уже давно поднадоела.

Лёха поднялся и, сутулясь, медленно направился к Лизе, пнув с пути кастрюлю. Лиза схватила кочергу и неловко выставила её перед собой, как копьё. Кирилл сунул в окошко руку с пистолетом, щёлкнул предохранителем — и не смог нажать на курок.

Он бы не убил Лёху из травматики, да ещё с расстояния метров в пять. В кино обычно говорили, что стрелять в человека трудно, но он легко бабахнул бы Лёхе в спину. Однако его охватила гипнотическая вязкость движений, словно он вклеился в мёртвое пространство.

Так бывало в хорошем триллере, когда и страшно, и невозможно оторваться. Просто гипноз. Теперь Кирилл понял, почему в ужастиках герои всё равно идут в тёмный подвал, где зомби, или в склеп к спящим вампирам, почему всё равно читают какую-нибудь волшебную книгу, воскрешающую мертвецов. Невозможно не доделать этого. Бездна манит, притягивает. Надо досмотреть до конца, как искорёжит человека трансформация в оборотня, как палач отрубит жертве голову и поднимет её, окровавленную, за волосы, как ублюдок Лёха Годовалов всё же сдерёт с Лизы штаны, спустит свои семейные трусы и оттрахает девчонку. Эти события — словно неудержимое падение жизни в колодец ужаса, тут невозможно затормозить, здесь властно тянет к самому главному, как в сексе к оргазму.

Но отдаться этой физической неудержимости — значит, жить, как в деревне Калитино: если скучно, то бухаешь, если беден, то воруешь, кто не нравится — того бьёшь, а захотелось бабу — насилуешь соседку. Избив Верку, Кирилл уже попробовал такую жизнь на вкус.

Кирилл навёл пистолет Лёхе в спину, зажмурился, выключая себя из этих правил игры, и нажал на курок. Громыхнуло. Отдача выстрела толкнула Кирилла назад, и он повалился с фундамента в бурьян.

Пока он барахтался, выбираясь из крапивы и репейника, в доме что-то изменилось.

— А! А! А! — мелкими выдохами кричала Лиза.

Кирилл снова запрыгнул на фундамент и глянул в окно.

Лёха лежал на полу вниз лицом, будто убитый. Лиза стояла перед ним на коленях, прижав ладони к щекам, и кричала как заводная.

— Лиза! Лиза! — Кирилл заколотил в раму рукоятью пистолета. Лиза тупо обернулась к окошку. — Это я, Кирилл! Открой дверь!

Кирилл побежал вдоль дома и завернул за угол к веранде. Толпа у ворот уже разошлась, только две бабы хлопотали возле рыдающей Раисы Петровны, которая по-прежнему сидела в траве. Посреди двора, опираясь на трость, раскорякой торчал Саня Омский.

Кирилл влетел на веранду. Верка на четвереньках стояла возле мешков с торфом и блевала на пол. Кирилл замолотил в дверь.

Он услышал, как шаркнул отодвинутый стол, лязгнула щеколда, и Лиза открыла дверь. Кирилл шагнул вперёд и сразу обнял Лизу, прижал к себе, поглаживая по затылку.

— Не бойся, — сказал он. — Лёха в ауте. Это я в него саданул.

Поверх головы Лизы Кирилл увидел распростёртого на полу Лёху.

— Уб-бил...— едва слышно прошептала Лиза Кириллу в грудь.

— Да конечно, убил, как же,— нервно усмехнулся Кирилл, тихонько отстранил Лизу, подошёл к Лёхе и присел рядом.

Лёха застонал, зашевелился и повернул голову.

— Падла...— просипел он, увидев Кирилла.

Он попытался подняться, опираясь на локти, но его правая рука подогнулась, и он упал, стукнувшись виском. Кирилл задрал на спине Лёхи полосатую майку и увидел справа на боку мертвенно-белое пятно. Сюда ударила пуля. Похоже, Лёхе поломало рёбра, и теперь правая рука у него еле двигалась. Ну и хорошо. Кирилл встал.

— Это травматический пистолет,— сказал он Лизе и похлопал себя по оттопыренному карману, куда сунул Streamer.— Стреляет резиновыми пулями. Ничего с Годоваловым не случилось. Оклемается.

Кирилл взял Лёху за левую руку, развернул и поволок из комнаты, как мешок. Лёха задёргался, засучил ногами.

— Оставь, а-а-а! — зарычал он.— Пидарас! Падла!..

Кирилл мимо Лизы перетащил Лёху через порог и мимо Верки перетащил через веранду. Верка проводила Лёху выпученными, слезящимися глазами. Кирилл подумал, что сегодня он всю семейку Годоваловых перетаскал за разные конечности.

Он со стуком стянул Лёху по ступенькам и бросил в траву. К Лёхе подковылял Саня Омский.

— Из шпалера, что ли, подбил? — с интересом спросил Саня, рассматривая стонавшего Лёху, как вещь.— Куда попал?

— Он бухой, а не раненый,— сказал Кирилл.— А пуля резиновая.

— У-у...— Саня был разочарован и оценивающе прищурился на Кирилла.— Дал бы тебе краба, если бы это не Лёха был. Ты, братан, лихо в долги влезаешь.

11

Кирилл довёл Раису Петровну до комнаты и усадил на кровать. Лизы не было: она укрылась в боковой спаленке, проём в которую перегораживала занавеска. Кирилл сходил во двор, достал из бурьяна табуретку Раисы Петровны, но, когда вернулся в дом, Раиса Петровна уже уковыляла к Лизе. Сквозь занавеску доносились тихие голоса и всхлипывания. Кирилл молча поставил табуретку у печи.

Наверное, надо было отправляться восвояси. Но это выглядело бы какой-то недоделкой, бегством, презрением. Избитая старуха и чуть не изнасилованная девушка останутся в разгромленном доме, а он будет пить кофе и смотреть ЖЖ?

Кирилл придвинул обеденный стол обратно в угол, где и было его место, вылил в разбитое окошко остатки водки из Лёхиной бутылки, унёс на кухню в мойку водочную стопку, подобрал с пола скатерть, встряхнул от сора и накрыл ею столешницу. Затолкал кровать за угол печи, поправил матрас, подоткнул простыню и одеяло, застелил покрывалом, взбил подушку. Поднял стулья и выстроил в ряд у стены.

Он осмотрел оторванную дверцу шкафа, но починить уже не смог бы, Лёха выдрал шурупы с мясом. Кирилл пристроил дверцу на место и подумал, что вот телевизор-то, самое хрупкое, Лёха не тронул — это святое. Перекошенные картинки на стенах Кирилл выпрямил, ещё раз рассмотрев чужие лица — свидетельства чужой, бедной и почему-то неприятной ему жизни. Хотя Лиза на выпускном вечере была хороша: накрашенная, с распущенными волосами, с высокой грудью и ногами, просвечивающими сквозь подол платья.

Кирилл поднял с пола кастрюли, составил в стопку и унёс в кухню, взгромоздил стопку рядом с мойкой на тумбу, застеленную клеёнкой, потом подобрал вилки и ложки и ссыпал в таз для грязной посуды. На кухне он нашёл и надел залатанную варежку-прихватку, которой открывали раскалённую заслонку печи, взял мятое ведро с торфяной землёй на дне и направился к разбитому окошку. Рукой в варежке он вытащил из деревянной рамы обломки стекла и побросал в ведро, осторожно счистил с подоконника стеклянные брызги и куски старой замазки, но мелкие осколки остались блестеть в щелях.

Где должна находиться кочерга, Кирилл не знал, потому положил её на печной шесток. Все половики он сгрёб в охапку и грудой вынес на улицу, развесил на перилах крыльца. Потом нашёл на веранде веник и совок и начал подметать в комнате. Собрав мусор в общую кучу, он присел перед ней на корточки, отломил от веника прутик и перерыл им кучу, выискивая прозрачные пластмассовые висюльки с люстры. Висюльки он подцепил на люстру обратно — трёх не хватило, а мусор совком ссыпал в ведро с обломками оконного стекла.

Наверное, если Лиза с матерью выйдут из спаленки в комнату, где уже наведён порядок, навести порядок в душе им будет легче.

Чайник у Токаревых был большой, алюминиевый, литров на пять. Вряд ли такой чайник покупали на семью, скорее утащили из какой-нибудь столовки. Школьной, например, пока здесь ещё была школа. Кирилл поднял крышку и увидел, что чайник наполовину забит чёрной травой, что нарвали на лугу за деревней, — жалким заменителем дорогой заварки. Кирилл ковшом долил в чайник воды из ведра, закрытого от пыли и мух фанеркой, и водрузил чайник на плитку с толстой спиралью. Шнур от плитки он воткнул в розетку и посмотрел, начала ли спираль раскаляться? Начала. Кирилл сел за стол.

В комнате послышалось шарканье шагов, вздохи, стук табуретки. Раиса Петровна медленно пробралась на кухню, опираясь о стену, и опустилась за стол напротив Кирилла.

— Сейчас чай будет, — сказал Кирилл.

Раиса Петровна молчала.

— Как там Лиза?

Старуха, не глядя на Кирилла, помотала головой и пальцем стёрла слезу. В торфяном ведре она заметила черепки тарелок.

— Лизкин подарочный сервиз Лёшка разбил...

Кирилл тоже посмотрел в ведро с мусором. Дешёвый фаянс фабрики типа «Советский большевик стеклопосуда». Какая ж это жизнь, если подарки — вот такие?.. Кирилл глянул в кухонный шкаф. Тарелки там стояли общепитовские, столовские, а среди них — и алюминиевые миски родом с зоны, и одноразовые полистироловые плошки, помытые и снова предназначенные в употребление...

Кирилл вдруг понял, что он ничего не хочет знать об этой нищете. Ему понравилась Лиза, но её бедность была не опрятной крестьянской скромностью, а каким-то секонд-хендом секонд-хенда. Можно угощать собаку своим гамбургером, но нельзя угощаться гамбургером у собаки. Нищета Лизы дискредитировала её. Заикание, одежда — нет, это было терпимо. А вот одноразовая посуда в качестве многоразовой уже вызывала брезгливость. Кирилл подумал, что это совсем погано с его стороны, даже чуть не покраснел. Оттого что Лиза, скорее всего, не знает скраба, не бреет подмышки, не ходит в солярий, она не перестаёт быть человеком. И все эти люди, все Верки и Годоваловы, все эти Сани Омские, не перестают быть людьми. Пусть они мразь, деграданты, пусть место им в резервации, но они люди. Это и ужасно.

— А водка Лёшкина осталась? — спросила Раиса Петровна.

— Я её выплеснул.

Раиса Петровна горько кивнула: ко всем бедам и эта вдобавок.

— У нас водка лекарство, прости, господи,— тихо сказала Раиса Петровна. — Шалфей настоять, на примочки, или зубы заболят... Пока муж был жив, я никакие опивки евонные не выливала. Он заснёт, а я их в пузырёк. За месяц поллитра набиралась. Болела — так лечилась с божьей помощью. А иногда Николай пошлёт к Мурыгину за бутылкой, а я ему его же опивки и принесу. Всё деньги в доме останутся. Ты у нас не бери ничего.

Ты у нас не бери ничего. Я не беру чужого, подумал Кирилл, да и брать-то у вас нечего. Просто совсем нечего.

— И часто у вас Годовалов такое устраивает? — спросил Кирилл.

Раиса Петровна вздохнула.

— Да он так добрый, Лёшка-то... Буйный тока, если выпьет. А так зла от него нету. Господь прощать велел, дак я и прощаю. Он бы сам потом пришёл, повинился, починил бы тут...

Кирилл снова почувствовал, что здешняя жизнь както утряслась до терпимого состояния, а ему этого не понять никогда.

— Он же Лизку-то мою с детства знает, у него на глазах она росла. Помню, она в школу пошла, школа у нас девятилетка была. Лизка в первый класс пошла, а он в третьем, что ли, классе был... нет, в четвёртом... Какой же это год-то? Девяносто седьмой?.. Ох, память... Склероз уже, старая я... Лизка-то у меня поздняя, под сорок родила... Бабы говорили, инвалидка родится, а родилась нормальная, спасибо, господи... Я матери Богородице беременная всякий раз свечку ставила, когда в районе была, вот матушка мои молитвы и услышала...

Раиса Петровна говорила как для себя, словно не думала.

— Чего там про первый класс? — напомнил Кирилл.

— Про первый класс... Лизка пошла, дак Лёшка ей букет цветов подарил. Сорвал в огороде у кого-то из городских. У нас теперь чуть не все дома городские занимают. Старые-то померли, кто помоложе, все тоже в город... Шестаков Андрей Палыч, храни его бог, помогает как-то, иначе совсем бы не жизнь была... Недавно бабка Ирина слегла, думали, приберёт господь, а он машину дал, свозили в район, чо-то там кололи бабке, вернулась — ещё ходить сама стала, а то просто сидела на лавочке у ворот, утром выйдет, вечером уйдёт.

— Вы про Лёшку говорили.

— А чё Лёшка? Он в армию в шестом году уходил, обещал, что как вернётся, так женится на Лизке. Писал ей. Лизка-то в том же году девятилетку закончила и в район уехала, там интернат, кто дальше учиться хочет. Десятый-одиннадцатый там учатся. Лёшка-то писал ей. А ей чо, прости, господи. Молодая. Письма-то сюда носили. Я дак всё читала и за Лизку Лёшке отписывала. Врать-то не врала, зачем ещё, врать грех, писала, что от себя, не от неё, а она, коза, только ему приветик пошлёт, и всё. А он ведь ждал. Товарищам своим солдатам говорил, что у него невеста дома. Не дождалась невестушка, дура она. Кого у нас тут в мужья-то ещё искать?

— Другой, что ли, жених в интернате появился?

— Да какое там, чего говоришь. Лизка честная. Ни-ни была.

— А чего же не дождалась?

— Ну, как-то не так он ей... Чё там в городе-то? Насмотрелась на парней. Лёшка, он простой, им не ровня. Ей после интерната такого-то не надо стало. Он переживал. Ой, помню, пил, прости, господи... А она куда-то там в институт собралась. В Нижний, что ли, или в Москву...

Раиса Петровна замолчала. Лицо её странно обвисло. Видно, с Лизой случилось что-то страшное, отчего все планы её рухнули.

— И чё Лёшка-то? — спросил Кирилл, вдруг поняв, что его тянет говорить так же, как Раиса Петровна. Видимо, строй жизни определял строй мысли, а каковы мысли — такова и речь.

— Лёшка-то женился на Верке Скобликовой. Дрянь девчонка. Я её со школы помню, я в школе завхозом работала. Ну, заодно уборщицей, истопником. Николай-то у меня пил, деньги нужны были. Так и жила, днём начальница, вечером батрачка. Только вымоешь полы — эта Верка шасть ногами грязными. Поленницу в кладовке запирала, чтобы дрова не тащили, а Верка первая на такое была. Всё тянула, у кого могла. Её и били, да она хоть маленькая, а задиристая, отвечала, дак и отстались. Проще прятать всё, чем связываться. Дрянь. Вот Лёшка-то от неё к Лизке и бегает. Стара любовь, говорят, не ржавеет. Грех, конечно, да куда уж денешься... За грехи все пред господом ответим...

Раиса Петровна рассказывала так, будто Лёшка тайком милуется с Лизой, как разлучённый злой судьбиной. То, что пьяный Годовалов крушит дом и насилует её дочь, Раиса Петровна будто и не замечала. Во всяком случае, сейчас.

— А что у вас с Лизой? — осторожно спросил Кирилл. — Она всегда... э-э... заикалась?

И тут Раиса Петровна заплакала.

— За что же мне это наказание, господи! Ведь не воровала, ни в чём не грешна... Лизонька, доченька моя... В нашей школе отличницей была!.. Другие говорили, мол, коли мать завхозиха, дак доче пятёрки и ставят, а не было ничего такого, Христом богом. Сама она всё, я к учительницам, к директору никогда! Ей грамоты в районе давали, без всякого в интернат взяли... Раньше ведь пела даже... А щас куда?

— Но она же может говорить...

— Так-то может... Шёпотом, когда все свои, когда не волнуется... А если чужое, так словно кость в горле, мык да мык, и ревёт... Никуда ведь косноязыкая не нужна. Везде ж голос требуют. Ни в школу, ни доктором... В магазине продавать и то нельзя... Про город я молчу. Как в городе без слов? Как учиться-то ей дальше? Как в жизни-то устроится? Никак. Помоги девке, матушка Богородица, без вины она...

— А вылечить можно?

— Не знаю я. Тут у нас городской один, дак он из больницы, в рот ей смотрел, чё-то там делал, сказал, ложиться надо, может, исправят, током там лечат, ещё чем-то... А деньги-то откуда взять в городе лечиться? Лизке в собесе и пенсии не дали, нет группы, дескать, здоровая. Тока на мою пенсию и живём. Мужа нет, ничо нет. В шестом году разом и школу закрыли, и на пенсию меня спровадили, и Лизка уехала, и Николай мой помер, дак я выла, хоть в петлю лезь, а грех это, не простится...

— Так что с Лизой было? — требовательно спросил Кирилл.

— С Лизонькой-то... Она с интерната приехала, пятёрки, четвёрки... Дома жила, пока ждала, когда в город уезжать на экзамены. А ведь автобусы-то от нас до города не ходят, давно отменили, уж лет пятнадцать... Раньше автомагазин приезжал, на нём ездили, потом и он перестал. Почту в районе кто из своих на всех сразу забирает... Что творят, что творят... Такая деревня была хорошая... И школа, и магазин, почта, фельдшерский пункт были, и милиции много, лагерь же рядом, порядок был, ни пьяных, ни драк, не воровал никто...

— Лиза, — направил старуху Кирилл.

— В то лето у заповедниковских какой-то кордон стоял на дороге, километров пять отсюда. Два раза в день вахтовка приезжала. Лизка и пошла до вахтовки пешком. Вещи для института взяла и пошла. Чо пять километров? Для нас не путь. А вечером приползла без вещей и немая. Вещи потом на промоине нашли. Чего там с ней было? Кто её напугал? Ничо никто не знает. А Лизонька моя с тех пор или молчит, или мычит... Я про то и спрашивать её боюсь, бьётся и ревёт... Так все мечты её и закончились там на промоине.

Раиса Петровна плакала. Кирилл смотрел в окно. За окошком кухни были дощатая стена сарая, бурьян и забор. Жаркая торфяная мгла, в которой гаснет всё, что дальше сотни метров. Деревня Калитино. Никаких тебе раздолий, бурёнушек, берёзок и стогов.

Может, в то лето и не было торфяных пожаров, но Кирилл видел всё словно в тумане. Сквозь это марево шла по лесному пустынному грейдеру молоденькая деревенская девушка в платьице и с рюкзаком. Шла пять километров до вахтовки, чтобы ехать поступать в город, в институт. И какое зло бродило в том горячем и душном дыму? В какой ужас стянулся запах гари за поворотом дороги на сухой промоине?

Кирилл вспомнил эту промоину. Вспомнил, как Валерий и Гугер смотрели, переедет ли их автобус через яму. Как Лиза испугалась чего-то и побежала прочь от автобуса. Теперь понятно, чего она испугалась. И ещё Кирилл вспомнил, как у промоины он увидел на откосе дороги двух собак, а потом их не стало... Псоглавцы? Лизу напугали лесные псоглавцы? Те, которые рвали здесь беглых зэков?..

Похоже, там, в Москве, Лурия был прав: в этой деревне — нечисто. Может, на самом деле ничего и нет, но верится, что есть. Кирилл вытянул из горла футболки телефон и включил на запись.

— Раиса Петровна, — осторожно сказал Кирилл, — а вот у вас в деревне есть предание о псоглавцах...

— О ком? — не поняла старуха.

— О псоглавцах. Людях с собачьими головами.

Раиса Петровна задумалась.

— Что-то вроде помню, — неуверенно призналась она. — Говорили, кажется, что перед войной несколько баб здешних рожали детей с мордами, как у собак. Но это понятно, к большой войне примета. Но я-то сама послевоенная. Тогда баб уже в район возили, в роддом. А сейчас уж давным-давно никто не рожает. Кому? Разве что Верке.

Кирилл понял, что Раиса Петровна никак не связывает ужас на промоине с псоглавцами.

— А у вас в церкви святой Христофор нарисован с головой пса.

— В какой церкви?

— Н-ну... в той... заброшенной... — Кирилл смешался.

— Да какая же там церковь? Её закрыли, рази не видел? Там ни служб не проводили, сколько себя помню, и батюшки сроду не было... Она в зоне стояла. Мало ли чего уголовники там намалевали. Грех над святыми образами изгаляться. За то и покарал господь нашу деревню.

Вряд ли старуха разыгрывала неведение, чтобы сберечь тайну псоглавцев. Похоже, она и вправду не знала о фреске, не бывала в заброшенном храме. Какие там местные предания просил собирать Лурия? Здесь всё забыли. Здесь всё выморочно, всё в торфяном дыму. Здешний мир существовал, питаясь отжимками, остатками, отходами цивилизации — вроде вымытых одноразовых тарелок. Ничего своего этот мир не производил. И легенд о псоглавцах тоже не производил. Здесь не страх. Здесь тоска. Но от этой глухой тоски только и остаётся превратиться в оборотня-людоеда и рвать случайных встречных.

Где-то над головой Кирилла вдруг знакомо закурлыкало.

— Подай! — сразу попросила Раиса Петровна.

Кирилл оглянулся. В углу кухни сверху была полочка с бумажными иконами, а перед иконами на ней лежал телефон. Кирилл поднялся, достал телефон — это была старая, простенькая и дешёвая Nokia — и протянул Раисе Петровне. Старуха бережно взяла аппаратик в ладонь и указательным пальцем надавила кнопку.

— Алё, — робко сказала она. — Из дома Шестакова? Дак я знаю, что от Андрея Палыча... Да-да, конечно, приду завтра. Да, знаю, моя очередь. Спасибо, спасибо. И вы будьте здоровы.

Кирилл выключил плитку с кипящим чайником. Пора ему уходить.

— Всякий раз звонит, предупреждает, что на работу ждут, — Раиса Петровна глядела на телефон как на живое существо. — Вежливый там новый завхоз у Андрея Палыча, дай бог ему здоровья.

— Как же вы работаете, если ходить... трудно?

— Да я сидя. Посуду помыть, стены... Это и с табуреточкой можно.

Кирилл заглянул в комнату — вилка его провода была в розетке.

— До свидания, — сказал Кирилл.

12

— Дерьмо, а люблю, потому что остренькое.

Гугер сидел по-турецки на полу на коврике и поливал из чайника лапшу быстрого приготовления в пластмассовой плошке. Валерий покосился на Гугера и сморщился:

— А я вот не могу. Просто желудок свой жалко.

Валерий тщательно разворачивал фольгу, в которую был завёрнут кусок курицы. Валерий сидел за ученической партой, и потому казалось, что он не ужинает, а выполняет домашнее задание.

— И вообще, острое — пища бедных, — добавил он.

— Я и есть бедный, — Гугер напяливал крышку на дымящуюся плошку. — У меня ни шиша нету. Зарабатываю воровством в церквях.

Кирилл хихикнул.

За стёклами окон сгущался вечер, словно мгла набухала темнотой. Школа уже казалась немножко домом, и было даже как-то уютно.

— Почему острое — пища бедных? — спросил Кирилл.

— Потому что вызывает жажду, — Валерий наклонил голову и аккуратно откусил от куриной грудки, словно поцеловал. — Съел чуть-чуть, а воды выпил целый литр, и появилось ощущение сытости. Экономия продуктов. Понимаешь?

— Понимаю.

Кирилл перекусил бутербродами ещё до возвращения Гугера и Валерия и сейчас просто пил кофе.

— Много сегодня сделали?

— Больше нормы нельзя,— Гугер содрал крышку и пластмассовой ложечкой поднял кудрявую прядь лапши. — А норму мы сделали.

Он сунул лапшу в рот и с хлюпаньем всосал. Лапша не кончалась, а тянулась и тянулась из миски.

— Китайскую лапшу надо есть не ножом и вилкой, а ложкой и ножницами,— сказал Кирилл.

Гугер фыркнул, лапша полезла у него изо рта. Валерий от этого зрелища скривился, как от непристойности.

— А где ты к Сети подцепился, Кирилл? — спросил он.

— У соседей. Которые с той стороны.

— Сколько заплатил?

— Обещал двести в день.

Валерий нагнулся было над курицей, но распрямился:

— Кирилл, ты чего, разорить нас решил? У меня в Москве в месяц на человека триста выходит за электричество! Понимаешь — за месяц!

Кирилл так и знал, что Валерий будет недоволен перерасходом. Он и без того соврал про цену, однако всё равно не угодил. Было в Валерии что-то такое, отчего хотелось врать, лишь бы не слушать нотаций о прописных истинах.

— Валера, давай провод к тебе в Москву протянем,— неприязненно предложил Кирилл.

Гугер справился с первой порцией лапши и теперь раззявил рот и махал в него ладонями, остужая жар специй.

— Да по фиг,— выдохнул Гугер.— Двести и двести.

— Я не понимаю, когда вот так вот деньгами разбрасываются,— осуждающе и обиженно заявил Валерий.— Пускай даже казёнными деньгами. Это о многом говорит в человеке.

— И что это обо мне говорит, Валера? — встопорщился Кирилл, словно услышал угрозу.

— Вэл, кончай жмотиться, а Кир — не лезь в бочку,— быстро осадил обоих Гугер.

— И тем не менее...— пробормотал Кирилл и дёрнул плечом, будто отгонял подозрения.

— Без проблем обошлось, надеюсь? — утомлённо спросил Валерий. Это «надеюсь» означало, что у Кирилла всё всегда — с проблемами.

— С проблемами,— вызывающе подтвердил Кирилл.

— То есть?

Валерий смотрел на Кирилла с наигранным изумлением. Кириллу хотелось ответить как-то дерзко, но не хватило уверенности в собственной правоте.

— Там, в том доме, где подцеплялся... Ну, короче, та девчонка живёт, которую мы подвезли, она почти немая...

Валерий продолжал сверлить Кирилла взглядом. Кусок курицы, который он держал в руке, выглядел укором: вот, из-за тебя даже поужинать спокойно не могу.

— Мы же бабу какую-то подвезли,— простецки встрял Гугер.

— Нет, ей лет двадцать, выглядит только старше.

— Деревня, блин, в двадцать как в сорок.

Кириллу стало обидно за Лизу. Ему-то уже казалось, что Лиза не похожа на бабу и вполне себе красивая.

— Если её одеть и откосметить по-нормальному, она и будет на двадцать выглядеть,— ревниво поправил Кирилл.

Валерий требовательно постучал курицей по обёрточной фольге, расстеленной на столешнице:

— Кирилл, давай к делу. Девушек потом обсудите.

— Короче...— Кирилл решился сказать всё начистоту, а чего ему врать, в чём он виноват? — К ней ломился пьяный парень, который нам деревню показывал и у тебя, Гугер, очки украл. Я ему в спину саданул.

— Из пистолета? — не поверил Валерий.

— Ну не из пальца же!

Гугер изумлённо задрал брови и принялся шумно всасывать новую порцию лапши. Валерий отложил свою курицу, вытащил из пачки салфетку и тщательно промокнул губы, будто готовил их для речи.

— Слушай, Кирилл, в первый же день — пальба, конфликт?

— Выхода не было,— мрачно сказал Кирилл, не глядя на Валерия.

— Может, ты вестернов насмотрелся? — вкрадчиво предположил Валерий.— Так я поясню, если тебе угодно, что оружием проблемы не решаются, а только создаются.

Кириллу не было угодно, чтобы Валерий ему что бы то ни было пояснял. За себя он и сам знал, как надо поступать.

— Слушай, Валер, ты чего меня учишь? — Кирилл уже не сдерживал раздражения.— Ходи по деревне сам и со всеми договаривайся! Легко тут с курицей в зубах рассуждать!

— Давай не будем переходить на личности,— вежливо попросил Валерий. В этой вежливости была скорбь по утраченному уважению.

— Не будем,— согласился Кирилл и перевёл дух. Хорошо, что удалось не разораться.

— Кир, Кир,— заволновался Гугер,— а чего этот парень? Ну, как он? В обморок упал, или что там случается от травматики?

— Да ничего не случается. Полежал, поохал, встал и ушёл.

— Ты герой, значит,— завистливо сказал Гугер.— Девушку защитил. Презервативы-то взял с собой?

— Иди ты...

Но Валерий, как всякий зануда, уклонение от спора посчитал поражением противника, которое надо усугублять.

— Как я понимаю, Кирилл,— менторским тоном продолжил он,— у тебя в этой деревне уже какие-то чувства обозначились?

— Валера, ты меня достаёшь,— предупредил Кирилл.

— Кирилл, извини, но это ты всех достаёшь.

— Чем? — сквозь зубы спросил Кирилл.

— Тем, что в первый же день завёл роман и устроил конфликт. Ты поневоле и нас с Гугером втягиваешь в эти разборки.

В тоне Валерия зазвучал пафос человека, которого предали.

Н-да, Лурия говорил, что их подбирали в группу вовсе не по личной совместимости. Похоже, у Кирилла с Валерием обнаружилась взаимная идиосинкразия. Чем, интересно знать, он, Кирилл, неприятен Валерию? Филфак МГУ, менеджер в книжном магазине, типа как интеллектуал... Где толерантность?

— Я не втягиваю вас в свои разборки, — отчеканил Кирилл.

— Гугер, а ты что скажешь?

Гугер задумчиво перемешивал в плошке кружева лапши.

— Ну, втягиваешь, конечно, Кир, — с сожалением признал он. — Кто там из местных нас сортировать будет, этот виноват, этот нет... Всех скопом покрошат.

Кирилл понял, что Гугер ему не союзник. Валерий — зануда, а Гугер... Гугеру лишь бы его не трогали. У него своя поляна. Видимо, Валерий тоже понял, что Гугер не полезет в спор. Тогда в этом споре победит зануда — то есть он, Валерий. А если ясно, что он победит в итоге, то можно и сразу вести себя как победитель.

— Я думаю, всем нам надо определиться по поводу отношений с местными, — Валерий заговорил как идеолог и руководитель. — Хотя определяться, в общем, очень просто. Мы — отдельно, они — отдельно. Мы в их дела не вмешиваемся, и они к нам не полезут. Все согласны?

— Я согласен, тема нормальная, — сразу кивнул Гугер и с облегчением принялся за лапшу.

— Я тоже согласен... — с трудом сказал Кирилл и задумался. Что толку соглашаться или спорить. Всё равно всё будет не по плану. — Но так не получится. Ну не могу я смотреть на эти вещи! Скотство же!

Валерий тяжело и печально вздохнул:

— И что ты предлагаешь, Кирилл? Перевоспитывать?

Кирилл смотрел в угол класса. Дурацкий вопрос, не имеющий ответа. Что он предлагает? Ничего не предлагает. Просто не хочет этого терпеть. Почему он вообще должен что-то предлагать, а если не предлагает, то и молчи в тряпочку? Он здесь вообще на пять дней...

— Ну, не перевоспитывать... — замямлил Кирилл, ненавидя себя. — Хоть что-то сделать...

Наивность Кирилла казалась самоочевидной, и Валерий даже в размерах увеличился.

— Кирилл, ты идеалист. Ну посмотри вокруг, на эту деревню, на этих людей. Пытаться что-то изменить — сочетать неприятное с бесполезным. Давай не будем устраивать эти «хождения в народ».

— Наше дело — сторона? — мрачно спросил Кирилл.

— Увы, да. Это не самая красивая позиция, согласен, но мы сюда приехали сделать своё дело, а не перестраивать жизнь к лучшему. Видишь ли, каждый должен заниматься своим делом.

— Мы — деньги зарабатывать, они — бухать и насиловать.

— Не утрируй.

— А я не утрирую.

— Кирилл, понимаешь, даже если тебе эта позиция не нравится, это наша с Гугером позиция. Ты обязан её учитывать. Почему интересы той девушки для тебя важны, а интересы товарищей — нет?

Кирилл угрюмо молчал, подавленный правотой Валерия.

— Мне по фиг, — сказал Гугер. — Не я эти правила придумал. Но по правилам — ты за нас, они — за себя. Соблюдай правила, иначе игры не будет. Переходить нельзя.

— По большому счёту, Кирилл, если не соблюдать правила, ничего не добьёшься, — Валерий уже разглагольствовал. — Один раз ты восстановил справедливость, пусть даже для нас это безопасно, но в стратегическом смысле только ухудшил ситуацию.

— Почему это?

— Потому что в другой раз тот парень той девке и палку вставит, и зубы выбьет, чтобы на помощь не звала, — грубо сказал Гугер.

Валерий, чувствуя победу, проявил снисходительность:

— Гугер прав, Кирилл, извини. Надо дистанцироваться. Тебе только кажется, что ты можешь помочь. Это ложное ощущение. Понимаешь, всё ведь не просто так. Люди выбрали именно такой образ жизни. Да, порой они кричат и плачут, но в целом их всё устраивает.

— А если не устраивает? — строптиво возразил Кирилл.

— Тогда надо либо уезжать, либо менять жизнь. Но ведь они не делают ни того ни другого.

— А если не могут?

— Ну как не могут? Что-нибудь да могут. Даже в тюрьме люди что-то могут, а тут обычная деревня. Бедная, конечно, но всё равно. А мы просто не имеем права вмешиваться в чужую жизнь. Это неэтично.

Валерий вывернул тему так, что Кирилл оказался не прав не только по отношению к товарищам, но и по отношению к истине. И это Кирилла опять взбесило.

— Валер, давай поменяемся? — яростно предложил он. — Ты будешь по деревне ходить, сказки собирать, с местными общаться, а я с Гугером буду стенку мазать.

— Я не против, мне по фиг, — сразу сказал Гугер.

— Кирилл, понимаешь, нас подобрали по психотипам. Тебя Лурия определил на эту работу. Ты согласился. Теперь недоволен. Но я же всё равно не смогу выполнить твою работу.

— А чего не смочь-то? — издевательски удивился Кирилл. — Ходи да расспрашивай, проблем-то?

— Слушай, Кир, а ты не ходи к ним вообще, а? — Гугер тоже хотел найти какой-нибудь компромисс, желательно универсальный. — Сочини сам какую-нибудь туфту, скажи, что это местные тебе рассказали, и всё. Кто проверит? Да и какая разница?

— Диктофон, — убийственно-спокойно пояснил Кирилл.

— Ну, фальсифицировать данные, конечно, нельзя, — осторожно сказал Валерий. — Однако рисковать тебя никто не обязывал. Насколько смог сделать свою работу — настолько и сделал.

— А на местных наплюй, — добавил Гугер. — Относись как к игре. Всё ненастоящее.

— Убедили мы тебя, Кирилл? — Валерий ждал капитуляции.

«Наплюй»... Да, он ничего не изменит. Может, только ухудшит... Да, он обязан и этим, и этим, если уж подрядился на такую работу... Да-да-да, правы все-все, кроме него. Но он вспомнил фотографию Лизы с выпускного вечера. Идиотскую, конечно, с кричащими цветами дешёвой студии Fujifilm. Там Лиза глупая, смешная, счастливая. Красивая. А сейчас, года через два-три, она немая, никакая, безнадёжная. И дают ей сорок лет.

— Я не знаю, пацаны, — холодно сказал Кирилл. — Вы не обижайтесь, но я буду действовать как выйдет. Я по-другому не могу. Я постараюсь не подставлять никого, но...

— Но подставлю, — хмыкнул Гугер.

— Нехорошо быть благородным за чужой счёт, понимаешь?

— Да иди ты, Валер, со своим счётом. Кругом у тебя счёты.

13

За окнами школы всё как-то потяжелело. Разозлённые Гугер с Валерием опять ушли в автобус, и Кирилл в пустом здании в одиночку встречал тьму деревни Калитино.

Кирилл не хотел, чтобы наступающая ночь стала для него новой ночью кошмаров. А что сделать? Либо сразу уснуть, либо вообще не спать. Кирилл решил совместить обе технологии: сесть за ноутбук и бродить в поисковиках до тех пор, пока не свалится и не отрубится.

Он залил в чайник воду, поставил на одну из парт кружку, банку растворимого кофе, коробку рафинада и фонарь, расстелил на полу коврик и спальный мешок. Когда потянет в сон, нельзя терять ни секунды на приготовления — вдруг дрёма развеется?

Кирилл сходил к выходу, тщательно прикрыл дверь и чуть-чуть привалил её доской: доска упадёт, когда дверь откроют, но упадёт как бы невзначай, чтобы Гугер или Валерий не догадались об этой его сигнализации, если это они войдут. Дверь в свой класс Кирилл тоже закрыл и загородил другой партой, на которую положил ноутбук.

От всяких страхов его надёжно отвлекла бы порнуха, но Кирилл опасался словить вирус и подвесить ноут, а здесь его не восстановить. Ни в ЖЖ, ни в «аську», ни в Twitter, ни в You Tube, ни ещё куда Кирилла совершенно не тянуло. Только Гугер мог преспокойно играть онлайн, пребывая в деревне псоглавца. А для Кирилла мир прежних коммуникаций сделался безмерно далёк и даже как-то нелеп. И потому в окошке вызова Кирилл настукал «Святой Христофор». Святой не мог приносить зла, а в идеале должен избавить от наваждений.

47 тысяч результатов. Кирилл принялся листать страницы. Может быть, выяснив о Христофоре всё, он поймёт, что здесь творится? А ведь здесь что-то происходит. Что-то странное и нехорошее.

В первую очередь Кирилла интересовало, почему у святого собачья голова. Версий оказалось много.

Первая версия, не мудрствуя лукаво, дала Христофору собачью голову от рождения. Мол, сразу был таким, и точка.

Вторая гласила: до крещения Христофор был людоедом. В этом Кирилл усомнился. Он уже читал, что из-за латинского слова «канис» каннибалы стали псоглавцами. Но вряд ли даже самый упёртый миссионер пожелал бы крестить людоеда. Как-то это через край.

Третья версия заключалась в том, что Христофор был варваром. Понятно, все варвары с собачьими головами. Легенда уточняла, что он происходил из страны Ханаан, а латинское «ханаанский» — «cananeus» — по написанию похоже на «canineus» — «собакоподобный». Ханаан лежал между Евфратом, Иорданом и Средиземным морем.

Четвёртая версия делала Христофора греком из Киноскефалии — местности в стране Фессалии, которая находилась под горой Олимп. Киноскефал — киноцефал — псоглавец.

Кириллу больше понравилась пятая версия. Будто бы Христофор отличался редкой красотой. Женщины к нему так и липли, и это жутко отвлекало от добродетели. Тогда Христофор попросил у бога отвадить женщин, и бог превратил голову Христофора в собачью башку. Бабы отцепились. Эту версию придумали христиане на острове Кипр.

Кипру Кирилл поверил. На Кипр летала его тётка Анжела, которая сдавала ему квартиру, и тётка Анжела всегда брала туда с собой дядю Димку, своего любовника. Никудышный дядя Димка до полтинника сохранился инфантильным подростком. Он жил за счёт тётки, а потому вынужден был ублажать её, особенно на Кипре. Кирилл любил неугомонную тётку Анжелу, но, если бы тётка стала принуждать его лечь с нею в постель, он бы тоже попросил у бога собачью голову.

Кирилл продолжал изыскания. Его удивило, что о Христофоре ничего толком не известно. Когда он вообще жил? Большинство текстов называло середину III века новой эры. Тогда римским императором стал полководец Гай Квинт Деций Траян. Его послали в провинцию усмирять восставшие легионы, а легионы потребовали, чтобы он объявил себя цезарем и взял Рим. Деций так и поступил. Римские христиане были недовольны, и Деций их изрядно приплющил. Но поцезарить долго он не сумел: всего-то на второй год правления его войско разбили готы, и Деций при бегстве утонул в болоте. Однако он запомнился гонениями на последователей Христа, и ему приписали казнь Христофора, хотя бывшего псоглавца, скорее всего, казнил следующий император Максимин Даза. Это случилось в 251 году.

Сетевые умники оспорили эту версию и годом гибели святого назвали 301-й. Умники выяснили, что Христофор служил в 3-й мармаритской когорте императора Гая Валерия Диоклетиана, который тоже не давал житья христианам Египта и Сирии. Кириллу приятно было читать про цезарей, Рим и когорты. Всё это никак не сцеплялось с торфяной деревней Калитино, а сияло солнцем, медью и мрамором.

На солдатском сословии Христофора настаивало православие. Для него псоглавец был воинским святым, и на фреске, которую снимал Гугер, Христофор тоже был изображён в доспехах и с копьём.

Образцовое житие Христофора содержалось в Четьях минеях, это сборник жизнеописаний святых для чтения, а не для богослужения. Самые популярные Четьи минеи составил при Петре I святитель Димитрий Ростовский. Он начал писать свои Четьи ещё в 1684 году в Киево-

Печерской лавре, а умер в 1709 году в Ростове, не завершив задуманной грандиозной работы. Его похоронили под чугунным полом Зачатьевской церкви, а в могильный сруб положили черновики трудов. В 1752 году чугунные плиты пола над могилой провалились, и попы обнаружили нетленные мощи Димитрия. Начались чудеса. Святителя канонизировали, он стал единственным православным святым за весь XVIII век, и на перенесении его мощей в серебряный гроб-раку присутствовала сама императрица Екатерина.

Четьи минеи святителя Димитрия заняли второе место в топе самых читаемых русских книг. Первое место всегда оставалось за Евангелиями. Для своих житий Димитрий использовал более старые Четьи, летописи, сказания и латинскую книгу «Acta Sanctorum». Свод «Acta Sanctorum» — Деяния святых — монахи-иезуиты начали собирать примерно в 1620 году и завершили через 320 лет. Получилось 68 томов. Впрочем, насколько иезуиты помогли Димитрию с житием Христофора, Кирилл так и не выяснил. Да и не важно: Димитрий не списывал тексты, как троечник на зачёте, а перерабатывал документы, зачастую руководствуясь здравым смыслом и поэтическим чутьём.

По Димитрию, Христофор сначала был собакоголовым людоедом по имени Репрев, то есть «негодный». В Ливии он попал в плен к римлянам, увидел христиан и взмолился, чтобы их господь дал ему человеческую речь. Господь дал. Репрев стал служить христианам. За это некий Вакх отмутузил его, а он принял побои со смирением, как подобает верующему во Христа. Народ изумился такому поведению бывшего людоеда с собачьей головой.

Весть о псоглавце дошла до императора Деция. Деций послал две сотни солдат, чтобы они доставили ему это верующее чудище. Солдаты повели Репрева в Антиохию. По дороге Репрев умножил голодающим солдатам их хлеб и вырастил из сухой палки зелёное дерево. Солдаты тоже уверовали во Христа. В Антиохии они первым делом пошли не во дворец, а в церковь, где епископ

Вавила провёл для всех обряд крещения. Репрев стал Христофором. Всем им, включая Вавилу, император Деций потом отрубит головы.

Увидев Репрева-Христофора, Деций сначала свалился в обморок, а затем, придя в себя, начал испытывать веру псоглавца. Псоглавец отбил все словесные аргументы Деция. Тогда Деций велел запереть Христофора в комнате с блудницами Каллиникией и Акилиной. Деций надеялся, что ради такого удовольствия Христофор пожертвует верой. Император ошибся. Христофор рассказал о Христе, а потрясённые Каллиникия и Акилина поклялись завязать с греховной жизнью и принять святое крещение. Их ждала мучительная смерть на пытках.

Децию надоели успехи псоглавца-проповедника. Христофора засунули в медный котёл, приколотили гвоздями к стенкам, созвали народ и начали жарить. Но Христофор не погибал, а кричал из котла о прекрасном муже в белых одеждах, который разгоняет полчища демонов. Народ проломил оцепление и вытащил Христофора из огня. Пятидесятитысячная толпа обратилась в христианство вся целиком.

Солдаты изрубили тех, кто спас Христофора, вырвали псоглавца из рук толпы, повесили ему на шею камень и бросили в колодец. Теперь уже ангелы подняли Христофора обратно. Римляне отбили псоглавца даже у ангелов, надели на него раскалённую медную одежду, и палач снёс Христофору с плеч собачью голову.

Кирилла совершенно увлекла эта картина битвы легионеров, ангелов и толпы на пыльной площади античной Антиохии. Он будто наяву увидел, как на каменных плитах дымит гора углей, а в ней лежит опрокинутый медный котёл с дырявыми стенками. Кирилл выбрался из-за ноутбука, включил чайник и, забыв о своих страхах, молча глядел в тёмное окно, пока закипала вода. Орущая толпа тащила окровавленного, оборванного человека с косматой головой пса и с гвоздями, что торчали сквозь ладони, а над толпой, теряя перья, как огромные голуби метались ангелы, и в гущу народа врубались воины с бронзовыми мечами, прямоугольными щитами и в шлемах с коротким гребнем. С кружкой кофе Кирилл сел обратно за ноутбук.

Католическая версия отличалась от православной и настроением, и происхождением. Оформил эту версию монах-доминиканец Иаков Ворагинский, епископ Генуи, канонизированный, как и Димитрий Ростовский, но в лике блаженных. Иаков где-то в 1260 году написал книгу «Legenda Sanctorum», «Золотая легенда», — свой сборник житий и притч. Он не сверял тексты, как святитель Димитрий, а валил в одну кучу и апокрифы, и предания, и свидетельства древних манускриптов, и устные байки. Главными критериями для Иакова были занимательность и выразительность. Это из книжки Иакова пошли гулять утверждения, что Мария Магдалина была блудницей, что святой Георгий сражался с драконом, а волхвы были таинственными восточными царями Гаспаром, Мельхиором и Бальтазаром. 300 лет «Золотая легенда» была европейским бестселлером, уступающим лишь Библии. На русский язык её не переводили.

«Золотая легенда» рассказывала, что изначально святой Христофор не был никаким псоглавцем, а был он великаном по имени Офферо. На хлеб он зарабатывал тем, что на спине перетаскивал путников через какую-то речку. Офферо жил в Палестине. У Кирилла Вероника ездила по путёвке в Израиль и видела знаменитый Иордан — мутную речонку шириной меньше Керженца в деревне Калитино. Похоже, сильно горбатиться великану Офферо не приходилось.

Однажды какой-то мальчик попросил великана переправить его на другой берег. Офферо легко посадил мальчишку на плечи и пошлёпал по мелководью. Но на середине речки мальчик вдруг потяжелел так, что Офферо еле доковылял до отмели. Этот мальчик оказался юным Христом, хотя от распятия прошло больше двух веков. Офферо на своём примере испытал всю тяжесть грехов, что Христос взял на себя. С тех пор духом Офферо овладела мысль, что надо помочь Христу нести его невыносимый груз.

Про церковь простодушный Офферо ещё не знал. Он отправился искать владыку, которому может служить во имя праведного дела, и добрался до Антиохии, до императора Деция. Римская империя была велика и непобедима, но её император трепетал перед сатаной. Сатана был сильнее Рима. А Христос был сильнее сатаны. Значит, ему и следует служить. Офферо принял крещение от епископа Вавилы и стал Христофором. Христофор — даже не имя, а звание: дословно оно означает «несущий Христа». До IV века в мире не существовало такого имени — Христофор.

Деций разгневался, что его воин-великан предпочёл другого владыку. Римские легионеры отыскали Христофора в стране Ликии на реке Ксанф у Средиземного моря. Кирилл с изумлением узнал, что Ликия — нынешняя турецкая Анталия. Для Христофора она оказалась вовсе не курортом. Великана кинули в тюрьму. Образумить его Деций подослал двух блудниц, но те вышли из узилища псоглавца христианками. Тогда Деций велел казнить Христофора.

Великана жарили в медном ящике, но он остался жив и здоров, потом целый день солдаты стреляли в него из луков, а стрелы не причинили Христофору вреда. 50 тысяч зрителей увидели спасительность христианской веры. Тогда великана обезглавили. Тело его христиане перевезли в Александрию, потом — в Толедо в Испании, в конце концов мученика погребли во Франции в аббатстве Сен-Дени.

В католичестве святой Христофор стал защитником от заразных болезней и покровителем путешественников. В этом сказалась его профессия: переправлять путников через реку. А может, свою роль сыграла мифическая пёсья голова — видимо, подумал Кирилл, из принципа, что «для бешеной собаки семь вёрст не крюк».

В XIII—XV веках культ святого Христофора с головой собаки был в апогее, но псоглавость в конце концов и сгубила его. В ряду прочих святых Христофор смотрелся как-то слишком вызывающе. Этого не вынесли ни католики, ни православные. Большой Московский собор ещё в 1667 году указал, что собачья голова «противна естеству, истории и самой истине», а в 1722 году Псоглавца вообще запретили. В Европе, где Христофора считали скорее великаном, чем псоглавцем, долго думали, что с ним делать, и в 1960 году Ватикан осторожно понизил его ранг до местночтимых святых.

На экране ноутбука Кирилл разглядывал словно бы игрушечные книжные миниатюры со святым Христофором, расплывчатые оттиски старинных печатей, светящиеся и схематичные витражи, суровые средневековые статуи, бурные и многоцветные полотна Ренессанса. Святого Христофора в мире было много. Это лишь он, Кирилл, узнал о Христофоре две недели назад, а мировая культура давно переварила странного псоглавца. Но какой его смысл всё же ускользнул от многих исследователей и вдруг выстрелил в умирающей деревне, забывшей свою судьбу, да и свой человеческий облик тоже?

Псоглавец, святой Христофор, православный покровитель воинов и католический покровитель путешественников... Путешественников и воинов... В деревне при зоне... Бог конвоя?

14

Где-то на краю зрения мелькнуло что-то светлое, и вдруг раздался удар, похожий одновременно и на грохот, и на шорох. Кирилла подкинуло так, что коленями он стукнулся снизу в столешницу и едва не сбросил ноутбук с парты. Мгновенно Кирилл стал мокрым.

Он сидел замерев и пытался понять, что же это было. Мышцы шеи задрожали от напряжения. Где шарахнуло? Там, возле чайника и фонаря. Будто коробка с рафинадом упала на пол. Будто собака унюхала рафинад и носом столкнула коробку со стола, коробка свалилась, кубики сахара рассыпались... Кирилл ждал, что услышит хруст сахара на собачьих зубах, увидит собаку, которая, скрытая за партой, кивая, разгрызает рафинад... Собаки любят сладкое. Но больше не было никакого шума.

Просторный класс зыбко и мутно освещали дымные окна, в крайнем окне отражался голубой прямоугольник экрана ноутбука. Кирилл отчётливо видел парты, груду мусора у дальней стены, чёрную школьную доску. Собак нет. Это лишь воображение.

Кирилл медленно поднялся и осторожно подошёл к той парте, где стояли чайник и фонарь. Мне бы только схватить фонарь, думал он, и я сразу высвечу этих загробных псин... Коробка с рафинадом светлела рядом с фонарём. Никуда она не падала. Кирилл заглянул за парту.

На грязных половицах светлел кусок штукатурки, расколовшийся на крошево. Это не собака сбросила коробку сахара. Это с потолка отвалилась штукатурка и хлопнулась на пол, перепугав до полусмерти. Старое здание школы умирало — и освобождало своих призраков, словно испускало последний вздох. А какие призраки могли таиться в школе? Собаки, призраки каникул, времени собачьей звезды Сириус.

Кирилл взял увесистый фонарь, но не включил его, точно боялся выдать себя светом. На цыпочках он пересёк класс, присел и вытащил из мусора свёрток, свободной рукой растеребил его и достал пистолет. Пули, конечно, резиновые, а не серебряные, но хоть что-то... Вдруг это никакие не привидения, а обычные бродячие собаки? Тогда хватит и резиновой пули.

Кирилл вернулся к своей парте, что перекрывала выход из класса, бедром сдвинул её и взялся за ручку двери. Надо проверить здание. Невмоготу существовать, не зная, что творится за перегородкой. Неизвестность тяжелее всего. В неизвестности он сам напридумывает себе таких ужасов, какие десяти дьяволам не по фантазии. А если и вправду что-то есть... И это тоже лучше неизвестности. Лучше точно знать, что нежить реальна. Если она реальна, значит, реальны и силы, которые против неё. Реален бог. Если есть сатана, то есть и бог, иначе невозможно. А у бога он выпросит помощи. Он не заядлый грешник, он не убивал, не воровал, не богохульствовал, почитал родителей, не пил и не курил, и развратом-то занимался совсем чуть-чуть... Он, конечно, забыл о боге, но если он увидит нежить, то всё изменится...

Растягивая движения, Кирилл открыл дверь, надеясь, что дверь заскрипит, и она заскрипела. Истина истиной, но жуткая нежить лучше пускай уберётся и спрячется, услышав, что человек выходит в коридор. Незачем ему видеть её. Нервы-то не железные. Есть дела, которые лучше оставить недоделанными.

Длинный, тускло освещённый коридор протянулся вдоль здания школы, пустой, как отработанная шахта. Кирилл решил осмотреть все помещения одно за другим. Чтобы убедиться — чёрт знает в чём.

Это же школа, думал он, оглядывая замусоренные кабинеты с косой мебелью, мусором на полу, пыльными окнами, паутинными углами. Это не кровавый застенок, не угрюмый склеп, не готический замок. Бревенчатая, одноэтажная, заброшенная школа в вымирающей деревне. Хотя, возможно, ужас поселился здесь именно потому, что это была школа. Построенная для детей, созданная для добра, школа оказалась не нужна, выброшена из жизни. Деревня отреклась от добра, предала школу, и чем тогда школа ответит деревне?

Кроссовки хрустели сором, половицы вздыхали, под штукатуркой что-то едва слышно шуршало, осыпаясь. В одном из классов парты стояли рядами, как во время учёбы, и у Кирилла шевельнулись волосы: он понял, что за партами на каком-то невыносимо тоскливом уроке сидят невидимые ученики, они повернули головы на стон открывающейся двери и молча смотрели на Кирилла. Кирилл захлопнул дверь. Чему учили в том потустороннем мире?

В коридоре Кирилл прислонился спиной к стене. В одной руке у него был фонарь, в другой — пистолет. Запястьями Кирилл принялся тереть глаза, чтобы снять морок. Сколько можно сочинять для себя страхи? Нет ничего, все призраки — только в его сознании, это в нём мёртвые ученики и собаки сатаны, а здесь — никого. В конце концов, сегодня лишь вторая ночь, а дьявольские силы разрывают на третью... Третью ночь в деревне Калитино он, Кирилл, проведёт в церкви, как герой гоголевского «Вия»... Если, конечно, согласится.

А что в «Вие» было на вторую ночь? Как там героя-то звали?.. Он увидел слезу, побежавшую из-под ресниц умершей панночки, и слеза превратилась в кровь... Он очертил вокруг себя мелом круг, а панночка села в гробу, потом встала, потом ходила по храму, слепо нашаривая врага руками, потом летала в гробу под потолком... В ту ночь герой «Вия» поседел... Кириллу захотелось выдрать у себя клок волос и проверить, не седой ли он сам. ...А когда пропели петухи, панночка опять легла в гроб.

Кирилл читал «Вия» очень давно, однако запомнил, что больше всего, до муки, его напугало, когда у Гоголя панночка, ведьма, мёртвая девушка, перед рассветом была названа «трупом». Женский род переменился на мужской, словно у могильной нечисти была особая природа, не сопрягающаяся с человеческой, и, умирая, человек менял не жизнь на смерть, а природу на природу.

Менять природу на природу — быть оборотнем. Почему оборотни — непременно из волков, — а собаки биологически те же волки, — почему не страшно превращение человека в медведя, в крокодила, в тигра?.. Потому что нет домашних крокодилов и домашних медведей? Потому что оборотни появились, только когда человек приручил волка и создал собаку — живую мину со спящей генетической программой людоеда?.. Кирилл вспомнил «Псов-воинов», культовый ужастик Нила Маршалла. Что там бормотал солдат, к которому рвался оборотень? «П-п-плохая собака!..»

В угловом кабинете царила тьма кромешная, потому что здесь выбитые окна были заколочены досками. Кирилл так и не дождался, чтобы глаза привыкли и прозрели. В чёрной комнате мог прятаться чёрный пёс. «Ты из дикого леса, дикая тварь?..»

Кирилл включил фонарь и тотчас пожалел об этом. Дымный сумрак ночных помещений был слегка проницаем для взгляда, но и призрачные собаки, что могли обитать в этом сумраке, тоже были неосязаемыми привидениями. Теперь широкий и яркий луч света сделал всё материальным. Здесь, в луче, нежити нет, есть лишь старая рухлядь, ободранные стены, доски, хлам. Но вокруг луча загустела непроглядная темнота, и в ней уж точно должно что-то прятаться. Тьмы не было, пока не было света, а Кирилл сам сотворил эту тьму.

Кирилл обыскал лучом все закутки. Бесполезно. Перемещается луч, и перемещаются тени, они то вырастают, будто собака осторожно высовывает острую морду, чтобы посмотреть, то поджимаются. В малобюджетных ужастиках трансформацию человека в оборотня часто показывают через изменение тени...

Почему сейчас Кирилл боится собак? Ведь человек превращается даже не в собаку, а в оборотня, в псоглавца... И куда страшнее превращение собаки в человека. В оборотне человек — исходная форма, и хоть что-то человеческое в оборотне всё равно остаётся: навыки, привычки, понимание речи... А бешеная собака-людоед, ставшая человеком, и в человечьем облике будет бешеной собакой-людоедом. Кирилл стоял в конце коридора и напрострел освещал коридор фонарём, держа пистолет в вытянутой руке.

Если появится собака, резиновая пуля её свалит. И что дальше?.. Кирилл оскалился от усилия, заставляя воображение остановиться. Не получилось. ...Вот сбитая пулей собака кувыркается в мусоре, вертится и визжит, и визг переходит в рык, собака растёт в размерах, раздвигая мусор своим телом, раздуваются лоб и скулы, клочьями облезает шерсть, плечи ломаются, грудь разворачивается, передние лапы превращаются в волосатые руки, вытягиваются тёмные пальцы с когтями, и новорождённое чудовище ворочается, перекатывается на брюхо, поднимается, цепляясь за стену...

В правую стену коридора были встроены печи-голландки — белёные кирпичные трубы от пола до потолка. Печки топились из коридора, чтобы, видимо, истопник не отвлекал учеников во время урока. Устья печек находились на высоте колена. Кирилл увидел, как у ближайшей голландки медленно приоткрылась чугунная дверка. Затем у двух других голландок тоже синхронно приоткрылись дверки.

Кирилл был готов заорать и выстрелить, пистолет плясал в его вытянутой руке, но Кирилл не выстрелил. И не заорал, чтобы Гугер и Валерий не узнали о его ужасе. Если он ещё стеснялся показать свой испуг, значит, не погрузился на дно безоглядного страха... Худо-бедно он ещё сохранял контроль за словами и действиями. Ведь это мог быть просто порыв ветра над крышей школы, когда сквозняк раскрывает дверки пустых печей...

Кирилл двинулся по коридору, добрался до первой печи и захлопнул дверку, повернул чугунный запорчик. Ничего. Кирилл пошёл дальше и закрыл вторую печку, потом третью. Всего-то...

Впереди была прихожая – и выход на крыльцо. Выйти на улицу? Но выходить Кирилл не хотел. Это здание – как сундук с кошмарами. Здесь, в замкнутом объёме, он ещё может справиться с собой и со своим ужасом. А если ужас продолжится и снаружи? Значит, спасения нет. Только ложись и помирай.

Надо всё закрыть, закупорить здание. Тогда своему внутреннему страху некуда будет деться, а наружный страх в школу не проберётся. В закупоренном здании Кирилл выследит свой внутренний страх, как прячущуюся собаку, и убьёт его, а внешний страх останется на улице.

В этой школе выбитые окна все заколочены, через окно в школу не пролезть. Через крышу?.. Кирилл вспомнил, что видел люк на чердак. Он бросился к той каморке, где видел люк. Оказалось, что бежать легко. Когда он стоял, то не мог сдвинуться, а как побежал, так и стало легко. Крышка люка в потолке каморки и без Кирилла была заперта на висячий замок.

Теперь подвал... Надо найти спуск в подпол. Где он может быть? Кирилл метался из помещения в помещение, освещая половицы. Это? Нет, щель... И это щель... Вот он, люк, в какой-то кладовке!

Люк в полу был плотно закрыт, но без замка. Кирилл покрутился, соображая, и решил придавить крышку люка партой. Парта нашлась в соседнем кабинете. Кирилл с шумом поволок её в коридор, поднимая тучу пыли, всунул боком в кладовку и вколотил так, что потом и сам бы не вытащил. Забравшись на столешницу, он ещё попрыгал, вбивая парту между стенами на распор, и вроде успокоился.

И тут что-то легко прикоснулось к его голове. Кирилл поднял лицо и посветил над собой. Его волосы тронуло ветерком: в каморке совсем не было потолка, вместо него — чёрная дыра с обломками досок.

Кирилл слез с парты и в коридоре обессиленно сел на корточки. Всё напрасно. Дыру в потолке ему не закрыть, и кладовку не закрыть, потому что её дверь он намертво прижал расклиненной партой. Здание не загерметизировать, как подводную лодку. Страх всё равно просочится и затопит школу. Можно сделать только то, с чего он и начал: укрыться в своём классе, где остался ноутбук и чайник.

Прижимаясь спиной к стене, Кирилл пробрался ко входу в свой класс и юркнул за косяк. Сразу захлопнул дверь, чтобы ничто не проскользнуло вслед за ним, и опять задвинул её партой. Ноутбук на парте качнул экраном, и синий свет плеснулся, как вода в проруби.

Кирилл повернулся, и теперь окостенел по-настоящему. Посреди класса стояли и смотрели на него две собаки.

Это были те же самые собаки, которых он видел у промоины на откосе возле грейдерной дороги. Белёсая повыше, тёмная с пятнами пониже. Они не виляли хвостами, не улыбались, не вертели ушами. *Не бери у нас ничего*, вдруг всплыло в памяти Кирилла. Собаки глядели на него чёрными, разумными глазами. Ещё миг назад, когда Кирилл шнырнул в класс, собак не было, а пол под окнами был пустым и голым. Но вот теперь собаки стояли и молча смотрели на Кирилла, а потом обе разом пошли на него.

Он забыл и про фонарь, и про пистолет.

И в этот момент бликующее и мутное стекло в окне лопнуло, взорвалось осколками и разлетелось до самых ног Кирилла. Кирилл поневоле поднял взгляд на окно. А соседнее окошко тоже взорвалось, и в стену рядом с Кириллом ударил брошенный камень.

— С-суки! — заорали с улицы.

Новый камень разбил третье окно, последнее.

Кирилл снова посмотрел на собак. Собак не было. Кирилл промахнул взглядом от стены до стены — собаки исчезли.

— Пидоры московские! — орали на улице.

Кирилл узнал голос Лёхи Годовалова. Пьяный голос.

У Кирилла затряслись ноги, и он опустился коленями на пол.

Лёха, видимо, оклемался, опохмелился и рванулся к школе, где ночевал его обидчик. Стекло зазвенело в соседнем кабинете. Лёха камнями бил в школе все окна.

— Вали в Москву свою пидорскую! — орал Лёха. — Не жить вам, суки! Спалю на хер вместе со школой!

Улица в окне вдруг осветилась — это Гугер проснулся и врубил фары автобуса. Кирилл увидел гребёнку школьного забора, а за ней — растрёпанного Лёху Годовалова на фоне тёмного дома напротив.

— Тачку вашу всю на хер изувечу, в реке утоплю! — орал Лёха.

Где-то в конце коридора грохнуло — упала доска, подпиравшая входную дверь школы: сработала сигнализация Кирилла. В коридоре протопали шаги, дверь класса ударила в парту и могуче сдвинула её с места. Синий свет ноутбука опять плеснулся по комнате. В комнату ворвался Гугер — в трусах и в развязанных туфлях. Он в запале и не заметил, что Кирилл забаррикадировал вход.

— Пушку давай! — рявкнул он.

Кирилл тотчас протянул пистолет.

Гугер схватил оружие и кинулся к выбитому окну, протянул руку с пистолетом и бабахнул по Лёхе. Видимо, промазал.

— Всю икону вашу завтра топором порублю, чтобы дриснули отсюда все! — вопил Лёха.

Гугер снова бабахнул.

Кирилл увидел, как Лёха побежал по улице прочь от школы.

Гугер повернулся к Кириллу.

— Доигрался с местными, идиот? — яростно выдохнул он.

15

С утра появилась надежда, что ветер разгуляется и разгонит дым. Мгла над деревней волновалась, в её трясинах вдруг начинало светить солнце, но быстро гасло. Кирилл шагал по улице к дому Мурыгина. Всё. Он должен добыть замок и цепь, чтобы автобус ночью стоял в сарае. Больше ночевать в одиночку Кирилл не будет. Хватит ужасов. Проситься к Гугеру и Валерию в автобус Кириллу казалось чем-то детским, малодушным, стыдным, поэтому надо перевести парней в школу. Если, конечно, в эту ночь не придётся караулить церковь, чтобы козёл Годовалов не порубил фреску топором, как он пообещал.

За заборами пели петухи. Кирилл помнил, что петухи должны петь на рассвете, а не когда попало. Но на рассвете Кирилл никакого кукареканья не слышал. Видимо, крестьянский мир деревни Калитино деградировал уже так, что и петухи забыли своё святое назначенье.

Кирилл чувствовал решимость схватить Мурыгина за грудки и вытрясти из него замок и цепь. Ведь Мурыгин из одной компании с Лёхой Годоваловым и разными Санями Омскими, пусть и отвечает за своих. Он, Мурыгин, взял на себя обеспечение деревни Калитино плодами цивилизации, значит, обязан дать Кириллу цивилизованное орудие защиты от посягательств Годовалова.

Однако для претензий к Мурыгину Кириллу надо быть в деревне своим. Чужой не имеет права на претензии. Чужой должен вести себя тихо и смиренно, а не нравится — вали отсюда нафиг. Своим, конечно, Кирилл здесь не стал. Но и чужим уже не был. Как-то незаметно, бочком, он пристроился к деревне, вжился, вступил в отношения. Вот Гугер и Валерий — нет, они остались чужаками. Поэтому у них не было права трясти Мурыгина, а у Кирилла — появилось.

В этот раз возле магазина Мурыгина никаких туристов Кирилл не встретил. Но и дверь в магазин оказалась заперта изнутри. Пока решимость не испарилась, Кирилл принялся бренчать в дверь кулаком.

Через некоторое время сбоку от Кирилла на фасаде дома открылось окошко, и выглянула жена Мурыгина.

— Чего надо?

— Хозяина.

Кирилл говорил уверенно и раздражённо.

— Он болеет.

— Ходить может? Пусть подойдёт.

Голова жены исчезла.

— Паша, — раздалось в глубине дома, — тебя тут зовут как на пожар. Подойди, что ли.

Болеет он, подумал Кирилл. Вчера тоже болел. Ежедневная утренняя болезнь. Похмело называется. Из окошка выглянул Мурыгин.

— Павел Иваныч, мне с вами поговорить надо, — сказал Кирилл уже совсем не тем тоном, которым разговаривал с женой Мурыгина.

Что Мурыгина зовут Павел, Кирилл услышал вот только что от жены. «Иваныча» придумал наугад. Мурыгина Кирилл решил умаслить уважением. Нахрап против похмельного мужика не прокатит.

— Я Константиныч.

— Павел Константиныч, вы тут главный в деревне. Давайте поговорим немножко. Сядем где-нибудь, выпьем по сотке.

Сотка и лесть произвели на Мурыгина должное впечатление.

— Я не алкаш на свои пить, — пробурчал Мурыгин.

Видимо, для Мурыгина алкашом был тот, кто пьёт на свои. Потому он и маялся без опохмелки — никто не подносил, а тратить кровные Мурыгин не желал из гордости, ведь он не алкаш.

— Я проставлюсь. Мне у вас спросить кое-что надо.

Мурыгин, не отвечая, захлопнул окно. В глубине дома раздались невнятные сердитые голоса, мужской и женский: от перебранки задрожало стекло. Потом где-то за домом хлопнула дверь, и Мурыгин вышел из-за угла. В руке он нёс бутылку водки.

Подворье Мурыгина было обширным. За домом громоздились крытые пристройки. Заборчик выгородил дорожку с улицы к двери веранды, в которой располагался магазин. Сами же хозяева входили в дом сзади, через сараи и подсобки. Перед фасадом в палисаднике в землю был врыт летний стол и пара лавочек. Мурыгин поставил бутылку на стол и открыл Кириллу калитку в заборчике.

— Восемьдесят рублей.

Пока Кирилл отсчитывал без сдачи, Мурыгин грузно сел на лавку под окном и стукнул костяшками пальцев в стекло над головой.

— Галина, прими деньги. Стопки дай, и на закуску чего.

Кирилл протянул мурыгинской жене в окошко купюры, получил в обмен две гранёные стопки и сел за стол напротив Мурыгина.

Мурыгин ожесточённо скрутил пробку с горлышка бутылки и разлил в стопки по полной. Сам тотчас опрокинул стопку в рот и зажмурился. Кирилл выплеснул свою водку в клумбу. Пить с утра эту палёную отраву — ещё чего не хватало.

— Х-халин-на, с-сука, — прохрипел Мурыгин.

Над его головой на подоконник жена с бряканьем кинула блюдечко. Мурыгин, не глядя, снял его и поставил к бутылке. На блюдечке лежала порезанная кольцами луковица.

— Хорошее у вас хозяйство, Павел Константиныч, — сказал Кирилл.

Мурыгин хмыкнул.

— Скотину держите?

— Корова.

Кирилл не знал, чего бы ещё спросить такого деревенского.

— Я тебя где видел? — вдруг спросил Мурыгин.

Кирилл знал где, но не хотел напоминать Мурыгину о вчерашнем «иди на хер», во всяком случае, пока не разговорит Мурыгина.

— Где-нибудь на улице. Я тут с друзьями в школе остановился. Мы от музея в церкви работаем.

— А-а, икону-то снимаете...

— На реставрацию.

— Бабе своей рассказывай. В прошлое лето Годовалов у лошаков тоже мотор на реставрацию унёс.

— У каких лошаков? Куда унёс? — не понял Кирилл.

— У лодочников. Которые плавают тут, суки.

Кирилл понял, что Годовалов украл у туристов лодочный мотор. А выкупил его у Лёхи, наверное, Мурыгин. Кому же ещё? Но говорить об этом не хотелось. Кирилл решил напрямик спросить у Мурыгина про Псоглавца. Телефон с диктофоном он оставил в школе, на подзарядке, но ведь не похоже, чтобы Мурыгин мог что-то рассказать.

— А почему там на иконе святой с собачьей головой нарисован?

— Хер знает. Старая икона-то.

Кирилл догадался, что у Мурыгина кончился бензин для движения дальше вдоль по беседе. Кирилл опять разлил водку.

— А себе чего половинку наливаешь?

— Я же городской. У меня такого здоровья нет, как у вас.

Мурыгина ответ удовлетворил. Он снова выпил и закусил луком.

— Ихону при Ифане Хросном нарисофали... — просипел Мурыгин.

— Ну и что?

— У Грозного армия была — с собачьими головами и мётлами. Вот ихнего святого так и нарисовали.

Мурыгину было всё ясно про Псоглавца, вопросов не возникало. Кирилл подумал, что правда о Псоглавце, святом Христофоре, в деревне не только не известна никому, но даже и не интересна.

— Мог бы я сам эту икону продать, давно бы и продал, — сообщил Мурыгин. — Только в Семёнове её не возьмут, а в Нижнем у меня подвязки не те. В Москве, понятно, всё можно. Ладно, ваша добыча.

— А как у вас торговля? — Кирилл быстро свернул с покатой тропки.

— Нормально.

— Покупателей-то немного...

— Почему немного? — даже обиделся Мурыгин. — Лошаки всё лето плывут. Одичают на реке. Чего у себя в городе на хер не брали, нос воротили, тут сметают. Надо просто башкой думать, где чего продавать. Я в Семёнове в «Хозтоварах» спрашивал у Наташки: часто плоскогубцы берут? Она говорит, штук двадцать в год. А у меня столько за три месяца уходит.

— Да-а, у вас всё рассчитано, — уважительно сказал Кирилл.

— А ты думал? Только в Москве умные живут? Надо прикидывать, где чего можно брать.

— И чего тут можно брать, в Калитине?

— От своих — пенсию. Тут половина всех пенсий — моя.

Мурыгин ничуть не смущался цинизмом своего расчёта.

— Всё равно мало, — провоцировал Кирилл.

— Мало, — согласился Мурыгин. — Но есть лошаки. Есть река. Наши рыбу берут — куда девать? Чё-то продадут туристам, а остальное? Вот тут и Павел Константиныч нужен. Увези на рынок, родной. Есть лес.

— Заповедник же.

— Ну, да. Заповедник — херово. Раньше можно было на лося там охоту, на кабана, а щас егеря больше сдерут, чем выручишь... Хотя всё равно можно. Да от леса не зверя брать надо. Бабы вон ягоды собирают, грибы, травы лечебные, а кто всё продаёт? Я.

Кирилл вспомнил, что и Лизу в первый раз он встретил, когда она собирала ягоды. Видно, тоже сдавала их Мурыгину.

— Лес — это дрова,— откровенничал захмелевший на старые дрожжи Мурыгин. Он снова разливал водку.— У меня егеря всё подмечают. Могу делянку указать, чтоб без порубочного билета, могу сам машину брёвен подогнать. Но этого понемногу, зарываться нельзя.

— Вы тут всей округе хозяин,— добавлял масла Кирилл.

— А без хозяина ничо нигде никогда не бывает. Кто-то всегда чо-то берёт. Если ты об этом не знаешь, так сам дурак. Хозяин у всего есть.

Не бери у нас ничего, вспомнил Кирилл. Он покивал, словно осмыслял величие Мурыгина, но во власть Мурыгина не поверил. Никакой Мурыгин не хозяин. Просто самоуверенный жлоб.

— Был до меня настоящий хозяин — кум на зоне, был, да сплыл,— с тайным удовлетворением сообщил Мурыгин.

— Без зоны хуже стало жить?

— Хуже, даже мне,— вздохнул Мурыгин.— Зона тут всё отстроила. На зоне чо угодно можно было взять. При зоне и деревня всем была нужна. И зэкам, и охране, и властям. Люди были, жизнь. А щас чего? Только лошаки. Лошаки, они и есть лошаки.

— А вы тогда кем работали, Пал Константиныч?

— Я-то? Я тогда молодой был. Машинистом работал. Когда мотовоз водил, когда мотрису. Каждый день в городе бывал. Всё, что нужно в городе, шло через меня. Дела кипели.

— Мне говорили, у вас и сейчас дрезина есть,— припомнил Кирилл.

— Есть, ну и что? Я её у начальника выкупил. Хера ли дрезина, когда дороги нет? Сам кум меня и кинул. Мне дрезину продал, чтобы я по рельсам катался, а рельсы ещё кому-то загнал на металлолом. На, жри, Паша, поминай добрым словом. Сразу за карьерами дорогу и разобрали. Теперь на дрезине можно только отсюда до карьеров, а дальше хер. Ну, своим-то я сдаю дрезину, чтобы за торфом ездили, только это не деньги. Не на то я рассчитывал.

— А как же вы товар из города возите?

— Не я вожу. Мишка, сын. Раз в неделю приезжает. Он в Нижнем живёт, у него «буханка» своя. Парень с башкой, молодец.

Кирилл обрадовался, что разговор сам собой выворачивает на тему машины.

— Машина — это главное, — сказал Кирилл. — Без машины — конец. У нас вот автобус. Только боимся его ночью на улице оставлять. Лёха Годовалов грозился искурочить.

— Годовалов может, — весело хмыкнул Мурыгин. — Годовалов да Саня этот, зэк, вообще безбашенные. Была бы страна нормальная, так сидели безвылазно бы. А так волокут всё, что не приколочено. Чего не своруют, то сломают или изгадят. Гондоны.

— Нам бы автобус защитить, Пал Констаниныч... — заканючил Кирилл. — Посоветуйте... Вы ж тут главный.

— А чё я посоветую? У меня гаража нет. Караульте по ночам.

— Как укараулить? Лёха два колеса нам проколет, а у нас запаска только одна. И шиномонтажа здесь нету.

— А я при чём? — куражился Мурыгин.

— Мы бы в сарай автобус загнали, но сарай запереть нечем. Нужен замок и цепь.

— Замки все продал.

— Ну, может, свой дадите на время? У вас вон какое хозяйство, наверняка и замок запасной найдётся.

— У меня всё найдётся. Но своё — дороже.

— Заплатим! — воодушевлённо заверил Кирилл.

За спиной у Кирилла стукнула калитка. Кирилл оглянулся: по проходу вдоль штакетника шагала Лиза. Она увидела Кирилла с Мурыгиным и словно испугалась.

— Пять тысяч, — негромко сказал Мурыгин.

— Сколько?! — изумился Кирилл. — За четыре дня?

— Четыре тыщи, — тотчас сбавил Мурыгин, говоря ещё тише, чтобы Лиза не услышала.

Лиза открыла калитку в палисадник, где сидели Кирилл и Мурыгин, и подошла к их столику.

— Привет, — сказал Кирилл.

Лиза молча положила на стол бумажку в сто рублей.

— М-машину... — прошептала она.

Кирилл понял, что Лиза пришла взять дрезину напрокат.

— Я ведь не покупаю замок, мне его просто на четыре дня надо! — сказал Кирилл Мурыгину. — По тысяче за день — это что за цена?!

— У тебя автобус сколько стоит? — Мурыгин разозлился, что Лиза слышит, как они торгуются. — Ну и посчитай! Или щас по штуке за день, или за ремонт и буксировку сто штук отдашь! Если Годовалов пообещал расхерачить вашу тачку, значит, расхерачит, он долбанутый!

— За штуку в день вместо замка сторожа нанять могу...

— Ну и нанимай, бля! — рявкнул Мурыгин, поднимаясь. — Много тут кого наймёшь! Омского найми! Он сам Годовалову твою тачку отгонит!

Лиза вдруг тронула Кирилла за плечо, закрыла глаза и, набрав воздуха, на выдохе прошептала:

— У меня... есть... Я дам...

— Ты чо лезешь, Лизка?! — разъярился Мурыгин.

— Я лучше ей штуку заплачу, — сказал Кирилл.

Мурыгин застыл, переводя взгляд с Кирилла на Лизу. Соображал он быстро и сразу понял пределы своей выгоды.

— Ладно, — прорычал он. — За штуку на четыре дня. Щас принесу.

Он опрокинул в рот стопку, что налил, но не пил, ожидая Кирилла, встал и, сутулясь, ушёл за угол. Кирилл посмотрел на Лизу.

— Я тут замок у него беру, с цепью. Чтобы автобус на ночь в сарае запирать. А то Годовалов напакостит.

Лиза молчала, опустив глаза. Она была в синей полосатой рубашке и в брюках, заправленных в зелёные резиновые сапоги. Под мышкой она держала свёрток из дерюжных мешков.

— Мурыгин мне сначала не хотел замок давать, а я его подпоил,— пояснил Кирилл, кивая на бутылку водки.

Лиза понимающе кивнула.

Мурыгин вышел из-за угла с ржавой собачьей цепью, намотанной на руку. Он сердито ссыпал цепь на стол. На конце цепи болтался навесной замок. Мурыгин порылся в кармане и бросил рядом с цепью связку ключей для Лизы. Кирилл протянул купюру.

— Забирайте и уматывайте,— сказал Мурыгин.

Лиза взяла ключи. Кирилл попробовал собрать цепь в кучу, но она со звоном растекалась из рук. Лиза молча вытащила из своего свёртка один мешок и протянула Кириллу.

— Спасибо,— сказал Кирилл, загребая цепь в мешок.

— Водку забирай,— буркнул Мурыгин.

— Водка вам. Мне хватит.

16

С мешком за спиной Кирилл почувствовал себя как-то очень по-деревенски, и поэтому догнать Лизу показалось ему обязательным, само собой разумеющимся делом. Лиза шла по песчаному проулку, где над заборами вяло колыхалась листва пожухлой сирени.

— Подожди, пожалуйста,— сказал Кирилл, хватая Лизу за локоть.— Ты на карьеры собралась?

Лиза не посмотрела на Кирилла и не остановилась, но и локоть не освободила. Она сдержанно кивнула.

— Можно, я с тобой?

— За... чем? — прошептала Лиза.

— Никогда не видел торфяных карьеров. Интересно,— Кириллу и вправду было интересно, как выглядят торфяные карьеры, тем более вроде бы горящие. Но, конечно, навязывался он не из-за этого.

Лиза не ответила. Кирилл расценил молчание как согласие.

— Лиза,— осмелел он,— а зачем ты собираешь торф? Ты же дровами печку топишь. Я когда приходил к вам, ты дрова колола.

Лиза хотела объяснить, но никак не могла начать и страдальчески глянула на Кирилла — ну, пойми сам! Кирилл подумал, что вопросы Лизе он должен формулировать так, чтобы она отвечала односложно.

— Разжигаешь дровами и подкладываешь торф? — подсказал он.

Лиза слабо улыбнулась и кивнула.

— А сколько дров экономится?

Кирилл готов был спрашивать о чём угодно, лишь бы расшевелить Лизу, лишь бы поговорить с ней. Лиза снова посмотрела на Кирилла, теперь уже укоризненно. Зачем спрашиваешь о том, о чём не ответить односложно? И Кирилл обрадовался. Ведь Лиза хотя бы чуть-чуть, но могла разговаривать, пусть шёпотом и с трудом. Но она не говорила совсем, потому что смущалась. А короткий укор означал, что неловкость речи признана Лизой объективной трудностью общения, вроде шума поезда при беседе в метро, и больше не является предметом стыда, который делает разговор невозможным.

– Фифти-фифти? – подсказал Кирилл. – Ну, то есть вдвое?

Лиза кивнула.

Они вышли на окраину. Последний дом деревни Калитино казался наполовину затонувшим, стоящим на дне кораблём, полным воды: бурьян рос и вокруг дома, и внутри дома, и торчал из оконных проёмов. За окраиной деревни простирался бугристый пустырь с кущами крапивы и чертополоха, кое-где поднимались тополя и косые деревянные столбы без проводов. Песчаная дорога, бывшая улица, вела напрямик и вдали терялась во мгле, понизу тёмной от леса.

Кирилл увидел добротный сарай, крытый обрывками рубероида и серыми досками. Из-под ворот сарая выбегали две ржавые нитки рельсов узкоколейки. Сарай служил гаражом для дрезины Мурыгина. Стену сарая подпирал штабель просмолённых шпал. Похоже, скряга Мурыгин приволок шпалы сам, не стерпел, что добро пропадает, хотя отремонтировать узкоколейку он, конечно, в одиночку не сможет.

На воротах висел здоровенный замок. Лиза с натугой отомкнула его и оставила висеть в одной петле, отволокла правую створку ворот. Кирилл отволок левую створку. В темноте сарая на рельсах стояло нечто удивительное.

Сначала Кириллу показалось, что это старый грузовик ГАЗ-51 с горбоносой кабиной, но потом Кирилл понял, что ошибся. Кабину и кузов 51-го смонтировали на двухосной железнодорожной тележке, и это сделали явно не умельцы с зоны. Спереди вместо бампера торчала железная лапа вагонной сцепки. Справа и слева внизу капота оттопырились полусферические фары, такая же фара стояла на крыше, повёрнутая стеклом назад, — освещать дорогу при реверсивном движении. Кабина, некогда зелёная, была совсем ржавой и мятой, боковые стенки капота отсутствовали, напросвет оголив чёрный и грязный движок. Дверок тоже не имелось. Зато в таком раздолбанном виде это чудище напоминало американский вертолёт «ирокез», побитый пулями вьетконговцев, как в «Апокалипсисе» Копполы.

— Здорово! — восхитился Кирилл.

Лиза, нагнувшись, вытаскивала из-под колёс дрезины железные тормозные «башмаки». Кирилл посмотрел на тугую задницу Лизы и забыл про Копполу. Лиза распрямилась. Лицо её разрумянилось.

— Ты умеешь водить? — спросил Кирилл.

Лиза кивнула и полезла в кабину.

Она включила зажигание, двигатель сипло затарахтел и завёлся, Лиза потянула рычаг. Дрезина медленно тронулась и мимо Кирилла с хрустом покатилась из гаража. Посадка на железнодорожную тележку оказалась ниже, чем у грузовика, и Лиза проехала почти на одном уровне с Кириллом. Он уловил какую-то эротику: то ли в осанке Лизы с грудью вперёд и рукой, отведённой назад на рычаг, то ли в том, что девушка в сквозной кабине была словно в пятерне робота.

Кирилл сунул свой мешок с цепью в угол гаража и вслед за дрезиной прошёл на выход, морщась от бензинового чада пополам с торфяной гарью. Не глуша мотор, Лиза остановила дрезину и выбралась наружу. Кирилл затворил ворота и продел дужку замка в петлю, Лиза заперла замок и спрятала ключ под шпалу в штабеле.

Кирилл забрался в кабину, испытывая детское удовольствие от предстоящей поездки «на машине». Здорово, что не было дверок. От Лизы его отделял облупленный рычаг коробки передач. На приборной доске перед Лизой зияли круглые дыры снятых циферблатов.

— Далеко до карьеров? — спросил Кирилл.

Лиза показала ладонь с растопыренными пальцами, потом ещё три пальца. Восемь километров.

Дрезина заклокотала и покатилась. Кирилл восторженно смотрел по сторонам. Скорость у дрезины была как у велосипеда. Всё вокруг казалось игрушечным, ненастоящим. Колея — шириной в один шаг, 750 мм, как у детской железной дороги. Грузовик ГАЗ-51 был великоват для своей платформы и громоздился на ней, будто слон на табуретке. Передние колёса дрезины стучали где-то под Кириллом. Дымка пожара гасила горизонты. Лес по правую руку выглядел нарисованным на белой холстине. По левую руку домики деревни Калитино походили на детскую площадку. И лес, и деревню от узкоколейки отделяли широкие полосы отчуждения. Дрезина бежала по невысокой насыпи.

Почему Калитино — деревня? — думал Кирилл. Может, давным-давно, при раскольниках, жители здесь и занимались хлебопашеством, но потом работали в леспромхозе и на торфозаготовках, охраняли зэков. Калитино жило вполне по-городскому, как посёлок при заводе. Всё деревенское осталось в прошлом. Впрочем, были ведь огороды, коровы, куры... Когда в детстве Кирилл ездил в деревню к бабушке приятеля, его поразили окраины Малоярославца. Такое же вот полугородское-полудеревенское существование, когда деревня влилась в город, отчасти переняла городские нормы, но сохранила привязку к земле. Как назвать такую форму жизни? Слободской?..

Калитино закончилось. Потянулась обширная пустошь, на дальнем крае которой еле угадывалась река, а затем началась роща. Над липами и берёзами вторым этажом поднимались кроны сосен. Вдруг Лиза надавила на педаль, заскрипели буксы, и дрезина остановилась.

— Что случилось? — забеспокоился Кирилл.

Лиза выключила зажигание и указала пальцем на рощу:

— П-папка...

Кирилл сначала не понял, а потом разглядел в роще железные оградки и кресты. Здесь находилось деревенское кладбище. Наверное, Лиза хотела по пути на карьеры навестить могилу отца.

Лиза выбралась из кабины и неловко полезла в кузов. Кирилл смотрел в окошко, прорезанное в затылке кабины. В кузове на полу среди торфяной крошки, щепок и кусков коры валялись грабли, лопаты, багор, лом, домкрат, ржавое полотно двуручной пилы. Кирилл догадался, что это аварийный набор на тот случай, если дрезина соскочит с рельсов или если дорогу завалит упавшее дерево. Лиза взяла штыковую лопату и грабли.

Кирилл увязался за Лизой. Они перебрались через придорожную канаву, обросшую репейником, и по сухой траве пошагали к роще.

Могила отца под высокой сосной оказалась совсем запущенной. Некрашеный заборчик наклонился, деревянный крест тоже стоял косо.

— М-мы б-быстро, — сказала Лиза.

Она принялась торопливо скрести граблями по могиле, подбитой по краям досками, и вокруг, в ограде. Грабли вычёсывали космы сухой травы и веточки, из-под зубцов покатились сосновые шишки. Кирилл осторожно взял крест за лапу и вернул его в вертикальное положение.

В центре креста была пожелтевшая фотография под квадратиком мутного оргстекла. Довольно молодой мужчина в пиджаке как-то странно смотрел куда-то вбок, словно стеснялся, что умер. Кирилл узнал снимок. Такой же висел в доме у Токаревых, только там на руках у мужчины была шестилетняя Лиза, на неё мужчина и смотрел. Здесь Лизу отстригнули, но всё равно это показалось Кириллу жутким: словно Лиза должна быть в могиле вместе с отцом. Под фотографией темнела выжженная надпись: «Токарев Николай Петрович» — и даты.

Кирилл взял лопату, вышел из ограды и копнул в стороне, принёс земли и стал засыпать зазор, что остался от наклона креста. Потом утрамбовал землю ногой. Он подумал, не топчется ли он над головой похороненного, но Лиза ничего не сказала. Даже если и топчется — что из этого? Здесь, на кладбище, все казалось обыденным — сосны и берёзы, могилы и кресты, жизнь и смерть.

Лиза выгребла сор за ограду и остановилась, опершись на грабли.

— Папка меня любил, — совсем тихо сказала она.

Чем тише она говорит, понял Кирилл, тем лучше получается.

— Почему он умер? — Кирилл посчитал годы жизни по датам. — Ему же только сорок шесть было. Молодой.

— Его убили.

Лиза перекрестилась и начала беззвучно читать молитву. Кирилл изумлённо смотрел на Лизу. Здесь, на кладбище, действия Лизы были совершенно естественны. Это не сексуально-ролевое смирение поп-звезды, что стоит в раззолочённом храме в платочке и со свечкой.

Но и для Лизы на земле тоже начался двадцать первый век. Лиза приехала сюда на дрезине, у неё есть мобильный телефон и карточка ИНН, она смотрит по телевизору ток-шоу и сериалы. Откуда же в современном человеке всплывают эти старинные, даже древние действия, ритуалы, потребности и почему они так органичны?

Лиза взяла грабли и направилась обратно к узкоколейке. Кирилл догнал Лизу, тыкая лопатой в землю, как посохом.

— Лиза, а кто убил твоего отца? — осторожно спросил он.

— Шестаков.

Шестаков — тот богач, что построил здесь кирпичный особняк.

— А почему?

— Папа хотел... переехать в город... чтобы я не жила... в интернате.

Кирилл понял. Школа в Калитине была девятилеткой. Два последних года старшеклассники доучивались в райцентре, жили в интернате. Николай Токарев, видимо, хотел продать дом в деревне и перевезти семью в райцентр, чтобы дочь оставалась под присмотром.

— А чем Шестакову мешал ваш переезд?

Лиза долго молчала, глядя себе под ноги.

— Слуги... разбе... гаются.

Ответ ошеломил Кирилла. Вот так всё просто. Убили мужика — и его баба с девкой остались в деревне. Кто-то ведь должен прибирать в особняке, стирать бельё и ухаживать за клумбами. Возить лакеев издалека — дорого. Как сказал Мурыгин — хозяин есть всегда...

Тут, в Калитине, закрыли зону, кончились заработки и наступило крепостное право нищеты. И помещик появился — Шестаков. Помещик, усадьба и холопы. Убить раба — право господина.

Лиза и Кирилл дошли до дрезины, забросили в кузов грабли и лопату, забрались в кабину на свои места. Кирилл молчал. Лиза сидела неподвижно, глядела вперёд на мглистую дорогу и не поворачивала ключ зажигания.

— Это в марте было... — еле слышно, почти тайно сказала она. — Папка пошёл в Рустай... на автобус до города. Через два дня... нашли его... недалеко отсюда...

Кирилл вдруг понял, что отец Лизы погиб всё у той же промоины, где неизвестное зло напугало потом и саму Лизу. Если в проклятии деревни Калитино была система, чей-то замысел, то Николай Токарев должен был погибнуть именно на этом месте.

— Ему... горло... — Лиза не договорила.

— Перерезали?

Лиза замотала головой. Ей было трудно сказать, но не потому, что она говорила плохо.

— Разо... рвали... зубами.

Холод продрал Кирилла по хребту.

— Псоглавцы?

Лиза не ответила. Она словно не услышала вопроса, включила зажигание, завела мотор и двинула дрезину вперёд. Стукнули колёса на стыках. Качнулась и поплыла, вся в дымке, кладбищенская роща.

Может, Николая Токарева загрызли лесные звери? Заповедник же. Но здесь нет собак, даже одичавших. Здесь нет волков... Медведь? Проснулся после спячки и убил человека? А когда просыпаются медведи? И есть ли они тут? И почему зверь не съел жертву?

— А ты уверена, что это — от Шестакова?

Лиза убеждённо кивнула.

— Папка... ушёл из зоны.

Кирилл не сразу понял. То есть — *ушёл из зоны*? Он же здесь жил, а не сидел... Но до Кирилла дошло: а чем само Калитино отличалось от зоны, если здесь нет свободы встать и уйти? Нищая деревня — та же зона. Ну и что, что можно бухать? Невелика радость.

Была зона, о которой рассказывал Саня Омский, был её начальник полковник Рытов, а у полковника Рытова были охранники, догонявшие беглых,— псоглавцы. Лагерь закрыли. А нищета сделала деревню новой зоной, её начальником стал богач Шестаков. И почему бы ему не унаследовать спецназ Рытова — псоглавцев? Ведь крепостных надо охранять по-прежнему, а в заброшенной церкви на стене по-прежнему сжимает копьё святой Христофор, раскольничий *бог конвоя*?

Кладбищенская роща закончилась, и за дальним её краем во мгле Кирилл увидел усадьбу Шестакова: бетонный забор, краснокирпичные острые фронтоны, черепичные кровли и спутниковую антенну. Где Шестаков прячет псоглавцев? В подвале? Или у них логовища в лесу, как у зверей? Или они живут на карьерах, ведь Саня Омский называл их «торфяными гапонами»?..

Возле бетонной ограды шестаковской усадьбы стоял тёмно-синий микроавтобус, но Кирилл не успел задать себе вопрос, почему их «мерс» находится здесь, а не у церкви. Впрочем, до церкви было недалеко. Она поднималась на невысоком взгорье, окружённая раскидистыми деревьями, бурьяном и кучами кирпича. Где-то там Гугер и Валерий готовили страшную фреску к переезду в музей. Как псоглавцы отнесутся к тому, что их бога увезут?..

— Ты боишься здесь жить? — спросил Кирилл у Лизы.

Лиза долго думала.

— Жить... не страшно... — прошептала она. — Страшно... уйти.

Кирилл понял, что напоминает ему местная жизнь, все эти вымытые одноразовые тарелки. Это мир после ядерной войны, мир на руинах. Или жизнь бомжей на свалке. Кто они, обитатели деревни? Те же бомжи на свалке цивилизации. Но ведь и у бомжей на свалке есть какие-то жилища, а в них — мебель, посуда, вещи, механизмы, даже аппаратура... У бомжей есть свои отношения, иерархии, правила... Примитивные, убогие, жалкие, страшные...

В Калитине разве не так же? Здесь свой владыка — Шестаков, своя столица — его особняк, своя работа — в усадьбе, свой транспорт — дрезина, свой энергоноситель — торф, свой бог — Псоглавец и своё великое прошлое — зона.

17

На дрезине восемь километров оказались серьёзным расстоянием. За церковью потянулись пустоши с руинами лагерных бараков, потом — перелески и поляны. Дрезина, глухо стуча, катилась по узкоколейке в торфяной мгле, а из мглы неожиданно выплывали какие-то унылые, заброшенные виды, полные остервенения и тоски.

Казалось, что дорогу проложили сквозь некое событие, которое всё вокруг перекалечило, но теперь уже завершилось. Вот чёрное, сухое, искорёженное дерево у насыпи. Вот огромный дощатый ангар с провалившейся крышей. Штабеля брёвен. Железный мост без опор и ограждений, перекинутый через узкую лощину, что густо заросла ивняком. Берег реки, внезапно подошедший к насыпи узкоколейки и сразу отошедший в туман. Ограда из колючей проволоки на столбах и распахнутые ржавые ворота, некогда преграждавшие рельсовый путь.

Дрезина делала километров 20—30 в час. На трассе такая малая скорость вымотала бы Кириллу всю душу, но сейчас, со встречным ветром и в кабине без дверей, выглядела вполне убедительной. Интересно, думал Кирилл, а там, на карьерах, есть ли кольцо или разворотный круг для дрезины? Иначе ведь дрезине придётся возвращаться задним ходом, кузовом вперёд.

Лиза молчала, а Кирилл ничего не спрашивал. Движение сквозь мглу гипнотизировало, мерный перестук колёс удерживал в трансе, будто барабаны буддистов, зыбкие картины тихо ворошили сознание, и боязно было шевельнуться, словно Кирилл прятался от кого-то и шевелением мог выдать себя.

В дымной мути открылось обширное пространство — дрезина выкатывалась на карьеры. Но Кирилл толком не понял, что же такое он видит. Какая-то равнина, распаханная на прямоугольные лоскутья, длинные полосы канав, цепи невысоких земляных горок с почти отвесными склонами. Кое-где топорщились облезлые шапки кустов. Всё скрадывал стелившийся понизу дым.

Лиза остановила дрезину возле приземистого крутобокого холма. Гарью запахло гораздо отчётливее.

— А где торфяные карьеры? — разочарованно спросил Кирилл.

— Там, — Лиза кивнула в сторону.

— Они большие?

— Мелкие... Но ши... рокие.

Лиза выпрыгнула из кабины и полезла в кузов за лопатой и мешками. Кирилл тоже вылез и задумчиво поднял с дорожной насыпи плотный, бесформенный кусок земли. Это была даже не земля, не глина или суглинок, а какой-то превратившийся в землю бурый ком спрессованного сена. Торф. Неужели эта дрянь, похожая на коровью лепёху, способна заменять дрова, уголь, нефть и газ? Кирилл бросил торфяной ком обратно на шпалы и отряхнул ладони.

Лиза уже отошла в сторону и лопатой ковыряла бок ближайшего холма. Холм был высотой метра два. Кирилл направился к Лизе.

Холм оказался буртом — горой готовых торфяных брикетов, вроде штабеля ящиков. Все окрестные холмы были такими же буртами. Здешнюю зону, похоже, ликвидировали в авральном режиме: вывезли контингент и оборудование, а всё остальное — постройки, готовую продукцию, торфяные разрезы — бросили как есть, на хрен. Прошло больше пятнадцати лет. Постройки обрушились или криво осели, доски и брёвна рассохлись, железные конструкции заржавели, канавы заросли травой, рыхлые карьеры разъехались, некоторые обгорели в низовых пожарах, бурты превратились в горы типа низеньких терриконов.

Наружный слой торфяных брикетов высох и рассыпался, дожди замесили торфяное крошево в тесто, а жара испекла его, как хлебную корку. Лиза и другие жители Калитина взламывали эту корку лопатами и доставали из глубины буртов уцелевшие брикеты. Каждый брикет был размером с коробку от обуви. Кирилл взял один в руки — брикет весил килограмма полтора и на ощупь казался неожиданно горячим: в буртах, как в печах, на пригреве лета сам собой зрел будущий огонь.

Лиза привезла с собой пять мешков. Кирилл прикинул: наполнять мешки брикетами торфа Лиза будет примерно час.

— Лиза, послушай, — позвал Кирилл. — Я хочу походить, посмотреть, как тут всё... А вернусь — и помогу, утащу мешки в кузов. Хорошо?

Лиза выслушала, распрямившись, и кивнула, сдув с лица прядь.

— А где горящие карьеры?

— Там о-о... опасно...

— Я уже взрослый мальчик, — с достоинством возразил Кирилл.

— Они там, — Лиза вздохнула и указала рукой куда-то в сторону, где за буртами вдали торчала какая-то вышка.

— Не уезжай без меня, обещаешь? — на всякий случай уточнил Кирилл. — Я правда помогу, не вру.

Я правда помогу — это прозвучало с двойным смыслом. Чем и в чём он здесь поможет? Узнает тайну псоглавцев и снимет с деревни её проклятие? Такое происходит только в фэнтези. Да и хочется ли ему спасать всех этих Лёх, Сань Омских и Мурыгиных? В реальной жизни он разве что поможет Лизе как-то наладить жизнь. Лиза кивнула.

Кирилл развернулся и двинулся между буртами по земляной дороге, хранившей затянутые пылью отпечатки гусеничных траков. Склон бурта заслонил нелепую дрезину-грузовичок.

Кирилл думал о псоглавцах. Кто они — люди или животные? В любом случае им нужны убежища. Заброшенные торфяные карьеры, да ещё и горящие,— хорошее место, чтобы спрятаться. Зверь может выкопать себе нору в бурте — Кирилл увидел, как Лиза достаёт брикеты из толщи горы: так можно и целую пещеру выбрать. А люди поселятся в пустых строениях или соорудят какой-нибудь балаганчик из досок... Кто сюда ходит? Никто. Местные подъедут на мурыгинской дрезине, поковыряют бурт, что поближе к узкоколейке, и уедут.

Бурая и тонкая торфяная пыль покрывала всё вокруг. Её разносил ветер, она сыпалась из дыма пожаров, словно вулканический пепел. Земля и бурты казались тщательно выровненными и выкрашенными мягкой охрой. Ощущения были, что Кирилл идёт по Марсу. Сухие клочья редкой травы беззвучно шевелились, как марсианские пауки.

Здесь должны быть следы, думал Кирилл, глядя под ноги. Какие следы могут оставлять псоглавцы? Следы от обуви или отпечатки собачьих лап?.. А если он и вправду наткнётся на псоглавца?.. Кирилл остановился. Нет, такого кошмара ему не надо. Хорошо играть в истребителя вампиров, но не здесь и не в одиночку... Вдруг вон там, за громадой бурта, стоят и молча ждут его псоглавцы — страшные люди с косматыми головами псов, одетые в лохмотья, которые треплет ветерок... Как по торфяной пыли растечётся кровь? Раскатится чёрными тусклыми шариками, словно грязная ртуть?..

Кирилл заметил под пылью какую-то палку и выволок её наружу. Это был узкий обломок доски с ржавым и кривым гвоздём на конце. Хорошее оружие... Может, вернуться? Но тогда он оконфузится перед Лизой... Понтовался, понтовался, и сбежал... Или просидеть здесь час, будто бы всё время смело гулял по этим мёртвым пространствам?..

Кирилл полез под футболку за телефоном, чтобы засечь время, и вспомнил, что оставил телефон в школе, где жил, на подзарядке. Ч-чёрт!.. Кирилл разозлился. Да какие, на фиг, псоглавцы? Просто тоска здесь смертная. Торф, торф, торф... Немецкое слово. По-немецки «голова» — копф. «Смерть» — тод. «Собака» — хунд. Бурт, торф, тод, копф, хунд... Словно глухой собачий лай...

За крутым боком того самого бурта, где он и вообразил себе псоглавцев, Кирилл услышал глухие отрывистые звуки. Псы рычат?.. Волосы на руках у Кирилла встали дыбом. Не хватало воздуху.

Правила поведения при незнакомой собаке: бежать нельзя. Если побежишь, собака кинется вдогонку. Надо спокойно идти своим путём, не глядя собаке в глаза, будто совсем её не замечаешь. Кирилл положил доску на правое плечо и, преодолев онемение в коленях, двинулся вперёд. Одно движение правой руки — и он с силой махнёт доской, чтобы всадить гвоздь прямо в башку псоглавца.

Из-за бурта стало вылезать что-то рыжее. Кирилл сделал ещё один шаг и понял, что за буртом стоит брошенный бульдозер. Весь ржавый. Блестит только исцарапанный изгиб ножа. Окна выбиты. Одна гусеница расклепалась, и раскатившуюся полосу траков занесло пылью. Дверка висит на одной петле. Она шевелится в колыхании воздуха и тихо скрежещет. Этот скрежет Кирилл и принял за рычанье.

Кирилл стоял и смотрел на бульдозер. А бульдозер смотрел на него. Машины ведь умеют смотреть на людей. У них есть если не душа, то какой-то дух, который требует ухода за машиной, горючего, работы... Когда человек покинет машину, забудет о ней, машина примет в себя любого демона, лишь бы он вернул жизнь. Вот сейчас в кабине бульдозера появится псоглавец, протрёт стекло от пыли волосатым локтем и потянет за рычаг. И трактор двинется вперёд...

Это всё для фильма ужасов. Поединок бульдозера и человека среди торфяных буртов. Пыль, ржавчина и чёрный дизельный чад. Триллер. А вместо солярки псоглавец заливает в бак человеческую кровь. Ага. Кирилл прошёл мимо бульдозера, напоказ самому себе грохоча своей доской с гвоздём по борту машины. В огромной России треть всей территории занимают торфяные залежи. Тут не напасёшься бульдозеров и псоглавцев.

Лабиринт заготовленных буртов заканчивался, и дальше вкривь и вкось простирались уже собственно разрезы — плоские карьеры. Путь преградила широкая и довольно глубокая канава. Кирилл понял, что это — дренажный ров. Пространства торфяных залежей — осушенное болото. Клочья кустарников росли там, где на болоте были острова и не отложился торф.

Вышка, которую заметил Кирилл, торчала правее. Рядом с ней громоздились какие-то полуразрушенные сараи с дырявыми кровлями. Наверное, с верхней площадки вышки раньше наблюдали за всей площадью разработок — не загорелось ли где. Сейчас наблюдать было некому, и вдали горело. В полукилометре от вышки Кирилл увидел тёмное марево пожара, шапкой сидящее на горизонте.

Дренажная траншея выходила откуда-то из дымки справа и таяла в дымке слева. Кирилл не увидел ни мостика, ни спуска. Впрочем, борта этой траншеи осыпались и не выглядели слишком крутыми. Дно было разъезжено тракторами, а ведь они как-то скатывались сюда и как-то выбирались потом обратно. Ну, какая здесь глубина? Два-три метра. Кирилл решил спрыгнуть. Подъём он найдёт или изобретёт.

Он потоптался, примериваясь, и прыгнул на торфяной оползень. Ноги выше колен мягко воткнулись в грунт, как в сугроб. Подняв тучу пыли, Кирилл выбрался на тракторную колею и начал ожесточённо топать, отряхивая штанины. Кроссовки были полны торфа.

Сверху противоположный борт канавы казался ему не слишком крутым, да ещё его высоту до половины сократила осыпь. Увязая в ней, Кирилл добрался до откоса... и что? Подпрыгнуть не получится, слишком рыхлая опора. Кирилл доставал руками до гребня стенки, но цепляться было не за что, земля ручьями текла из-под ладоней. Он попробовал продолбить ступеньку носком кроссовки, но непрочный откос не выдерживал, ступенька разваливалась. Что делать? Рыть стену доской с гвоздём, пока не получится пологий спуск?..

Кирилл вернулся обратно на колеи и внимательно огляделся. Он нигде не заметил места, пригодного, чтобы выбраться. Когда-то давно Кирилл слышал или читал про песчаные тюрьмы в пустыне. Человека сажают в песчаный котлован, и всё. Не вылезти никак. Узник копает склон, а склон сыплется и получается точно таким же неприступным. Пока не сбросят верёвку, наружу не вылезешь.

Кирилл понял, что попал в ловушку. Простую такую, примитивную и от этого ещё более страшную. Хитрые ловушки придумывают умные люди. А простые ловушки придумывают умные звери. Какие-нибудь псоглавцы. Вот они сейчас выйдут из дымки, из-за поворота, и куда он денется? Побежит прочь вдоль по траншее? А они бросятся вслед, и на бегу опустятся на четвереньки, чтобы догнать быстрее...

Белое дымное небо, бурые откосы, тишина, шорох грунта... Эти торфяные пространства только кажутся спокойными. Но они полны тайной жизнью — ведь не зря же здесь кипела такая работа... Здесь свои безопасные пути, свои укрытия, свои капканы. Не знаешь — не суйся. Здесь есть свой торфяной ад — горящие котлованы, и, наверное, есть свой торфяной рай — и не дай бог увидеть его.

От страха Кирилл взмок. Орать бесполезно, Лиза его не услышит. Телефона, как назло, нет. Надо спасаться самостоятельно. Кирилл взял наизготовку свою доску с гвоздём и двинулся по дну канавы — за тот поворот, где он вообразил себе псоглавцев. Лучше всего — найти подъём на правую сторону и вернуться к дрезине. Чёрт с этой вышкой.

Кирилл завернул по изгибу рва. Впереди поперёк траншеи лежало звено здоровенной бетонной трубы диаметром примерно метр и длиной метра два. Одним концом труба упиралась в левую стену рва.

Кирилл сразу сообразил, что можно забраться на трубу и прыгнуть с неё на край откоса. Труба даже позволит сделать небольшой разгон. Если повезёт, он уцепится за что-нибудь и выберется. Но только на левую сторону канавы, где вышка, а не на правую, где дрезина.

Не теряя времени на раздумья, Кирилл вскарабкался на покатую спину трубы. Верхний край обрыва находился на уровне его макушки. Кирилл подпрыгнул и посмотрел — цепляться там было не за что, одна пустая земля. Ну и ладно. Кирилл отшвырнул свою палку с гвоздём.

Он упёрся ногой в бетонное кольцо на обрезе трубы, пригнулся и кинулся вперёд, на первом же шаге изо всех сил оттолкнулся от бетона и прыгнул. Он упал на край откоса грудью, потерял дыхание от удара, но без воздуха яростно засучил ногами по земляной стене и взрыл грунт скрюченными пальцами. Несколько мгновений он бился на смятом гребне обрыва, а потом всё же перевалился через него и судорожными толчками отполз от края дренажной канавы.

Он полежал, тяжело и хрипло дыша, и медленно сел. С его плеч посыпалась земля. Руки и колени тряслись, рёбра ломило. Он всё-таки выбрался из ловушки.

Он поднялся на ноги и принялся отряхиваться, злобно охлопывая себя со всех сторон. Ладно, псоглавцы. Вы меня не поймали. Я всё равно дойду до вышки и посмотрю на вашу торфяную страну.

Конечно, вернуться было бы разумнее. Вернуться — и найти нормальную дорогу, без ловушек. Но это слишком долго. И вообще, зря, что ли, он приложил такие усилия, преодолевая канаву? В душе Кирилла физический страх перед конкретной опасностью канавы уже напрочь вытеснил прежний мистический страх перед псоглавцами.

Кирилл угрюмо и упрямо зашагал к вышке.

18

Вокруг деревянной вышки раскинулся целый городок — мёртвое сердце торфяных карьеров. Видимо, здесь была база для техники, что работала на разрезах: ремонтные мастерские, ангары, склады. Взрытая земля, щедро залитая соляркой и мазутом, окаменела на жаре и подёрнулась пылью. Кирилл шагал мимо ржавых труб, мятых цистерн, каких-то решетчатых конструкций вроде колхозных сеялок-веялок. Вагончики-бытовки провожали Кирилла угрюмыми взглядами тёмных окошек. У обочины, словно в клятве, целовал дорогу трактор «Беларусь» со снятыми передними колёсами. На низких пустых эстакадах в дымке мерещились призраки грузовиков. Под навесом на швеллере дохлым пауком висел кран-тельфер. С лесобиржи, повалив балки ограды, раскатились брёвна. Большие и малые сараи стояли с открытыми воротами и выбитыми окнами.

Если псоглавцы — реальные монстры из плоти, производные от человека, то они вполне могли бы жить здесь. Отличное убежище. Кирилл глядел по сторонам и думал, что зря он сюда припёрся. Это ведь вампиры не вылезают на солнечный свет. А оборотни вроде не боятся света. Псоглавцы же вообще из третьей серии. Для них нет времени, когда они беспомощны, они должны быть сильными всегда.

Но вокруг было пусто, неподвижно, тихо. Тонкая пыль лежала ровно, без единого следа, человеческого или собачьего. Однако этот чёртов торфяной дым... Он мог прятать что угодно. Как тот туман из романа Стивена Кинга, что затянул маленький американский городок и прятал в своей толще жутких чудовищ.

На этих карьерах всё было сделано из земли, досок, железа и дыма. Всё старое, развалившееся, непрочное и тяжёлое. И страх здесь не леденил душу, а как-то иссушал. Так в фильме «Мумия» живые существа превращались в песчаные статуи, а их сразу развеивал ветер. Здесь, на карьерах, иссохшая душа тоже словно осыпалась, но не песком, а торфяной пылью, и оголяла чёрный скелет инстинктов.

Эти заброшенные торфоразработки казались Кириллу остатками погибшей цивилизации. Такое любят показывать в кино. А какая тут была цивилизация? Совок. Совок с его титаническими производствами, вроде этих гигантских карьеров на дренированном болоте, с его кривыми и громоздкими строениями, с его неуклюжими агрегатами и машинами, с его планетарным замахом и пренебрежением к человеку... Он погиб, этот великан. И на его руинах пришелец-герой в кино обычно сталкивается с той злой силой, что победила колосса.

С какой же силой Кирилл может столкнуться здесь, на карьерах? С псоглавцами? Псоглавцы одолели СССР? Это смешно, хотя сейчас и не до смеха. Нет, всё устроено как-то иначе. В том, что под обломками совка выжили древние псоглавцы, какой-то совсем иной смысл. Хотя всё равно жуткий.

Наблюдательная вышка оказалась квадратной деревянной башней высотой с четырёхэтажный дом. Снаружи она была обита досками. Для устойчивости её пристроили к торцу большого сарая, скорее всего ангара. Вот посмотрю на горящий карьер сверху и сразу уберусь отсюда, сказал себе Кирилл, огибая валявшуюся на пути огромную катушку для электрокабеля.

На нижнем ярусе вышки была дверь. Кирилл вошёл и оказался в узком и высоком помещении с земляным полом, дощатыми стенами и потолком. Доски были наколочены тяп-ляп, и потому сквозь щели всё было освещено так, что никаких окошек и не требовалось. Другая дверь, по левую руку, вела в сарай, чтобы из сарая можно было подняться на вышку, не выходя на улицу. Эта дверь была прикрыта, и Кирилл не стал проверять, забита она гвоздями или нет.

Потолок находился на уровне пола третьего этажа, на уровне чердака в сарае. Видимо, он разделял башню по высоте пополам. В потолочный люк вела массивная приставная лестница с грязными перекладинами-ступеньками.

Кирилл пошатал её — лестница казалась крепкой. Высоты Кирилл не боялся. Точнее, конечно, боялся, но не настолько, чтобы терять самообладание. Прошлым летом он всё хотел съездить в Тушино поучиться прыгать с парашютом, но одолела лень. Впрочем, сейчас парашюта у него всё равно не имелось и навык бы не пригодился.

Кирилл осторожно полез наверх. Лестница играла под руками и ногами и ощутимо прогибалась. Кирилл понял, что главная опасность при таком подъёме заключается не в том, что лестница сломается или упадёт, а в том, что она, стоя, перевернётся вниз грузом, то есть вниз им, Кириллом, и он попросту сорвётся с лестницы, как с лошади.

Он благополучно добрался до потолка, пролез в люк и оказался на втором ярусе вышки. Здесь всё было почти так же, как и внизу, только пол не земляной. Пусто и светло. Дощатые щелястые стенки без окон. Слева — снова закрытая дверь, теперь уже на чердак сарая. Потолок — верхний помост вышки, и в люке белело небо.

Кирилл принялся вытаскивать тяжёлую лестницу из люка в полу, чтобы подставить её к люку в потолке. Лестница цеплялась за края проёма торчащими концами ступенек, и Кирилл намучился, пока выволок всю эту бандуру. Он просунул верхний конец лестницы в верхний люк и упёр нижний конец в брус, специально для этого приколоченный к полу. Теперь можно было подниматься дальше.

Внутри башни было затхло, пахло пылью и старой древесиной. Едва Кирилл высунул голову из верхнего люка, его обдало ветерком и горечью торфяной гари. И всё равно дышалось тут легче.

Кирилл встал на помосте в полный рост и огляделся. Он думал, что с вышки увидит всё пространство карьеров, но забыл про мглу. Сверху карьеры и вправду просматривались довольно далеко, однако торфяные разрезы оказались куда обширнее, чем поле зрения.

Кирилл подошёл к доскам ограды. Горящий котлован находился где-то в полукилометре от вышки. В белёсом тумане чернел ровный край плоской выработки. Открытого огня там не было: вся выработка тихо курилась рваными серыми дымами, словно остывающая лава. Кирилл представил, какой там жар: как в печке-микроволновке. Всё, что попадает туда, не вспыхивает, а обугливается, истлевает изнутри. Не приведи боже угодить туда человеку...

Кирилл вспомнил, как он метался в дренажной канаве. А если бы канава горела? Если бы пожар пожирал землю под ногами, стенки траншеи, землю вокруг траншеи?.. Как выбраться? По раскалённому борту рва не вскарабкаешься. Прыгнуть на край обрыва, как прыгнул он, — всё равно что упасть на сковородку. В горящем котловане — гибель. Куда более мучительная, чем на костре инквизиции. Здесь не умрёшь от болевого шока через несколько секунд. Здесь, корчась и хрипя, медленно зажаришься, пройдя через все страдания до самого предела. Смерть на пытке. ...А труп ещё будет дёргаться, как живой, допекаясь, пока мясо и хрящи не станут комьями сажи на закопченных костях, но и кости ещё не сразу превратятся в пепел.

А может, человеческое тело в горящем торфяном котловане самовозгорается? Кирилл видел по TV документальное исследование про феномен самовозгорания. Это по каким-то химическим причинам вспыхивает сало или жир. От торфа загорится одежда, от неё — ляжки, задница и брюхо. Человек горит, как Буратино, остаётся только выжженный изнутри горшок черепа, руки и ступни.

Кирилл замотал головой, отгоняя эти кошмары.

Он стал рассматривать окрестности. Сверху было видно, что над простором торфоразработок гулял порывистый ветер. Он шевелил и перемешивал дым пожара, отбеливая его до мглы. По земляной дороге к городку бежали два пыльных вихря. Можно было подумать, что это какие-то живые существа, оборотни, но ветер время от времени ронял их, они рассыпались, и становилось ясно, что это — лишь торфяной прах. Ветер унёс его куда-то в закоулки городка.

Вокруг вышки и построек раскинулись, тая во мгле, гряды буртов и котлованы — широкие и плоские, словно миски-кюветы. В одном из котлованов Кирилл увидел остов экскаватора, в других волнами лежали валки из торфяных брикетов — их не успели сгрести в бурты.

Пройдёт двадцать лет, и бурты станут низкими холмами, рвы — ложбинами, котлованы — впадинами, натечёт вода, образуется болото, вырастут деревца, и ещё через полвека ничего не будет напоминать о карьерах. На горячем ржавом железе экскаваторного ковша будут прыгать лягушки, а случайный турист удивится: каким образом и за каким чёртом предки затащили в болото эту тяжеленную фиговину?

Неподалёку от вышки Кирилл заметил узкоколейку. Значит, сюда можно подъехать на дрезине, а он, дурак, шёл пешком. Да и ладно. Внизу темнели дырявые крыши сараев, весь городок был как на ладони. Здесь не псоглавцев надо ловить, а играть в пейнтбол.

Кирилл привык к тишине, которую нарушал только он сам, но вдруг откуда-то снизу донёсся отчётливый, недвусмысленный скрежет закосневших дверных петель. Нет, под ветром дверь зазвучала бы не так — она бы скрипнула виновато, неуверенно, приглушённо. А сейчас кто-то спокойно и по-хозяйски открыл её на весь размах.

Кирилл тотчас вспомнил, что ветер прогнал по дороге и замёл в городок два пылевых вихря. Нет, сколько ни отмахивайся от мороков собственного воображения — не помогает, слишком тут всё зловеще. Страх рождается сам, как испарения на болоте. Кирилл опустился на колени перед люком в помосте и глянул вниз. Через проём верхнего люка можно было видеть только второй ярус вышки. Что происходит на первом — неизвестно. Нижний люк насквозь не просматривался.

Однако Кирилл слышал шаги, потом ещё раз скрипнула дверь, потом раздался совсем непонятный звук вроде рычания... Может, это всё-таки Лиза ищет его на вышке?.. Но Лиза не рычит как зверь. И Лиза наверняка знает, что рядом узкоколейка, и не придёт сюда пешком. Кирилл оглянулся: дрезины на узкоколейке не было. И ещё Лиза не стала бы ходить просто так и скрипеть дверью. Она не может кричать, а потому привлекла бы внимание Кирилла каким-нибудь шумом — погремела бы досками, железяками... А те, кто ходил внизу, не шумели, хоть и не таились.

Кто мог в это время оказаться здесь, возле вышки? Деревенским у вышки делать нечего, бурты с брикетами есть и поближе. Да жители Калитина и не потащатся на карьеры пешком, когда есть дрезина Мурыгина. Значит, это кто-то другой. Кто? Кто? Псоглавцы?..

Он, Кирилл, вторгся на чужую территорию, в чужую жизнь. Он полчаса торчал на вышке на виду у всех карьеров. Мало ли что он мог заметить... Он — угроза, а угрозу надо устранить.

Кирилл понял, что те, кто внизу, решают, как им забраться на второй ярус вышки без лестницы. Наверное, они, которые сейчас внизу, не знают, что с чердака сарая тоже имеется проход на второй ярус. А оттуда путь наверх, к Кириллу, открыт.

Что делать? Кирилл уже не пытался убедить себя, что внизу — не псоглавцы, а просто случайные люди или даже всё-таки Лиза. Что ему делать?! Можно вытащить лестницу наверх. Тогда к нему точно никто не заберётся. Но и он будет отрезан от путей бегства. Псоглавцы просто дождутся его капитуляции — через день, через два... Или подожгут вышку, если они люди, а не животные. Кто обратит внимание на новый пожар в карьерах?..

Можно спуститься по наружной стороне вышки, цепляясь за щели между досками... Вариант?.. Нет, не вариант, его увидят сквозь щели...

На нижнем ярусе опять заскрипела дверь. Что там происходит? Псоглавцы пошли в сарай, чтобы забраться на чердак и там поискать проход на второй ярус?.. Кирилл мгновенно понял, как ему надо поступить. Пока псоглавцы в сарае карабкаются на чердак, он должен спуститься на первый ярус и убежать.

Кирилл без колебаний полез в люк. Он соскочил на несколько ступенек и из-под потолка оглянулся вниз — второй ярус пока был пуст. Дверь на чердак, как и прежде, закрыта. Кирилл ссыпался на пол и кинулся к другому люку, упал на четвереньки и сунул голову в проём, чтобы осмотреться. Первый ярус тоже был пуст.

Переставить лестницу не хватало времени. Псоглавцы, наверное, уже идут по чердаку к дверке на второй ярус. Надо прыгать. Конечно, высоко... Но если он повиснет на руках, сгруппируется...

Кирилл спустил ноги в проём и лёг животом на край люка. Только бы не сорваться... Хорошо, что не видно, какая высота... Кирилл осторожно сползал в люк, цепляясь пальцами за доски. У него было ощущение, что собственная тяжесть тянет его вниз за ноги.

Он совсем уже висел, касаясь подбородком края люка, словно провалился в полынью и хватался за лёд. Прямо перед глазами была дверь на чердак. Дверь дрогнула и начала открываться, заскрипев так оглушительно и страшно, будто некая сила с треском отдирала вышку от сарая. Кирилл расслабил пальцы и ухнул в пустоту.

В полёте он рефлекторно подобрался, по-кошачьи выставил руки и ноги, а потом его могуче ударило земляным полом по носкам и ладоням, затем по коленям и локтям, а потом в лоб. Ему показалось, что его голова по плечи воткнулась в землю и мгновенно кончились и воздух, и свет.

Мир возвращался медленно, словно вытаивал из темноты. Кирилл почувствовал под щекой шершавую землю, потом что-то загудело, потом Кирилл осознал своё тело и себя самого. Он лежал на полу нижнего яруса вышки, что стояла посреди заброшенных торфяных карьеров. Лежал там, куда упал. Кирилл медленно открыл глаза.

Рядом с его лицом на земле стояли пыльные зелёные резиновые сапоги. Сапоги Лизы. Над ним стоит Лиза?.. Но почему она не присядет на корточки, не потормошит его, не проверит, жив ли он? Почему она просто стоит и ждёт?.. Не двигая головой, Кирилл скосил глаза наверх. Взгляд скользнул по голенищам сапог, по брюкам Лизы, по рубашке в синюю полоску...

А вдруг там дальше — голова собаки? Вдруг Лиза — оборотень, псоглавец? Вдруг он увидит одежду и тело Лизы, но башку зверя? И едва он увидит всё это, зверь бросится на него...

Уже ничего не изменить. Если Лиза — чудовище, ему уже не спастись. Не глядя на Лизу, Кирилл зашевелился. Он подтянул руки, подтянул ноги и тяжело взгромоздился на четвереньки. Передохнул. Голова кружилась. Лиза не двигалась, как манекен, не произнесла ни слова. Кирилл медленно выпрямился во весь рост — его шатало, и только когда удержал равновесие, он поднял взгляд.

Перед ним стояла Лиза. Обычная Лиза. Девушка. Человек. Стояла и молча смотрела на него.

— Это ты? — хрипло спросил Кирилл.

Лиза кивнула.

Кирилл бы упал, но Лиза подхватила его и потащила к выходу.

Вокруг вышки всё было по-прежнему. Угол сарая. Торфяной бурт. Вагончик-бытовка. Развалившаяся груда брёвен. Огромная дощатая катушка из-под кабеля. Белое небо.

Лиза усадила Кирилла на катушку и присела рядом.

Это в фильме «Американский оборотень в Париже» герой влюбился в девушку, которая оказалась оборотнем, подумал Кирилл. Классное кино. Девушку звали Серафин. Но деревня Калитино – не Париж. Лиза – не оборотень. А он – не охотник за псоглавцами, а дурак, который гробанулся с наблюдательной вышки.

– Машина... рядом... – сказала Лиза.

– Ты за мной приехала?

– Два часа... тебя... нет. Я... беспо... коилась.

– Я заигрался, – горько и виновато признался Кирилл.

– Ты... смелый, – совсем тихо сказала Лиза.

Кирилл подумал, что она его утешает. Хоть и дурак, но смелый.

– Я тут всего боялся. Потому и упал.

– Ты... смелый... Но их тут нет.

Кирилл сдавил голову руками и посмотрел на Лизу. Лиза тихонько покачивала носком сапога.

– А где они? – хрипло спросил Кирилл.

– Их нет.

Лиза сидела на краю катушки, подложив под себя ладони, и смотрела в сторону. Лицо её было неподвижно и безучастно.

Она не скажет, понял Кирилл. Раньше молчала, потому что я был ей чужой, а сейчас не скажет, потому что я стал ей не чужим. Но псоглавцы существуют. Он ведь не торчок, которому видятся глюки. Кто-то реально топтался на первом ярусе вышки и реально открыл дверь на второй ярус. А Лиза знает, кто это был. И между нею и псоглавцами есть какие-то отношения, потому что иначе псоглавцы растерзали бы его, когда он валялся на земле без сознания. Всё-таки Лиза похожа на девушку Серафин из «Американского оборотня».

– Я их всё равно найду, – убеждённо пообещал Кирилл.

Лиза отрицательно покачала головой:

– Не найдёшь. Это...

Кирилл ждал. Лизе было очень тяжело говорить.

– Это... от староверов. А ты...

Лиза не смогла закончить фразу. Но Кирилла уже нахлобучило озарение. От староверов! Конечно, откуда же ещё! Псоглавец — образ раскольников. И здесь были скиты! Псоглавцы — не из зоны, не из совка, а из скитов!

Раскольники казались Кириллу чем-то безмерно далёким, дремучим, ушедшим. Уехавшим из жизни навсегда, как на картине Сурикова уезжала в санях боярыня Морозова. А тут... А Лиза... Кирилл лихорадочно вспоминал, как она крестилась на кладбище... Лиза крестилась... Лиза крестилась двумя пальцами!

19

Кирилл считал, что в Интернете есть информация абсолютно обо всём, и главная проблема поиска в Сети — сформулировать вопрос. Сейчас такой проблемы не было.

Пока ноутбук разгонялся, Кирилл вспоминал, что со школы он знает о раскольниках. Получалось не очень много и не очень складно. Конечно, боярыня Морозова. Какая-то избушка в дремучем лесу: геологи нашли семью, которая 300 лет прожила в тайге и теперь изумляется полиэтилену, говорит, что это «мягкое стекло»... Нет, это вроде из другой темы, хотя чёрт знает... Патриарх Никон... Патриарх... Nikon для Кирилла был совсем другим брендом: «Зеркальная камера Nikon по результатам теста отмечена знаком „Фото Travel The Best“»...

Кирилл настучал в поисковом окне Google «Боярыня Морозова».

Оказывается, жила она вовсе не при Петре I. Красивая молодая баба, верховная дворцовая боярыня, богатства полные сундуки. Она овдовела в 30 лет и стала хозяйкой огромных имений, сын — мальчик. Отгрохала себе вполне европейскую усадьбу, гоняла на карете. Да, ненавидела патриарха Никона, но его вообще мало кто любил. Вокруг богатой вдовы вертелись враги патриарха, дули в уши, но она тоже была не дура. Для Морозовой заново выйти замуж означало поставить под угрозу благополучие сына Иванушки. Однако царь мог принудить. И тогда Федосья Прокопьевна решила постричься в монахини.

Но как это сделать? По новому образцу? А вдруг царь отменит все новшества? Тогда она опять невеста — и затолкают её под венец с каким-нибудь дворцовым прощелыгой. Прежние обряды, безусловно, надёжнее, но они под запретом. И боярыня постриглась по старому образцу, хотя пришлось принимать постриг тайно. Кирилл понимал боярыню. Его тётка Анжела тоже не выходила замуж за дядю Димку, чтобы её квартира, где сейчас живёт Кирилл, досталась детям Кирилла, когда они появятся. Дядя Димка всё промотает.

Через шесть недель после пострига боярыни государь Алексей Михалыч венчался с новой женой. Морозова на свадьбу не явилась: монахиням гулять не положено. Царь от такого оскорбления озверел.

Морозову и её сестру Евдокию заковали в кандалы, потом сослали в монастырь под Псков. Сослали куда-то и братьев. Владения отняли, сына тоже отняли, и мальчонка умер. Морозова прокляла царя. Теперь она поневоле превратилась в ярую раскольницу.

Через три года её с сестрой вернули в Москву. К тому времени и сам Никон был в немилости. Новый патриарх увещевал боярыню и её сестру отказаться от старой веры, но бабы стояли насмерть. Им уже сложили костёр, их пытали на дыбе, а они не уступили. Их отправили в монастырь под Калугу, посадили в земляную яму и уморили голодом. Упс. Раскольники почитают Федосью Морозову святой.

Кирилл почесал затылок и включил чайник, чтобы сделать кофе. Валерий и Гугер приедут ещё не скоро. Есть время порыться в и-нете. Н-да. Говорят, раскольники были упёртыми ретроградами, против всего нового и современного... Но в их сопротивлении была огромная человеческая правота. Да и чему они сопротивлялись?

Патриарх Никон начинал карьеру попиком среди глухой мордвы. Дети его умерли. Замордованный, он сдал жену в монастырь, ушёл на Соловецкие острова и стал монахом. Больше всего он мечтал о власти. Рассорившись с владыками Соловков, он бежал в другой монастырь Поморья, где был произведён в игумены. Как игумен, он познакомился с молодым Алексеем Михалычем. Царь перевёл Никона в Москву, где мордовского попа сначала утвердили новгородским митрополитом, а через три года — патриархом всея Руси. Путь от мордвы до Кремля занял у Никона 17 лет. Никон взлетел до неба — и свалился в штопор.

Он попросту подмял молодого царя под себя. Зомбировал. Ещё та, видать, была харизма у священника. Даже в титуле Никон именовал себя «господин и государь». Царь Алексей Михалыч, если отлучался, оставлял патриарха главой государства. Однако Никону и этого было мало. Он желал подчинить царя и по закону, а для этого задумал стать Вселенским патриархом: управлять всеми православными церквями.

Ключевой в этом вопросе была Греческая церковь, потому что русские получили православие от греков. Но Греческая церковь уже сильно отличалась от Русской. Покорённая Греция жила под Турцией. Чтобы Греция сдерживала Турцию, Европа помогала грекам в их борьбе с оккупантами. Но за это греки заплатили сближением своих православных обрядов с католическими. А Русская православная церковь не сильно изменилась со времён крещения Руси.

Чтобы стать Вселенским патриархом, общим для русских и греков, Никон должен был либо греков переделать на русский образец, либо русских — на греческий. Греков контролировали и Турция, и Европа. Так что принуждать своих к изменению обрядов было куда проще, чем греков. В этом и состояла суть реформы Никона. В 1654 году Никон постановил перелицевать русские обряды на греческий лад.

Отступничество греков не было тайной. Мотивы Никона тоже были понятны. Только вот Алексей Михалыч верил, что если Никон станет Вселенским патриархом, то он станет царём Константинополя, а Москва — третьим Римом. Реформа Никона пошла с подачи государя.

Кирилл не поленился и посмотрел, что такое «Москва — третий Рим». Это теория, которую придумал псковский старец Филофей за 130 лет до деяний Никона. Филофей изложил свою теорию в письме к Великому князю Ивану III, когда объяснял правильное исполнение крестного знамения и грех мужеложества. Ещё раз — упс.

Кирилл налил кофе. Выходит, реформа Никона с точки зрения нации не имела оправдания. Сопротивление староверов было вполне разумно, потому что они протестовали против дела, нужного только одному Никону.

...Удача сопутствовала Никону всего четыре года. Никон попросту распоясался, охамел. Какого-то епископа он избил прямо в храме при всём народе. Любовь царя начала остывать. Свирепый и грубый Никон достал всех. Почуяв охлаждение государя, Никон раскапризничался и удалился в монастырь Новый Иерусалим, который сам же и основал.

Кирилл дул на кофе и вспоминал, как он ездил в Новый Иерусалим на экскурсию. Он помнил собор, удивительную пирамиду с куполами, а что экскурсоводша рассказывала про Никона — забыл напрочь.

Никон думал, что Алексей Михалыч раскается и позовёт его назад. Но враги не спали и без Никона вправили царю мозги на место. Царь осерчал на патриарха. Пока Никон обижался, его лишили должности. А через шесть лет вообще осудили и сослали в Ферапонтов монастырь.

Кирилл посмотрел, что с Никоном было дальше. 15 лет он провёл в опале в Ферапонтовой, а потом в Кирилло-Белозерской обители. Жил, в общем, неплохо, доносили, что даже с девками грешил. Его помиловал царь Фёдор Алексеевич, дозволил вернуться в Новый Иерусалим, но по дороге туда больной Никон умер под Ярославлем.

А Никонова реформа шла своим ходом и без Никона. Священники переписывали книги, внедряли новые обряды. Двуперстие заменили троеперстием, восьмиконечный крест — четырёхконечным, и так далее. Кирилл не стал вдаваться в эти тонкости, его интересовали люди.

Реформа расколола нацию надвое: «никониане» и староверы. У «никониан», вроде как модернистов, аргументы были самые тупые: «так начальство велело». А кондовые, замшелые раскольники взывали к здравому смыслу. Каноны на то и нужны, чтобы быть неизменными. Нельзя в угоду властолюбию царя или патриарха подгибать веру под сиюминутные расклады политических сил.

Но более того, битва «никониан» и староверов вовлекла в себя тех, кому не было никакого дела до Никона или обрядов. Тех, кто был в целом недоволен порядками Русского государства. Эти недовольные присоединялись, естественно, к раскольникам, и осуждение реформы морально оправдывало их личный бунт. Реформа Никона не сблизила с греками, а разъединила русских. Вот тебе и модернизация.

Кирилл снова включил чайник. Эти древние споры, оказывается, ничуть не устарели. А чего им устаревать, если по торфяным карьерам в дыму пожаров до сих пор бродят раскольничьи псоглавцы?..

...Главой раскола считали священника Иоанна Неронова. Кирилл почитал про него и решил, что Неронов, скорее, был просто склочным, вечно недовольным старикашкой. Его сослали на север, в Кандалакшу, он бежал на Соловки, оттуда — обратно в Москву. По дороге принял монашество, чтобы, в случае чего, его судили церковным судом, а не как государственного изменника. Но в Москве он сдался Никону и покорился. А когда Никона низвергли, он опять восстал — и опять был отправлен в ссылку. Едва запахло отлучением от церкви, Неронов снова покаялся в расколе. В конце концов его сделали настоятелем московского Данилова монастыря, он успокоился, хотя изредка и брюзжал. Хорош вожак, скептически подумал Кирилл.

Настоящим духовным лидером раскольников был неукротимый протопоп Аввакум. Уж он-то и могназываться фанатиком, хотя в его фанатизме было что-то бесконечно человеческое. Он был фанатиком не идеи, а самого бога, который всегда висел в небе над Аввакумом и встревал во все передряги протопопа. Тут же вертелась и свора бесов, всюду пакостивших Аввакуму. Из-за этой суматохи ангелов и демонов мятежный протопоп напомнил Кириллу странствующего укротителя.

Протопоп по-девичьи ревновал к чистоте обрядов, и за это его постоянно били. Изгнанный паствой из своего Юрьевца-Повольского, он явился в Москву. Сначала переписывал церковные книги, но потом Никон перепоручил эту работу грекам. Аввакум тотчас накатал царю жалобу с обличениями. Никон упёк жалобщика в тюрьму, затем сослал в Тобольск. Шесть лет Аввакум пропадал в дикой Сибири с одичавшими стрельцами, ходил в походы от Байкала до Амура. Попутно в своих сочинениях он клял всех — и греков, и царя, и Никона, и стрельцов.

Когда Никон рухнул, Аввакума вернули в Москву, но попросили не бушевать. Куда там: Аввакум всех разнёс в пух и прах. Его сослали в Мезень. Он не унялся. Его вернули в Москву и прокляли в Успенском соборе, а он ответил анафемой на тех, кто его проклинал. Потом в Чудовом монастыре в Кремле иноземные патриархи умоляли Аввакума смириться, а рядом в это время рубили головы его сподвижникам. Протопоп и тут не сдался. Его высекли кнутом и сослали в город Пустозёрск почти на Ледовитом океане, посадили в земляную тюрьму на хлеб и воду. Аввакум просидел там 14 лет, писал разгромные письма и благословлял приходивших к нему раскольников. И тогда непокорного протопопа сожгли заживо в срубе. А раскольники восславили Аввакума как священномученика и исповедника.

Да... На такое не пойдёшь ради лишнего пальца при крещении. За раскольниками стояло попранное царём и Церковью право жить так, как они считали нужным. Этим образом жизни они никому не мешали, а их травили, как зверей. От попов и бояр из своего дома сбежал каждый десятый русский. Это масштаб гражданской войны.

Кирилл думал, что беглые раскольники, плача, сидели в чащах по землянкам и молились на унесённые иконы. На самом деле всё было не так. В глухих и далёких лесах раскольники строили церкви, могучие многолюдные деревни и монастыри-крепости, распахивали поля, учили детей, писали книги. Сложились мощные центры раскола: в Карелии вокруг городка Повенец, на волжских притоках Иргиз и Керженец, на реке Яик, на Среднем Урале, в Сибири на Тоболе, под Черниговом и в Польше. Это была другая Россия, параллельная.

Кирилл подумал, что ещё и альтернативная. Даже в каком-то смысле демократическая. Ведь здесь не имело значения ни боярство, ни дворянство. Власть принадлежала расколоучителям — политикам, и богатым старшинам — бизнесменам. А старая вера была чем-то вроде гражданства. И разные раскольничьи святые и мученики утверждали не истинность веры, а приверженность своему сообществу.

Государство искало и карало беглецов. До Петра I раскольникам полагались кнут, острог и каторга, и в ответ раскольники устраивали чудовищные массовые самосожжения. Пётр перевёл наказание на деньги, хотя тюрьмы не опустели, а самосожжения не прекратились, и после Петра староверы научились зарабатывать бабки и платить за свою свободу. Стойкость их не поколебали ни пытки, ни рэкет.

В истории раскола Кирилл добрался до Керженца, но ему было интересно, чем дело закончилось. В 1800 году Александр I учредил Единоверческую церковь — такую, где обряды старого образца, а священники — официальные. Единоверие было эдаким насосом, чтобы откачивать народ из раскола. Но и это не помогло. В 1905 году царь Николай II признал все права старообрядческой Церкви. В 1929 году и официальная Церковь признала старообрядческую Церковь равной себе, а все былые проклятия —

«яко не бывшие». В 1974 году она подтвердила это решение. Но поезд уже ушел. Общение двух православных церквей так доныне и не началось. Упс в третий раз.

Кирилл встал, налил себе кофе и бросил сахар. ...Да, раскольники устояли в конкурентной борьбе, хотя их победу никто не признал, а сами они к славе не стремились. Их мир обрушила революция, которая в России обрушила все миры. Но если до сих пор даже в новостях Mail.ru изредка появляются известия о чудесах РПЦ — то икона заплакала, то молитва исцелила от рака, — почему бы не случаться и раскольничьим чудесам? Например, явлениям псоглавцев?.. Кирилл поставил пустую кружку рядом с чайником и вернулся к ноутбуку.

Раскольники, раскольники... Всё не так просто с их Псоглавцем. Псоглавец — не тотем, не наследие тёмных языческих сил, что прокралось в христианство и зацепилось за староверов как за самых дремучих людишек. Псоглавец был осознанно узаконен решительным и сильным сообществом. Которое закалилось в жестокой борьбе за место под солнцем. Которое строго следило за своей сохранностью. Которое наверняка беспощадно мстило тому, кто *ушёл из зоны.*

20

За разбитым окном квакнул автобус, это возвращались Валерий и Гугер. Кирилл долил в чайник воды, проверил свой телефон, зарядник которого торчал в тройнике-пилоте, — нет, ещё не зарядился, — и стал закрывать программы в ноутбуке. Сейчас пока будет не до истории.

— Добрый вечер, — дружелюбно сказал Валерий, входя в класс. — Есть у нас чем умыться?

На крыльце Кирилл полил ему в руки из бутылки. Пока Валерий умывался, Кирилл смотрел, как хмурый Гугер задрал у «мерса» крышку капота и принялся ветошью протирать какую-то часть двигателя. Он походил на дантиста возле некрупного кита-пациента.

— Какие-то проблемы? — осторожно спросил Кирилл.

— То чихает, то пердит, — раздражённо ответил Гугер.

В классе, когда они расселись пить кофе, Гугер сказал:

— Я не виноват, что движок барахлит. Я его не форсировал. Вёл аккуратно. Ваще ничего не делал. Это нам сразу такое подсунули.

— Видишь ли, фирме автопроката всё это выгодно, — Валерий сочувственно улыбнулся Гугеру. — Ты взял автобус с дефектом, а на месте не разобрался. Подписал договор, в котором значится, что машина исправна. Сам же подписал, никто не заставлял, — Валерий рассказывал то, что Гугер и так понимал. — Получается, ты обязан вернуть машину такую же исправную. Ремонт за твой счёт.

— Ни хрена я не буду за свои кровные ремонтировать, — строптиво отозвался Гугер. — Я этот счёт Лурии вкачу, фига ли. Да и где тут автосервис? Гады они в прокате.

— Бизнес, — снисходительно пояснил Валерий.

— Может, Ромыч там чего подшаманит? — предположил Гугер. — Он-то наверняка разбирается. Попрошу.

— Это лучший вариант, — согласился Валерий. — Только если он деньги потребует, я из кассы дать не могу. Он же мне чек не выпишет.

— Из своих заплатим, на троих поделим. Все же вместе катаемся, не я один. Общий расход. Форс-мажор.

— А что за Ромыч? — спросил Кирилл.

— Наш новый знакомый.

— Охранник в доме у этого бизнесмена местного, — добавил Гугер. — Сидит там, всё охраняет, делать не хрен.

— Он сразу и секьюрити, и что-то вроде дворецкого. Просто руководит работницами, которые прибираются, цветы поливают. Мы к нему заехали за водой и познакомились. Знаешь, забавный тип.

— Нормальный пацан, — согласился Гугер. — Без понтов ментовских.

— Вежливый, спокойный. Мы объяснили, чем в храме занимаемся, он отнёсся с пониманием. Обычно люди его склада как реагируют? С издёвкой или с удивлением. Культура ведь считается чем-то женским, несолидным, не брутальным. Сразу спрашивают, сколько нам платят. А Рома не спросил. Каждый делает своё дело. Уважаю таких.

— Он что, сейчас сюда приедет?

— Работниц привезёт. Мы ему предложили в гости зайти на кофе.

— Он нас тоже кофе угощал, — сказал Гугер. — У него в сторожке нормальная кофемашина стоит. Весь день там с Вэлом эспрессо дули.

— Ну уж не весь день, — осуждающе поправил Гугера Валерий.

— А чего с фреской сделано?

— Всё по плану, — буркнул Гугер. — На второй слой этой дрянью намазали, надо ждать до завтра, пока засохнет. А ты чего сделал?

— Я нашёл замок и цепь, чтобы автобус загнать в сарай и запереть.

— Погоди, что значит — нашёл? — не понял Валерий.

— Ну, выпросил у местных на время.

Кирилл не захотел говорить Валерию и Гугеру, что заплатил за свою добычу. Лучше наплевать на эти деньги, чем делить расходы на троих, объясняя, почему сумма такая, а не поменьше.

— Стоп-стоп, — забеспокоился Валерий. — Как это — выпросил? А если у хозяев остался другой комплект ключей? Они же смогут открыть гараж и ограбить автобус!

— А я что сделаю, если здесь негде купить замок? — закипел Кирилл. — Пришлось просить! Захотят ограбить — значит, ограбят.

— Надо будет грабануть, так они и ворота вынесут, никакой замок не остановит, — неожиданно поддержал Кирилла Гугер. — Чё ты, Вэл.

— Ну, не знаю! Какой же это замок, если у всех есть ключи?

— Не у всех, — сдержанно поправил Кирилл.

— Я думаю, что автобус по-прежнему требуется сторожить.

— Ночевать, что ли, в нём опять?

— Ночевать! — вызывающе сказал Валерий.

— А я сегодня в церкви ночую, — мстительно ответил Кирилл, заводясь на конфликт. — Там фреску сторожу, чтобы топором не порубили. Мне уже не до «мерса», который вы раздолбали.

— Кирилл, ты не забываешь, что дело у нас общее?

— Тогда, Валер, давай автобус в церковь загоним. Или церковь в сарай перетащи. Я же не могу разорваться!

— Кир, Вэл, не надо собачиться, — встрял Гугер. — Постоит «мерс» под замком, ни шиша его не тронут.

— Понимаешь, я об интересах дела забочусь!..

— Заботишься, заботишься, остынь.

За разбитым окном раздался сигнал автомобиля.

Гугер подошёл к окну и приветственно помахал рукой.

— Заходи! — крикнул он и, оглянувшись, пояснил Валерию и Кириллу: — Ромыч приехал.

Кирилл тоже подошёл к окну. Возле забора их школы остановился подержанный серебристый джип «тойота-лэндкрузер». Машина как раз для доверенного охранника богатого человека. Все четыре дверки были открыты. С заднего сиденья выбирались деревенские женщины — видимо, работницы из усадьбы. Возле водительского места стоял сам Ромыч — крепкий молодой мужик в зелёном камуфляже и кепи. С переднего правого сиденья, тыча палкой, слезал Саня Омский.

— Спасибо, Роман Артурыч, до свидания, — говорили женщины.

Ромыч, кивая, захлопнул все дверки, бибикнул сигнализацией и направился к углу школы. Саня Омский поковылял вслед за ним.

Гугер встретил Ромыча на крыльце и повёл в класс, где Кирилл уже снова заливал в чайник воду, а Валерий распечатывал упаковку крекеров. Саня Омский не отставал.

— Роман, — кратко сказал гость, протягивая Кириллу руку.

Кирилл ответил рукопожатием. Ромыч снял кепи, положил на подоконник и огляделся. Кириллу Ромыч, в общем, понравился. В нём и вправду не было ментовской надменности и жлобства. Он походил на американского лётчика из кино: накачанный, прямой, с бритым затылком и коротким чубчиком. Такому человеку хотелось доверять.

Саня Омский, на которого не обратили внимания, прошвырнулся взглядом по классу и начал громоздко пристраиваться за одну из парт.

— Кофе у нас, конечно, не такой, как у тебя, но угостить положено, — заявил Валерий. — Присаживайся где хочешь.

— Что с автобусом? — спросил Ромыч. — Разобрались, или как?

— Ни фига не разобрался, — ответил Гугер.

— Ладно, выпью кофе и посмотрю. Неплохо вы устроились.

— Я посоветовал, — сообщил Саня Омский.

— Уж не лучше некоторых, — буркнул Гугер.

Ромыч улыбнулся.

— Я охранник при хозяйстве Шестакова Андрея Палыча, — пояснил он Кириллу. — Всего второй месяц. Сам из Нижнего. В ОМОНе работал, потом в ЧОПе, но Шестаков платит куда больше.

Кириллу польстило, что Ромыч представился специально для него.

— Шестак хорошо отстёгивает, — одобрительно проскрипел Саня Омский с таким видом, будто у него имелись важные и секретные дела с Шестаковым, и уж он-то знал, насколько щедр этот богач.

— А кто этот Шестаков? — спросил Кирилл, подумав, что может разведать о местном хозяине практически из первоисточника. Вдруг информация Ромыча как-то наведёт на разгадку тайны псоглавцев?

Кирилл понимал, что его поиск бессистемен. То он лазает по карьерам, то роется в Интернете, то вот расспрашивает охранника. Одна идея вытесняет другую, но никакая из них не продумана до конца, не отвергнута насовсем — и не подкреплена ничем, кроме общих соображений. Это называется полёт фантазии, а не розыск.

— Шестаков — банкир, — Ромыч сухо улыбнулся.

— Давно он здесь... э-э... присутствует?

— Тебя что интересует? Давно ли он дачу построил?

— Ну, и это тоже, — смутился Кирилл.

— Даче лет шесть.

Лет шесть... Слишком велик зазор между закрытием зоны и строительством усадьбы. Где псоглавцы прятались больше десяти лет?

— Шестак сам отсюда родом,— сообщил Саня Омский.— Я его ещё угланом помню. Мать евонная тут жила. Он её щас в город перевёз, а на еённом участке хоромы и построил. У нас же строить нельзя.

— Почему?

— Заповедник, бля.

— Деревня на отселение назначена,— сказал Ромыч и принял от Валерия кружку с кофе.— Благодарю. Новое строительство запрещено.

— А чего тогда не отселяют?

— Хевра чинушная деньги сбанчила, на какие болты переселять?

— Как везде,— вставил Валерий, чтобы быть в беседе.

— Ждут, козлы, пока местные богодулы сами дёрнут отсюдова или сдохнут, а Шестак нас держит. Всю деревню спасает.

— Это как он вас держит? — Кирилл повернулся к Сане.

— Да как? Работу даёт и башляет.

Кирилл понял принцип, но не понял логики. Зачем Шестакову подкармливать деревню? Что ему нужно от здешних жителей типа Сани Омского? Какая от них может быть польза? Если только для работы в усадьбе... Так ведь дешевле иметь садовника-таджика. Он и работать будет лучше, чем местные старухи.

— Зачем Шестакову деревню держать?

— Не будет деревни — его попрут с дачи. Что за дача, на хер, посреди заповедника?

— А то у нас не бывает частных дач в заповедниках,— усомнился Валерий.— Сплошь и рядом.

Ромыч пил кофе и слушал разговор, стараясь не вмешиваться.

— Ты прикинь, чего дешевле обойдётся.

Кирилл прикинул. За дачу в заповеднике надо платить большие взятки. Регулярно платить. И то будет ненадёжно, мало ли что? Иметь деревеньку при даче — проще и дешевле.

Видимо, Валерий пришёл к таким же выводам.

— Н-да, так экономнее, чем подкупом властей, — согласился он. — Ловко получается: держать целую деревню ради собственной дачи. Только, понимаете, немного напоминает крепостное право.

Саня не знал, что такое крепостное право, и ничего не сказал.

— А кто-нибудь другой может к Шестакову подселиться? — Кирилл нащупывал какую-то важную мысль, которую и сформулировать пока не мог. — Ну, купит здесь участок у местного...

— Не купит, — отрезал Саня. — Нельзя.

— Участками владеют только те, кто владел ими на момент создания заповедника, — пояснил Ромыч. — Новых владельцев уже не будет. А старые могут продать свой участок заповеднику и уехать. Никакого криминала.

Ромыч решительно поставил пустую кружку на столешницу. Кирилл понял, что он хочет прекратить разговор, добравшийся до махинаций хозяина.

— Ребята, давайте автобус посмотрим. Я ведь не кофе пить зашёл.

Скучавший Гугер вскочил.

— Пойдём, — подхватился он. — Я ваще мозги свихнул, чего там может быть. Дёргается на переключении, как паралитик.

Валерий тоже отставил кружку и поднялся.

Втроём они протопали по коридору и вышли на улицу. Кирилл остался наедине с Саней Омским.

— Продашь тут участок, ага! — ухмыльнулся Саня. — Гроши такие дадут, что на кандер не хватит! За горло взяли, суки, полный душняк! Этот пидор тоже за хозяина, чего с него взять.

Саня встал и, стуча палкой, заковылял к чайнику.

— И покнецать не предложили, фраера, — бормотал он, нагибаясь к пилоту-тройнику, чтобы включить.

Кирилл не глядел на Саню, думал.

Всё-таки можно было продать участок заповеднику... Продать... Кирилл вспомнил. Николай Токарев, отец Лизы, хотел продать свой участок и переехать в райцентр, чтобы Лиза жила дома, а не в интернате. И мужика убили. Лиза сказала, что убил Шестаков. Слуги разбегаются. Не в слугах тут дело. Земля уходит другому хозяину, и это — главная угроза существованию усадьбы. Шестаков должен был дать деревне урок: сдавать свои участки заповеднику — запрещено! А урок нужно подкрепить показательной казнью непокорного.

— Здесь как на зоне,— сам для себя сказал Кирилл.

— Отсюда, бля, не сбежишь,— довольно хмыкнул Саня. Его-то всё вполне устраивало.— Прыжок на месте — попытка к бегству.

Кирилл вспомнил картинку, которую сам себе и придумал: беглый зэк оглядывается, высматривая погоню, и видит, что по его следу пробирается псоглавец... Николай Токарев тоже *ушёл из зоны*. Кого Шестаков, хозяин, пустил по его следу? Псоглавцев?

Значит, всё-таки есть связь между псоглавцами и Шестаковым? И пускай его даче всего шесть лет. Не важно.

В коридоре опять затопали шаги.

— Я сейчас за набором съезжу и вернусь,— услышал Кирилл голос Ромыча.— Думаю, справимся. Поломка — ерунда, но трудно добраться.

Ромыч, Гугер и Валерий вошли в класс. Саня на своей палке застыл над чайником, как цапля.

— Саня, на выход,— деловито распорядился Ромыч.— Я уезжаю.

— А чифирнуть? — обиженно воскликнул Саня.

— Дома чифирнёшь. Вали-вали, пока не вынес. Тебя сюда вообще пускать нельзя, печки свистнешь.

Саня гордо захихикал и поковылял в коридор. Ромыч взял с подоконника кепи, хлопнул о колено и натянул на макушку.

— Вы этого хмыря не привечайте,— тихо сказал он.— Ворюга.

Кирилл не слышал Ромыча. Значит, Ромыч сейчас будет с Гугером ремонтировать автобус... А дом Шестакова останется без охраны... Можно влезть туда и всё осмотреть: вдруг там логово псоглавцев?

— Ромыч, подбрось меня до церкви, а? — попросил Кирилл.

— Без проблем.

— Ты что, уходишь караулить? — удивился Валерий.

— А что, Годовалов сейчас прийти не может?

— Ну, как знаешь...

Кирилл наклонился к пилоту, чтобы вытащить зарядник телефона — и распрямился. Зарядника не было. Телефона тоже. Саня Омский украл, кому же ещё? Старый поганец...

Ладно, к чёрту, к чёрту. Потом он сходит к Сане и вышибет из него телефон. А сейчас некогда.

— Гугер, дай зажигалку, — сказал Кирилл. — Я костёр буду жечь.

Гугер протянул дешёвую одноразовую зажигалку Cricket:

— На. Только я не миллионер, чтобы зажигалками разбрасываться.

21

Разворачивая свой «лэндкрузер», Ромыч сдал назад и въехал кормой машины в ворота школы. Кирилл стоял у забора и ждал, пока Ромыч вырулит, потом помахал рукой, напоминая о себе. Ромыч остановил джип напротив Кирилла.

В «крузере» было прохладно и химически свежо от кондиционера. Кирилл пристегнулся. На зеркальце заднего вида у Ромыча висела целая связка амулетов и сувениров: православный крест, пиратский череп, пара маленьких боксёрских перчаток, какая-то витая кисточка и мягкий пластиковый шарик, который от ударов о лобовое стекло начинал светиться малиновым огнём.

На панели перед Кириллом расположился шофёрский иконостас из трёх образков. Кирилл уже начитался о раскольниках и подумал, что такие иконостасы, наверное, происходят от раскольничьих медных складней — дорожных алтарей. Были иконостасы, стали прибамбасы. Кирилл искоса глянул на Ромыча. Вот в японском подержанном джипе сидит современный российский дуболом, который знает, что снаружи у машины тюнинг, а внутри иконы, и в этом для него заключается вся мировая культура с её вековыми традициями и temporary art.

«Крузер» катился по деревне Калитино, а Кирилл рассматривал образки на панели. В центре, конечно, Христос. Похож на Николаса Кейджа, пышноволосый, как девушка, и бородка с усами причёсаны волосок к волоску. Благословение — троеперстное, но больше похоже, будто Христос нежными прикосновениями наносит на свои гладкие розовые щёки стильный мужской парфюм Givenchy. По одну сторону от Христа — Богородица с младенцем, укутанная в платки и покрывала, точно арабская жена, а по другую сторону — лысый старик с буйным взглядом и в белых одеждах, словно пациент из психушки. Старика Кирилл не опознал, не хватало компетенции. Какой-нибудь апостол, или святитель Николай, или Иоанн Предтеча.

— Тебе зачем в церковь-то вечером? — спросил Ромыч.

— Недоделка осталась.

Когда Кирилл ехал по этой дороге в «мерсе», немецкий автобус жёстко трясло и валяло с боку на бок. Японский джип бежал по ухабам мягко и цепко, словно таракан.

У японцев тоже есть оборотни, вспомнил Кирилл. Лисы-оборотни кицунэ. Только азиатские чудища не страшные. Азиаты — они ведь буддисты или что-то вокруг этого, сам с собою рассуждал Кирилл. У буддистов переселение душ, метампсихоз. В одной жизни ты человек, в другой — волк, в третьей — какая-нибудь жаба. Стать животным — удел каждого, по большому счёту, ничего страшного, хотя и обидно. Потому в Азии превращение человека в зверя лишено того ужаса, который сопутствует оборотню в Европе.

Ромыч затормозил, почти уткнувшись бампером джипа в красные металлические ворота шестаковской усадьбы. Сверху их накрывала балка с узкой кровлей, под которой по направляющим двигались ролики. Рядом с воротами стоял скромный домик охраны с красивым гостеприимным крылечком и настоящими бойницами.

— Конечная, — сказал Ромыч Кириллу.

— Спасибо.

Кирилл вылез из «крузера» в дымную жару и захлопнул дверку. За стеклом окошка он увидел, как Ромыч нажимает кнопку на брелоке. Где-то сбоку тихо завыл электромотор, и широкая пластина ворот покатилась в сторону, освобождая путь. Кирилл заглянул во двор усадьбы, но Ромыч опустил стекло в окошке и замахал ладонью:

— Иди-иди давай.

Кирилл отдал честь и пошёл прочь. Джип въехал в ворота. Кирилл тотчас бросился обратно и осторожно выглянул из-за столба.

Двор усадьбы внутри казался просторнее, чем снаружи. В глубине двора на фундаменте из бутового камня громоздился двухэтажный краснокирпичный дом, похожий на замок со стрельчатыми окнами. Его разномерные прямоугольные и цилиндрические объёмы венчались крутыми черепичными крышами. Нормальный новорусский особняк в псевдоготическом духе. Такими застроены Рублёвка, Жуковка, Архангельское, Николина гора и Новая Рига.

За домом виднелись ещё два кирпичных строения поскромнее — видимо, службы. Ограду изнутри густо покрывал вьюнок, маскируя унылую прозу типовых бетонных плит. Пространство двора украшали цветущие альпийские горки и суровые рокарии — клумбы из камней. Между ними изгибались дорожки, засыпанные разноцветным гравием и ограждённые лёгкими перильцами. Посреди двора раскорячилась гигантская бесформенная чаша, из которой косо торчали бронзовые трубы икебаны. Это был фонтан. Наверное, калитинские бабы отсюда черпали вёдрами воду, когда поливали цветы. Вся эта роскошь, похоже, была сооружена местным ландшафтным дизайнером, который изучал своё искусство по местным же глянцевым журнальчикам, заполненным скриншотами с пиратских сайтов.

От ворот бетонная дорожка в обход фонтана вела к гаражу в торце особняка. Кирилл увидел, что рулонные ворота — роллеты — уже подняты, а Ромыч уходит в гараж, оставив «крузер» на дорожке.

Кирилл бегом кинулся ко входу в особняк, взлетел на крыльцо и дёрнул за ручку двери. Заперто. Что делать? Можно спрятаться и остаться во дворе, когда Ромыч уедет, но что потом? Бить окно?

Путь в закрытый дом был только один — через гараж. А в гараже — Ромыч. Кирилл решил рискнуть. В конце концов, если Ромыч его заметит, он соврёт, что вернулся к машине за каким-нибудь делом.

Кирилл перебежал к воротам гаража и сначала заглянул внутрь. Просторный гараж сейчас был пуст. Его ближнюю часть занимали две площадки под автомобили, одну из них разрезала щель смотровой ямы. Дальнюю часть гаража отделяла стеклянная стенка. Там горел свет, и Кирилл увидел, что Ромыч роется в каких-то инструментальных шкафах. Слева лесенка в четыре ступени вела к двери в дом.

План созрел мгновенно. Пригнувшись, Кирилл опрометью юркнул в гараж и беззвучно соскользнул в тёмную щель смотровой ямы. Пока Ромыч не включит весь свет и не подойдёт к самому краю ямы, он не заметит в яме человека. Присев на корточки, Кирилл глядел вверх и прислушивался. Сердце колотилось как в детстве, когда играл в прятки. Что сказать Ромычу, если он всё-таки обнаружит его, Кирилл не думал. Не думал он и о том, как выбираться из дома, когда Ромыч уйдёт. Наслаждение игры было превыше голоса рассудка.

Ромыч ещё позвякал инструментами в своём отсеке, потом электрический свет погас, хлопнула дверь стеклянной перегородки, а немного погодя заурчал мотор и заскрипели роллеты. Теперь угасало вообще всё освещение — Ромыч опускал полотнище ворот. Брякнуло. Еле слышно зазвучал двигатель «крузера», зашуршали колёса. Совсем-совсем далеко лязгнула железная створка. Ромыч уехал.

Кирилл вслепую выбрался из ямы и застыл на месте, пока глаза привыкали к темноте. Он стоял и начинал понимать, что зря сюда залез, мальчишество всё это и вообще бредни. Ладно, предположим, что Шестаков где-то прячет псоглавцев, которые достались ему в наследство от хозяина зоны. Но зачем прятать их в подвале своего дома? Рядом два других здания и домик охраны. И вообще: чудовища в подвале — это из «Зловещих мертвецов».

Темнота постепенно превратилась в сумрак, сквозь который уже можно передвигаться не на ощупь. Кирилл вошёл в отсек за стеклянной перегородкой и включил лампы. В гараже никаких люков в полу он не заметил. Зато в его отсеке обнаружилась ещё одна дверь.

Она вела в подсобное помещение, где находились отопительные котлы и насосы. Большой распределительный электрощит висел рядом на стене. Кирилл откинул крышку и осмотрел рубильники. Под каждым имелась табличка. Похоже, нужен вот этот — «Агрегатная». Кирилл перекинул тугой рычаг. Подсобное помещение осветилось.

Кирилл спустился по лесенке и обошёл довольно просторный зал, опутанный трубами. В котлах и силовых установках он не разбирался. Судя по всему, усадьба Шестакова была полностью автономна. Сама вырабатывала электричество, качала и очищала воду, обогревалась. И правильно: в деревне Калитино ЖКХ давно сдохло. Чем топились котлы, Кирилла не интересовало. Может, мазутом или углём. Может, и торфом. А торф должны добывать псоглавцы и привозить в мешках на дрезине Мурыгина, чтобы недаром есть свой хлеб, решил Кирилл.

Он вернулся в гараж и направился к двери в дом. Если заперто — все его усилия зря. Он потянул за ручку. Дверь открылась.

Кирилл не бывал в особняках богачей типа Шестакова и не знал, как всё здесь должно быть устроено. Представления о жилье премиум-класса формировал телевизор. Наверное, в нём и шестаковский терем произвёл бы впечатление супер. Однако наяву оказалось иначе. Навязчивая роскошь не восхищала, а угнетала бессмысленностью.

Сейчас всё было погружено в густой сумрак вечера. Дом словно выключили, и вместо шоу остались одни декорации. Кирилл подумал, что дизайнеры Шестакова просто выписали из исторических романов в столбик разные назначения помещений, а затем распределили покои заказчика согласно этому каталогу. Здесь имелись: зал приёмов, холл, каминная, салон, столовая, комната для кофе и комната для сигар, бильярдная, кабинет, библиотека, будуар и три спальни. Кирилл ещё по теленовостям заподозрил, что провинция черпает понятия о быте высшего общества не из живой практики, а из школьной классики. Балы, паркет, портьеры, зеркала, картины и люстры — они оттуда.

Вразрез с великосветской темой смотрелись огромные плазменные панели Panasonic в кабинете и библиотеке. Особенно умилял экран в столовой: в этом внятно прочитывалась давняя привычка советского человека ужинать перед телевизором.

Мебель для особняка делали явно по заказу хозяина, на его вкус, а не закупали у брендового производителя вроде итальянской фирмы Caspani Tino. Мастера старались, вырезая гроздья винограда и морды львов, выгибая ножки и набирая инкрустации. Но в итоге все детали выглядели не собою, а чем-то иным: звериными лапами, цветочными бутонами, хвостами драконов. Вещи отчуждались от своего смысла и будто намекали, что и хозяин — не богач, уверенно владеющий своим богатством, а жулик, выдающий себя за миллионера.

Кирилл думал о Шестакове. Этот тип когда-то вступал в комсомол, пил квас из уличной бочки, списывал на экзаменах по какому-нибудь сопромату, завидовал владельцам «жигулей». Он был беден и жил по законам общества, а не по традициям своего рода. Нет у нуворишей традиций, не может быть семейных легенд вроде проклятия собаки Баскервилей. А если у нуворишей нет традиций, то у Шестакова не прижились бы древние псоглавцы. Шестаков — простолюдин, который не почувствует под периной богатства горошину предания. И пускай Шестаков сам родом из Калитина, для него Псоглавец такой же пустой звук, как литургия для Ромыча, у которого в «крузере» иконостас.

Кирилл понял, что напрасно залез в этот дом, не потому, что Шестаков не будет прятать чудовищ в своём подвале, а потому, что Шестаков вообще не будет прятать чудовищ. *Кирюша, это несерьёзно.*

Кирилл включил свет и спустился в подвал, точнее, в длинный кафельный зал с душевыми и бассейном. Дно пустого бассейна и потолок были облицованы зеркалами. В дальнем конце зала имелись ещё две двери. Кирилл прошёл вдоль стены, где по кафелю плыли три голые девушки, и толкнул правую дверь — за ней оказалась сауна. Толкнул левую — и она не поддалась толчку.

Кирилл присмотрелся и удивился. Было похоже, что эта дверь ведёт на улицу, потому что замок находился под рукой у Кирилла. Но планировка здания указывала на то, что за дверью другое помещение.

Замок был электрическим. Без ключа его невозможно открыть ни изнутри, из запертого помещения, ни снаружи, из бассейна. Видимо, Шестаков не хотел, чтобы прислуга заходила в секретную комнату, и сам врезал в дверь замок — грубо и неумело.

Но Кирилл знал, как войти. Такой же замок дядя Димка купил для дачи тётки Анжелы, и тётка этой покупкой чуть не проломила ему голову. Без электричества замок превращался в простую щеколду на пружине. Шестакова спасало то, что особняк всегда был подключён к сети. Кирилл вспомнил про распределительный электрощит в гараже. Сходить, что ли, выключить рубильник — или наплевать на секреты Шестакова? Ладно, если уж забрался в дом, надо доделать дело.

Кирилл вернулся из бассейна в гараж. На полке он заметил большой аккумуляторный фонарь. Пригодится, чтобы не бегать туда-сюда, включая-выключая свет. Кирилл откинул крышку электрощита и решительно перекинул вниз все рычаги до единого.

Освещая путь фонарём, Кирилл прошёл обратно к бассейну. В луче голые девушки с кафельной стены смотрели на Кирилла, будто ведьмы ночью заглядывали в окошко с улицы. Кирилл поёжился.

Он с натугой сдвинул плоскую планку замка, вытягивая из паза ригель, и толкнул дверь, пока ригель не соскочил обратно в паз. Дверь открылась. Кирилл направил луч фонаря в проём. *Не надо туда.*

Он сразу понял, что обнаружил то, чего искал, и сразу же сердце прыгнуло в груди: а если там — псоглавцы? Он, дурак, распахнул им дверь!.. Но псоглавцев, видимо, за дверью не было.

Кирилл подождал, пока ужас уляжется в душе, и шагнул через порог. Он находился в мрачном бетонном... каземате? Или в узилище? Или в бункере?.. Фонарь выхватывал из темноты деревянные лавки с какими-то ремнями и массивные самодельные кресла с захватами для рук и ног. Из стен торчали вмурованные железные крючья, на которых были насажены ошейники и кандалы. Кирилл увидел стол, где лежали жуткие витые кнуты и клещи с длинными рукоятями. Под потолком протянулись балки-швеллеры, с них свисали цепи с наручниками. Но страшнее всего был огромный деревянный крест от пола до потолка. На лапы его были намотаны верёвки.

Не верилось: неужели это наяву? И где? В деревне Калитино?!. Деревня Калитино с её убожеством и распадом — конечно, кошмар, но кошмар давно привычный, отечественный. А вот этот кошмар откуда-то совсем не отсюда. Средневековая жуть. Инквизиция. Молот ведьм. И этот чудовищный крест, пыточное распятие... И тишина...

Что Шестаков делает тут, в своём подвале? Истязает псоглавцев? Приковывает их цепями, надевает ошейники и кандалы, подвешивает, хлещет плетью? Зачем? Что здесь творится, когда никто не видит?..

Кирилл водил фонарём из стороны в сторону и наткнулся лучом на узкий самодельный шкаф в углу. Там тоже было что-то непонятное. Кирилл подошёл поближе.

Он не успел разглядеть всего, что было на полках. Взгляд остановился на одной вещи, вернее, сразу на трёх.

На полке в ряд стояли три пластмассовых фаллоимитатора.

Это было как удар обухом в лоб. Кирилл поначалу даже не понял, что он видит, не понял, что означает увиденное. А потом дошло. В своём секретном подвале богач Шестаков занимался играми садомазо. Развлекался. Средства-то позволяют. Шлюх можно привезти из города. И весь средневековый антураж — только декорация. Не более.

Кирилл нервно засмеялся, и луч фонаря запрыгал. Вот почему Шестаков не хотел, чтобы прислуга входила сюда. Какие псоглавцы! В Калитине деградировало всё — от последнего алкаша до властелина.

Кириллу стало стыдно, что он, как мальчик, поверил в страшную сказку и побежал в заколдованный замок искать чудовищ. Но вместо графа Дракулы, который, сидя в гробу, пьёт кровь девственниц, он нашёл стеснительного дяденьку Андрея Палыча, который делает нехорошие штуки с продажными тётеньками.

От позора хотелось рвать на себе волосы. Кирилл вышел из бункера и пошагал вдоль бассейна. Бледные голые девицы на тёмной стене словно корчились от беззвучного издевательского хохота. Кирилл поднялся из подвала, добрался до гаража и перекинул обратно все рубильники. Лампы загорелись.

И тут Кирилл услышал дальний железный лязг — где-то снаружи, за роллетами. Это вернулся Ромыч. Открыл ворота в бетонной ограде, въехал и закрыл ворота, лязгнув створкой о столб. Кирилл кинулся к выключателю и погасил свет. Будет ли Ромыч ставить «крузер» в гараж?.. В смотровой яме теперь уже не отсидишься.

Кирилл выскочил из стеклянной кабины и бросился к двери в дом. Под потолком гаража загудел мотор, и роллеты поехали вверх. Кирилл скользнул из гаража в холл и осторожно притворил за собой дверь.

Удирать через главный вход было рискованно. Кирилл свернул в кухню, где тоже была дверь на улицу. Отщёлкнув замок, он нырнул в темноту. С маленького заднего крылечка Кирилл спустился на дорожку и пошагал вдоль стены дома, намереваясь с альпийской горки прыгнуть на бетонный забор, белеющий сквозь вьюнки.

— Стоять! — раздалось за спиной.

22

Возле угла особняка стоял Ромыч и глядел на Кирилла, засунув руки в карманы. Кирилл остановился. Бежать было бесполезно, да и как-то глупо. Он тоже засунул руки в карманы и двинулся к Ромычу.

— Ты чего здесь делаешь? — спросил Ромыч.

Он спросил спокойно, хотя в голосе читалась насмешка, дескать «я тебя поймал». Но Кирилл не собирался признаваться или каяться.

— А я тебя искал, — вызывающе ответил он.

— Да ну? — делано изумился Ромыч.

— Ну да. В ворота барабанил — ты не отвечаешь. Я решил, что ты в доме. Перелез забор.

— Так прямо и дождаться не мог, когда вернусь в будку?

— Откуда я знаю, что ты вернёшься? Может, ты на хозяйской кровати спать лёг.

Ромыч улыбнулся, зубы блеснули в сумраке. Как боец, Ромыч радовался спаррингу, где противник не сдался в первом же раунде. А положение у Кирилла оказалось уверенным. Ведь Ромыч застукал его так, что не понятно: то ли Кирилл вышел из двери кухни и пошёл к альпийской горке, чтобы сбежать через бетонный забор, а то ли и вправду перелез ограду вон там, где дерево, и пошёл ко входу в дом.

— И чего тебе надо от меня?

— Позвонить.

— Своей трубы нет?

— А её Саня Омский спёр. Когда ты его к нам привёл.

Ромыч потрогал подбородок, словно оценивал удар в челюсть.

Кирилл понял, что Ромычу его ложь очевидна. Ромыч догадался, что Кирилл залез в усадьбу не за телефоном. А зачем? Да просто так, из любопытства. Для Ромыча Кирилл — мальчик из богатой московской семьи, воровать не будет. Значит, всего лишь любопытство от скуки.

Другое дело, если Ромыч знает о псоглавцах или даже имеет к ним непосредственное отношение. Тогда Кирилла ждёт жестокая кара за шпионаж. Но ведь в подвале Шестакова псоглавцев нет. И вообще их у Шестакова, похоже, нет. И Шестаков нанял Ромыча совсем недавно, Ромыч — случайный человек, его не будут посвящать в тайну.

Ромыч хмыкнул, вытащил телефон и протянул Кириллу:

— Звони.

Он снова испытывал: кому Кирилл станет звонить в такой поздний час, о какой нужде соврёт?

— Мне сюда, в деревню. Токаревой. Номер не помню.

Кирилл придумывал версию своего появления в усадьбе прямо на ходу. Пять секунд назад он ещё и сам не знал, что залез сюда, чтобы позвонить. А секунду назад не подозревал, что хотел позвонить Лизе. А кому он мог ещё звонить именно сейчас и только от Ромыча, если не Лизе Токаревой? Логика вранья вела только к такому решению.

Кирилл никогда не спрашивал у Лизы номер её телефона. Как-то нелепо было здесь, в деревне, спрашивать, словно в городе. Ромыч сам отыскал в своей базе данных номер Токаревых, нажал вызов и опять протянул трубку. Кирилл взял. В трубке ныли гудки. Кирилл ждал, пока Лиза отзовётся, и смотрел в лицо Ромыча. Нет, Ромыч — обычный мордоворот из ОМОНа, с тайной псоглавцев он не совпадал ни одной своей чертой. А Ромыч наблюдал за Кириллом.

— Алё? — удивлённо сказала трубка.

Это была Раиса Петровна. Конечно, Лизе ведь трудно говорить. Она взяла телефон и передала матери. Звонят из дома Шестакова — наверняка ей, а не Лизе.

— Раиса Петровна, позовите Лизу,— строго велел Кирилл, чтобы у старухи не было повода начать расспрашивать.

Кирилл ещё подождал, не глядя на Ромыча.

— Алё? — снова сказала трубка так же удивлённо.

— Лиза, это я, Кирилл.

Он сделал паузу. Пусть Лиза осознает, кто звонит. Сейчас она разволнуется и больше не сможет произнести ни слова.

— Лиза, я сегодня ночью сторожу церковь. Если хочешь, приходи.

Лиза молчала, но Кирилл услышал в трубке её дыхание.

— Приходи,— повторил он, почему-то охрипнув.

Он нажал кнопку отбоя и забыл отдать телефон Ромычу. Ромыч сам забрал трубку из его руки.

— Нормально ты пристроился,— уважительно ухмыльнулся он.

— Ворота мне открой,— хмуро попросил Кирилл и пошёл к выходу.

Он шагал по изогнутой дорожке мимо чёрных куч альпийских горок и белёсых россыпей рокариев и думал непонятно о чём. Впереди зарокотал мотор, и пластина ворот немного откатилась в сторону. Он проскользнул в проём. За его спиной ворота поехали обратно и лязгнули о столб.

Кирилл стоял на дороге, что вела от деревни к храму и дальше, на торфяные карьеры. Ночи, в общем-то, не было. Дымка дальних пожаров превратила черноту в какую-то серую и тусклую мглу, где рассеялся свет луны. Всё вокруг казалось зыбким и нереальным, как мираж. Неужели где-то в деревне Лиза сейчас открывает калитку и выходит в этот тёмный туман, чтобы оказаться рядом с ним?

Кирилл представил, как Лиза обомлела от его звонка. А потом осознал, что Лиза и вправду придёт к нему. Просто так, без жеманства и кокетства. Он же видел, что нравится ей. Вот теперь он позвал — и она пошла. Для игры, притворного безразличия, её ресурс был слишком мал: говорить она толком не могла, а залётный московский парень исчезнет так же легко, как появился. Кирилл подумал, что, если бы он пожелал, Лиза безропотно легла бы с ним в постель.

Наверное, надо пойти Лизе навстречу, всё-таки ночь. Кирилл пошагал вдоль бетонного забора усадьбы по направлению к деревне. Забор кончился, Кирилл сделал ещё десяток шагов и остановился.

Впереди во мгле пыльно светлела песчаная дорога. А вокруг неё до мутного неба вздымалась огромная тёмная роща. В роще находилось деревенское кладбище. Идти мимо него Кирилл не хотел.

Сколько раз во взрослой дневной жизни он вышучивал детские страшилки и фильмы ужасов, а сейчас боялся идти через кладбище ночью и в одиночку. Чего он испугался? Что из могильной земли вдруг высунется рука мертвеца? Что за деревьями, качаясь, промелькнёт истлевший покойник? Это киношные штампы. А всё равно страшно.

Сосущий, тоскливый страх перед тем, что невыносимо. А ему невыносимо видеть эти кресты, оградки, скамейки. Там, под землёю, лежат не чудища, а обычные люди, жители деревни Калитино, колхозники, разнорабочие, пенсионеры... Но не в этом дело.

Как ни успокаивай себя соображениями бытовой повседневности, достаточно крохотной мелочи, чтобы они разлетелись в пух и прах. И пускай оживших мертвецов не бывает, хоть колхозники они, хоть графы Дракулы. Но страх-то всё равно есть. Упыри — сказка, а страх, безусловно, реален. Его не уничтожить отчаянным воплем: «Тебя нет!»

Дверь в ад может открыться где угодно: и в старой могиле колхозника, и в собственной душе. В душе даже вероятнее. Сердце толкалось в груди Кирилла, точно кто-то бился плечом в дверь. И Кирилл не хотел, чтобы эта дверь распахнулась.

Здесь, на кладбище, запоры на этой двери ослабли, обветшали. Скрипнет крест, крикнет птица, упадёт сухая ветка — и запоры лопнут совсем. Дверь отлетит в сторону, страх вырвется наружу, как демон. И он разорвёт Кирилла. Какая разница, откуда демон нападёт — изнутри или снаружи: из могилы деревенского кладбища или из тех кошмаров про псоглавцев, которые Кирилл здесь себе навоображал? Кирилл сойдёт с ума, потому что когда-то слушал детские страшилки и смотрел ужастики, а сейчас оказался ночью на кладбище один.

Для птиц и мышей на этом кладбище никого нет. Деревьям не страшно. А вот для него, Кирилла, демон будет реален, откуда бы он ни явился. Реален будет его запах, его взгляд, его прикосновения, реален будет звук его шагов, которые не оставят следа на пыльной дороге. Реальным будет всё, что демон сделает с ним, с Кириллом. Никогда не предъявить другим людям того демона, который нападал на человека, но всегда реально то, что демон сотворил с жертвой.

Кирилл стоял на опушке кладбищенского перелеска и слушал тихий шум полночи: дыхание листвы, какой-то шёпот, шорохи ветерка. А ведь где-то совсем недалеко через этот перелесок шла Лиза. И она так же боялась. А может, боялась вдвойне, потому что однажды уже столкнулась с этим ужасом на лесной дороге у промоины, и даже не однажды, если вспомнить о смерти её отца. Но она всё равно шла.

И Кирилл тоже пошёл. Да, он боялся, но не считал себя трусом, как не считал и храбрецом. Но если бы он не тронулся с места, Лиза оказалась бы сильнее его. Тогда для него исчез бы смысл продолжать отношения. У Кирилла уже была девушка, которая поставила себя в сильную позицию, — Вероника. Она всегда была права, а он всегда имел меньше, чем ей хотелось, и делал хуже, чем она рассчитывала. Вот поэтому теперь он здесь, и ему больше не нужна Вероника.

А Лиза, оказывается, стала нужна. Рядом с Лизой он был и речист, и умён, и силён, и богат, и вообще умел гораздо больше, чем она. Так получилось само собой, он не самоутверждался, принижая Лизу. Но ведь рядом со своей девушкой он обязан чувствовать себя мужчиной, чтобы самому идти вперёд, выбирая путь для обоих, а не догонять подругу, вечно перед ней виноватый. Кирилл хотел быть сильным, а для этого надо быть сильным как минимум для своей девушки. Это точка старта. И потому сейчас он тоже шёл через перелесок.

Кладбище началось как дурной сон, от которого не можешь избавиться. В тёмной мути меж стволов светлели кресты. Кирилл физически ощущал, что земля под его ногами набита людьми. Ведь не все же кресты уцелели. Сколько лет этой раскольничьей деревне? Сколько лет кладбищу, через которое накатали просёлочную дорогу? Над чьей забытой головой, над чьими рёбрами он сейчас ступает?

Кирилл зацепился за что-то ногой и отчаянно запрыгал, пытаясь освободиться. Сердце так же отчаянно запрыгало в груди. Из бурьяна в придорожной канаве вытащился проволочный остов погребального венка, который и поймал штанину Кирилла. Ржавый венок напоминал огромного раздавленного паука. Задыхаясь, Кирилл опустился на одно колено и отодрал кривые железные колючки. Потом поднялся и пнул по венку. Проволочное колесо встало дыбом, откатилось обратно и опять улеглось в пыльную траву, словно капкан.

Кирилл слышал рассказы, что вокруг лагерей или по их оградам разбрасывают или развешивают пряди какой-то особенно коварной колючей проволоки. Она цепляется за одежду, а когда человек берёт её рукой, чтобы освободиться, закручивается вокруг руки. С таким коконом из колючки тому, кто *ушёл из зоны*, уже никуда не убежать.

Надо смотреть под ноги, а не на могилы. Но очень трудно было отвести взгляд от крестов среди деревьев. Когда смотришь напрямую, будто фиксируешь вещь, останавливаешь её, не даёшь двигаться. Едва отвёл глаза – всё ожило, зашевелилось, поползло. Кирилл вертел головой, будто отстреливался по разным сторонам.

Что белеет там, под кустом? Человеческий череп? Почему бы и нет, это же кладбище. Но ведь кладбище, а не археологические раскопки! Откуда черепу взяться на поверхности земли? Может, кто-то копал новую могилу – и попал в старую, выбросил останки, чтобы не мешали? Так делать не по-людски, но в Калитине и без того уже давно забыли многие нормы человеческой жизни... Вроде глазницы видны, рваные дыры на месте носа и уха... Кирилл ожесточённо вперился взглядом в странный предмет. Нет, он не может пройти, не выяснив до конца. Кирилл шагнул в траву и наклонился. Под кустами застряла смятая в ком газета. Кто-то приходил на кладбище, поминал усопших рюмкой с огурцом, разложив снедь на газете, а потом скомкал газету и выбросил на дороге, а ветер закатил мусор в кусты.

В этой мглистой пепельной ночи не было теней, но Кириллу показалось, что, пока он был возле кустов, за его спиной через дорогу промелькнула тень. Опять чудится, опять мерещится? Он ведь спятит, мечась от одного страха к другому! Кирилл обернулся. Ничего нет.

Но глаза помнили тёмное движение. Что-то небольшое пересекло просёлок. Не человек. Животное. Собака? Собака перебежала колеи? В этой деревне нет собак. Где живут собаки, там нет волков. Где живут псоглавцы, там нет собак. Здесь живут псоглавцы. Откуда взяться собаке ночью на кладбище?

Пустая, дымная дорога сама была как наваждение. На дороге всегда что-то происходит, даже если царят тишина и пустота. Дорога нарушает равномерность, равнозначность пространства. Она собирает что-то вокруг себя, как в магнитном поле силовая линия собирает на себе железные опилки. Вот качается берёзовая ветка. Почему она качается? Кому вслед она машет? Что её потревожило? Ведь не было и порыва ветерка, газетный ком под кустами и не дрогнул.

Шелестя бурьяном, Кирилл вернулся на дорогу и встал под ветку. Она качалась чуть заметно, почти неуловимо, но не прекращала движения, будто её тянули за невидимую ниточку. Ветка то ли крестит дорогу раскольничьим двоеперстием, то ли усыпляет, гипнотизируя ритмом, словно в колыбели. Успокойся. Успокойся. Не дёргайся. Дай произойти тому, что задумано не тобой, но для тебя...

Под веткой в пыли дорогу пересекала цепочка следов от собачьих лап. Кирилл присел на корточки и потрогал один след пальцем. Поверх следа остался отпечаток пальца, а на пальце — песок. Всё по-настоящему. Здесь всё очень тонко, очень зыбко, но — по-настоящему.

Кирилла словно оковало бессилием, повязало слабостью по рукам и ногам. Он не удержит этот мир в покорности. Да, он не понимает, что первично, что вторично. То ли это его воображение порождает из небытия пугающие образы, которые начинают существовать уже отдельно от своего творца, то ли и вправду здесь что-то живёт за гранью обыденности, и подсознание чувствует эту жизнь раньше и острее, чем сознание. Но реальный и нереальный миры перетекают друг в друга сквозь Кирилла, как сквозь двери, и Кириллу не закрыть этих дверей усилием воли, как не удержать воду в горсти.

Кирилл увидел, как по дороге к нему идёт человек. Если, конечно, это человек. Это должна быть Лиза — если, конечно, это она. Человек приближался молча и тихо. Лиза не может окликнуть его, она почти не говорит, и она сдержанная, стеснительная, не помашет ему рукой, поясняя, что это она. А если это мертвец, псоглавец, демон, то он и не станет окликать, не будет махать рукой. В полночь, на пустынной песчаной дороге, что тянулась по глухому кладбищенскому перелеску, Кирилл сидел на корточках у собачьих следов и ждал неминуемого.

Сейчас идущий подойдёт, и всё станет ясно.

— Что с тобой? — негромко спросила Лиза.

23

По склону покатого холма, на котором стояла церковь, Кирилл поднимался первым, протаптывая тропу в бурьяне. Лиза шагала сзади. Церковь призрачно светлела в дымной ночи, будто её соорудили из грязных листов ватмана, как из одних плоских поверхностей, и внутри здания, перетекая сквозь дыры, клубилась всё та же сумеречная мгла, что и снаружи. Исчезли масса, материальность, вес.

— Годовалов орал, что порубит фреску топором, — на ходу пояснял Лизе Кирилл. — Надо же сторожить. А я один боюсь.

Он остановился и повернулся. Лиза стояла напротив и чуть ниже.

— Я тут у вас какой-то псих стал, — признался Кирилл. — Я всего боюсь. Один быть боюсь, темноты боюсь, привидений боюсь.

А вот Годовалова он не боялся, хотя Лёха был сильнее и дурее. Для Кирилла выстрел из травматики убил страх перед Годоваловым. Подумаешь, бугай. Любого бугая утихомирит пушка, даже не боевая. А не будет травматики — найдётся доска, кирпич, железяка. В общем, оружие. Но против псоглавцев оружия нет.

— Я боюсь ваших псоглавцев, — сказал Кирилл. — Поначалу мне просто забавно было. Как в кино. А сейчас чувствую, что псоглавцы и меня унюхали. Вот Гугера с Валерой — нет, не унюхали, им и не страшно. Это правда? Учуяли меня? Ты ведь всё тут понимаешь.

Лиза отвела взгляд и слабо дрогнула плечом:

— Я... не знаю...

7 – 3409

Всё она знала. Только не хотела говорить. Наверное, не сказать — значит, уберечь, подумал Кирилл. Но ему не легче, потому что не в силах Лизы уберечь его от псоглавцев.

— Не сердись, что я тебя позвал. Рядом с тобой я делаюсь смелый.

Кирилл говорил правду. Если бы сейчас рядом была Вероника, а из храма вдруг вышел бы Псоглавец, Кирилл кинулся бы прочь вместе с Вероникой. А ради Лизы он останется на месте, схватит палку и будет бить Псоглавца, как Лёху Годовалова, пока Лиза убегает.

Кирилл размышлял, что же ему делать с Лизой до утра. Про секс или чего такое и мысли не было. Страх — инстинкт самосохранения, и он сильнее жажды секса, который инстинкт размножения. Думая про Лизу и предстоящую ночь, Кирилл думал не о том, где и как ему соблазнить Лизу, а о том, где им присесть и чем заниматься.

Наверное, надо разжечь костёр. Вон там, за кустом, будет хорошо. Лиза сядет на брошенную автопокрышку, а вход в церковь оттуда обозревается просто отлично. Но костру потребуются дрова. Можно натаскать из церкви старых досок, для этого топор не нужен.

— Пойдёшь со мной в церковь за дровами?

Лиза отрицательно покачала головой.

— Не хочешь видеть Псоглавца?

Лиза не ответила.

Кирилл понимающе улыбнулся, взял Лизу за руку и потянул в сторону куста, под которым лежала автомобильная покрышка:

— Тогда подожди меня тут. Я доски принесу.

Ему-то всё равно придётся зайти в церковь. Он должен убедиться, что Годовалов там не появлялся и фреска цела.

От куста была видна боковая стена храма. Два высоких арочных окна, прежде заколоченных, теперь оказались открытыми. Похоже, Гугер и Валерий вышибли доски для нормального освещения.

Кирилл пошагал к церкви наискосок и вверх. Снизу облупленный храм напоминал белый пароход, что въехал на мель и задрал нос.

Дверь в церковь Гугер и Валерий не запирали. Правильно, зачем? Кого остановит замок? Кирилл переступил через порожек и вошёл внутрь. Тишина. Темнота. Ощущение большого и гулкого объёма. Хруст мусора под ногами разносился на всё пространство. В воздухе плавала почти невидимая дымка, она словно приподнимала выгнутый потолок — так облака подчёркивают высоту небесного свода.

Возле простенка, где был изображён Псоглавец, громоздилось шаткое сооружение из брусьев и досок — помост, самодельные леса. Гугер и Валерий сколотили их из материалов, которые привезли с собой. Забираясь на леса, Гугер и Валерий покрывали штукатурку реставрационными растворами, выданными ещё в Москве. Конструкция загораживала фреску, и Кирилл не видел Псоглавца.

Гугер и Валерий хозяйственно расчистили рабочую площадку под простенком, распихали хлам по сторонам, чтобы он не мешал стоять помосту. На кучах старого мусора валялись цветные цилиндрические тубы из-под спецрастворов, что использовались для консервации фрески. Посреди храма, ближе к лесам, висело белёсое облако света.

Кирилл покачал помост, примериваясь, сможет ли отодвинуть его. Сможет. Кирилл обеими руками взялся за поперечный брус на торце сооружения, с усилием приподнял всю конструкцию и с грохотом и пылью поволок её в сторону. Сзади и сверху в воздухе что-то захлопало и широко заметалось: Кирилл понял, что вспугнул птиц. Переполошённые стрижи рванулись в окна.

Кирилл с облегчением уронил помост и, отряхивая ладони, шагнул к стене, где была фреска. Только теперь Псоглавец с неё исчез.

Сначала Кирилл подумал, что Лёха Годовалов всё-таки прорвался в церковь, но мысль была глупейшая. Никаким топором из фрески не вырубить изображение, оставив штукатурку неповреждённой. Потом Кирилл подумал, что Псоглавца просто закрасили составы, которыми консервировали фреску. Но внизу по-прежнему светлела надпись «Св. Христофоръ», а вверху тусклым блином серебрился нимб. Вся фреска вместе с нимбом и надписью была обведена ровным прямоугольником глубокого прореза пилой-болгаркой, в глубине прореза угадывалась кирпичная кладка. Кирилл потрогал штукатурку. Она была шершавой и немного липкой от пропитавших её, но ещё не подсохших растворов. Вандализм Лёхи и реставрация Гугера не имели никакого отношения к исчезновению Псоглавца. Псоглавец сошёл со стены сам.

Кирилл почувствовал, что волосы его будто наэлектризовало, как в грозу. Он оглянулся. Пустая ёмкая громада заброшенной церкви. Кучи мусора. Помост. Высокие окна, то забитые досками, то открытые, а в окнах — тьма. И на всех стенах — тёмные фигуры святых, словно за спиной Кирилла беззвучно собралась молчаливая толпа.

Где сейчас находится Псоглавец? Идёт по деревне в дымной ночи? Или он здесь, в храме, укрылся за столбом? Зачем он вообще сошёл? Что ему надо в этом мире, чего он хочет? Кирилл попятился. Только бы не повернуться спиной... К чему? К призракам, что выйдут из стен?

Спотыкаясь и оглядываясь, Кирилл боком торопливо скользнул к дверям церкви. Святые словно провожали его глазами.

На улице Кирилл отбежал от храма, точно тот был заминирован и мог взорваться в любую секунду, и только тогда обернулся. Ничего снаружи не изменилось. Белая облупленная колокольня нависала над Кириллом, как утёс, и дымная мгла укрывала всё, что раньше было вокруг: близкую насыпь узкоколейки, реку за травяным склоном холма и дальний гребень леса. В том ограниченном пространстве, где сейчас находился Кирилл, существовал только храм. И вероятно, Псоглавец.

Через бурьян Кирилл пробрался к кусту, под которым на покрышке сидела Лиза. Про дрова он забыл напрочь. Он опустился на корточки и тяжело дышал. Нельзя говорить Лизе про Псоглавца.

Лиза не поняла, что случилось с Кириллом. Она испуганно тронула его за плечо, проверяя, целый ли он, а потом выглянула из-за куста, чтобы увидеть церковь. И тут будто сломалась, осела и, как тесто со стола, поползла назад, на Кирилла, не отрывая взгляда от храма. Кирилл поневоле обхватил Лизу за талию. Но думал он не об этом. Из-за плеча Лизы он увидел то, от чего Лиза пыталась укрыться.

Возле храма во мгле кто-то стоял. Совсем тёмная фигура вроде человеческой. Почти неотличимая от дымного воздуха, словно сотканная из дыма. Но всё-таки человек. Или что-то похожее?..

Этот человек шевельнулся, точно поправил одежду, и медленно двинулся к открытой двери церкви. Он шёл на фоне рябой, тусклой стены, и сложно было уловить очертания идущего, но в какой-то миг он повернулся совсем в профиль. Тогда Кирилл всё понял. Вдоль стены церкви неторопливо шагал человек с головой собаки.

Кирилл согласился бы не поверить своим глазам, но ведь Лиза видела то же самое, что и он, потому и поползла от ужаса. Галлюцинации не являются сразу двоим. Если Псоглавца видят двое, то он существует в реальности. Он может быть чем угодно — миражом, привидением, монстром, — но уже не бредом. Псоглавец — не жуткое порождение собственного больного разума, отравленного дымом торфяных пожаров. Он не в голове Кирилла, а во внешнем мире, и с ним не справятся таблетки антидепрессанта.

Кирилла охватил даже не страх, а тягучая, сосущая, смертная тоска. Если Псоглавец реален, то жить в этой гнетущей реальности Кириллу невмоготу. После этой встречи его мир будет лишь половиной вселенной, а другой половины он вовсе не знает, но она имеет не меньшее значение. Всё своё тайное, что Кирилл считал безопасным, может оказаться принадлежащим не ему, и за это придётся отвечать.

— Это Псоглавец? — с мукой прошептал Кирилл на ухо Лизе.

Лиза не ответила.

Псоглавец тихо дошёл до двери и исчез в церкви.

Не оборачиваясь на Кирилла, Лиза широко перекрестилась, и каждое касание её пальцев было как утверждение: «Да! Да! Да! Да!»

— Мне... — с трудом выговорила Лиза, — нельзя... с тобой.

Кирилл не понял, о чём она сказала. Он-то думал о Псоглавце, а вот Лиза думала о нём, о Кирилле. Что бы ни случалось, женщина думает о том, кого любит. Кирилл забыл об этой логике, а потому не смог сразу увязать воедино себя, Лизу и явление Псоглавца.

— Кто он? — спросил Кирилл.

— Он... ищет... меня.

— Почему тебя? — глупо переспросил Кирилл.

Он был убеждён, что Лиза знает о Псоглавце, но не рассказывает, и поиски Псоглавца — исключительно его, Кирилла, проблемы. Сумеет — разгадает секрет, не сумеет — увы. Лиза здесь ни при чём. Вне игры. Неужели не так? Неужели секрет Псоглавца — залог его отношений с Лизой? Как в фильме «Кровь и шоколад», где парень-турист узнал про оборотней в Бухаресте, и ему пришлось порвать со своей девушкой, потому что она тоже была оборотнем. Не может быть, это кино!

— Кто он? — повторил Кирилл.

— Го... Годовалов, — еле выдавила Лиза и закрыла лицо ладонями.

Кирилла будто хлестнули по щеке.

Годовалов? Этот кретин? Годовалов и святой Христофор? Это не совмещается! Вообще: Лиза увидела собачью голову или нет? Или всё-таки у Кирилла — глюки, он спятил, он видит псоглавцев, а Лиза просто испугалась своего любовника, который не застал её дома, но узнал от матери, что Кирилл позвал Лизу в церковь, и припёрся сюда?

— Лёха Годовалов?

Лиза кивнула, не отнимая ладоней от лица.

Кирилл по-прежнему обнимал Лизу за талию. ...А чего Лизе бояться, что Годовалов прибежит ночью к церкви? Ну, прибежит. Ну, даже застукает Лизу с Кириллом. И что дальше? У Кирилла — пистолет. По теории, конечно. Но ведь Годовалов не знает, что Гугер забрал пушку, и Лиза этого не знает. Все думают, что Кирилл вооружён. Нет, сам по себе Лёха Годовалов не мог испугать Лизу.

— Это... он... меня... — попыталась объяснить Лиза и в бессилии замотала головой.

Кирилл прижал Лизу к себе.

— Успокойся,— прошептал он, целуя Лизу в макушку.

— Он... меня... тогда... — Лиза упрямо старалась рассказать.

— Плюнь, это был не он, — внушал Кирилл. — Тебе почудилось.

— Из... на... силовал, — договорила Лиза.

Кирилл опять не сразу понял. Это всё было из другой жизни — из жизни деревни, умирающей в полуразрушенном государстве. Из жизни деградантов, гопников, алкашей. Их жизнь никак не пересекалась с тайной святого Христофора, с фреской Псоглавца, даже с ужастиками на пиратских дисках никак не пересекалась. Или же Кирилл просто не успевал находить связи одного с другим.

— В лесу... На дороге... У про... моины...

Мысли у Кирилла остановились, будто какие-то детали вставились в свои гнёзда. На промоине у лесной дороги?..

Это когда Лиза, недавняя школьница, приехала домой в деревню после выпускного бала, а потом пошла по лесной дороге на вахтовку, чтобы уехать в город и поступать в институт. Это когда вечером она приползла обратно полусумасшедшая, а потом перестала говорить. Это когда люди подобрали у промоины её брошенные вещи...

Пьяный дембель Лёха Годовалов побежал вслед за Лизой, догнал её у русла ручья и изнасиловал. Всё очень буднично. Была красивая девчонка, нравилась, а теперь вот она уезжает насовсем, и герою Российской армии ничего больше не светит. Выходит, его, героя, кинула какая-то сучка, да? Променяла на городскую жизнь? И герой догнал сучку, завалил и впёр по самое не хочу. Никаких псоглавцев.

Кирилл стиснул Лизу изо всех сил. Его затрясло так, что захотелось зарыдать. Ну что же за подонки? Что за подонки? Кто их накажет, какой святой Христофор?

Лиза почувствовала дрожь Кирилла и заревела в голос.

— Это он папку убил! — ясно крикнула она. — Я знаю! Он! Он папке горло выгрыз!..

«Выгрыз»? Что за дикое слово? Как — выгрыз?! Вот теперь Кирилла пробил такой страх, что вся душа заледенела.

— Он собака! Они все собаки! — кричала Лиза, и слово «собака» не было ругательством. — Они папке горло перегрызли!.. В гробу!.. В гробу с шарфом лежал!.. Меня!.. Где папку, там же!.. Он меня!.. Когда он со мной делал!.. У него!.. У него собачья голова была!

Эта тайна вырвалась из Лизы, как рвота. Лиза заколотилась в руках у Кирилла. А Кириллу казалось, что его самого тоже выгибает и корчит, словно на пытке, только пытке ужасом, а не болью.

— Это не бог! — завыла Лиза. — Бог не может!.. Это скиты!..

24

Лиза наплакалась, успокоилась и уснула на плече у Кирилла. До рассвета Кирилл сидел на автопокрышке, смотрел на призрачную церковь и обнимал Лизу. Псоглавец больше не появлялся. Наверное, вернулся на свою фреску. А Кирилл ни о чём не думал. Бесполезно.

Здесь, в Калитине, что-то происходит. Что-то нехорошее, тайное, жестокое. Кирилл ощущал себя кем-то вроде следователя, у которого есть преступление, есть, скажем, пять подозреваемых, и на каждого из них не очень уверенные доказательства вины. Не хватает главного: мотива. Надо нащупать мотив, и тогда всё станет ясно.

Лиза сказала, мотив — скиты.

Воздух вокруг из смутного стал мутным, отсырел и потяжелел. Лиза проснулась. Она ничего не говорила, не глядела в глаза Кириллу, осторожно высвободилась из его рук и пошла на берег умываться. А Кирилл размял затёкшие ноги и пошёл к церкви.

Просто заброшенное здание. Щербатые стены, высокие арки, битый кирпич, штукатурка, доски в птичьем помёте. В этих стенах не таилось ничего, кроме дымоходов старинных печей. И Псоглавец, унылый, тусклый и нелепый, был на своём месте. Кирилл долго смотрел на него снизу, но Псоглавец и не дрогнул.

— Ты кто? — тихо произнёс Кирилл.

В «Хищнике» титан Шварценеггер сразил инопланетного монстра и, глядя в его звериную морду, изумлённо спросил: «Что ты за *тварь*?». «Что *ты* за тварь?» — эхом изумлённо ответил дотоле непобедимый Хищник своему победителю. А Псоглавец промолчал.

Кирилл вернулся к реке. Лиза по-кошачьи утиралась локтями. Кирилл взял её за руку, как ребёнка, и повёл домой. Они пошагали от реки мимо храма и кладбища — через те места, где несколько часов назад Кириллу было невыносимо страшно. А теперь никаких чувств не осталось. Будто бы закончилось кино, в зале зажёгся свет, бездонная пропасть экрана стала плоской, а глубокое и одинокое переживание киношной драмы превратилось в бытовую толкучку на выходе.

Кирилл довёл Лизу до калитки и подождал, пока Лиза зайдёт в дом. Потом пошёл к себе. Сарай с автобусом стоял запертым, цепь и замок никто не тронул. Гугер и Валерий спали в классе на полу поверх спальных мешков. Кирилл спать не хотел. Точнее, не мог. Голова была тяжёлой, но пустой, как чугунный котёл. Для сна её требовалось заполнить информацией: долить котёл до краёв, чтобы потянуло вниз.

Кирилл сел перед ноутбуком. Лиза сказала, мотив — скиты. В окне Google Кирилл настучал: керженские скиты. Меньше 3000 результатов. Для сравнения Кирилл набрал «Анна Семенович». На 850 000 больше.

Оказывается, раскольничьи скиты Керженца своим рождением обязаны татарам. Потомка Чингисхана хана Улу-Мухаммеда племянник сверг с престола Золотой Орды. Хан бежал в Крым. Но там рассорился с местным владыкой и решил идти на Волгу. С тремя тысячами верных и буйных уланов он вторгся на земли Руси, разбил войско Великого князя Василия, которое превосходило его отряд вдесятеро, и прорвался к Казани. А здесь овладел престолом Казанского ханства и тем самым положил начало своей династии, которую только через столетие с лишним одолеет Иван Грозный. Было это в 1438 году.

На следующий год Улу-Мухаммед пошёл войной на Русь, взял Нижний Новгород и выжег Москву до Кремля. В пути он разорил и мелкий монастырёк, стоявший близ впадения реки Керженец в Волгу.

Монастырёк этот пять лет назад основал инок Макарий. Родом он был из Нижнего, но жил по многим обителям Руси и сам воздвиг много новых обителей. Макарию приглянулось взгорье у Жёлтого озера. Ныне Волга поменяла русло и поглотила озеро, но монастырь сохранил прежнее название: Макарьевский Желтоводский.

Макария, братию и прочих пленников привезли на суд Улу-Мухаммеда в Казань. Но поволжские инородцы как один клялись, что никакого зла от обители не знали, а сам Макарий – кроткий и добрый человек. Тогда хан повелел освободить пленных, и пусть они идут куда хотят, лишь бы прочь с его земель.

Макарию было уже 90 лет. Он пошёл под Кострому в село Унжа. Освобождённые пленники сопровождали старца. И в дороге, в Чёрной Рамени на Керженце, путники увидели чудо: дивного оленя. Макарий дошёл до Унжи и остался там, а некоторые его иноки вернулись на место чуда и основали первый скит Керженца – Оленёвский.

Хан Улу-Мухаммед в 1444 году снова ходил на Русь, взял Нижний, под Суздалем разбил русское войско и пленил самого Великого князя Василия, которого отпустил за огромный выкуп. В этот же год на Унже упокоился и Макарий Желтоводский. В 1671 году были обретены его нетленные мощи, а в 2005 году голову Макария вернули на Волгу, в Печерский монастырь под Нижним Новгородом.

Желтоводскую обитель Макария в 1620 году возобновил инок Авраамий. Под стенами монастыря ревностью игуменов обосновалась ярмарка, которая постепенно превратилась в крупнейший торг Европы. Здесь торговали и скитники Керженца: Макарьевская ярмарка подключила их к общероссийской экономике. В 1817 году, желая ослабить скиты, государство перенесло торжище на устье Оки под Нижний Новгород, но это для Керженца уже мало что решало.

Кирилл вникал в дела былых эпох с обстоятельностью аспиранта. Псоглавец не может быть изолированным явлением. Он должен наследить. Кто знает, где отыщется след? В том же Макарьевском монастыре сохранилась фреска с Псоглавцем...

А население Керженца поначалу росло не быстро. В уходе на Керженец пока что не было никакого протеста, ведь от основания Оленёвского скита до реформы патриарха Никона прошло 200 лет. При Оленёвском ските появились две женские обители. Одну основала мать Голендуха, другую, Корельскую, — боярыня Анфиса Колычева, сосланная Иваном Грозным. Она приходилась роднёй митрополиту Филиппу, которого по приказу Грозного задушил Малюта Скуратов. Перенесение мощей святого Филиппа патриарх Никон использовал как повод для начала своих беспощадных реформ. После них поток гонимых староверов и хлынул на Керженец, в Чёрную Рамень.

Раскольничья обитель выглядела как обычная деревня. Молились раскольники в часовнях или в подземных «каплицах». Обитель жила единой хозяйственной общиной, которой управлял настоятель. Иногда скит состоял из одной обители, а часто — из многих.

Скиты Керженца прокляли реформы Никона и выбрали раскол. А первым скитом беглых раскольников стали Смольяны. Их основали бояре Салтыков и Потёмкины, а возглавил скит инок из царского рода Шуйских. Он принёс с собой миро и Святые Дары, благословлённые ещё патриархом до Никона. Смольяны пали и первой жертвой борьбы. В 1690 году стрельцы в чащобах отыскали этот скит и разрушили до основания, а настоятеля Феодосия сожгли живьём, привязав к ели. Пепелище скита и 22 могилы мучеников стали святынями Керженца.

В 1657 году на Керженец пришёл соловецкий инок Арсений. Его привела сюда вещая икона Богоматери. Арсений основал скит Старый Шарпан, где в часовне и хранился чудесный образ. Раскольники Керженца уверовали, что, пока эта икона у них, скиты будут стоять.

Обитатели Старого Шарпана приютили некую знатную схимницу Прасковью с дюжиной охранников. Когда схимница умерла, скитские старцы объявили: се опальная царевна Софья, по отцу сестра Петра I, которая сбежала из московского заключения. Погребение схимницы прозвали Царицыной Могилой и поклонялись ей долгие годы.

Царевна Софья раскольников ненавидела, и тем приятнее была раскольникам легенда, что царевна именно у них нашла последнюю защиту и тем признала правоту своих былых врагов. Хотя на совести Софьи была гибель ересиарха Никиты Пустосвята.

Софья принадлежала к знатному роду Милославских, а Пётр, её конкурент в борьбе за престол, — к роду Нарышкиных. Когда в 1682 году малолетнего Петра провозгласили государем, Милославские задумали бунт. Его потом назвали Хованщиной — по князю Хованскому, который возглавил мятежных стрельцов. Стрельцы захватили Кремль, казнили многих Нарышкиных. Софья стрелецкими секирами прорубила себе дорогу к власти, а потом сама и задавила мятеж. Она стала регентшей царевичей Ивана и Петра и семь лет правила державой.

В Хованщину среди бунтарей было немало раскольников, которые надеялись вернуть церковь к старой вере. Ересиархом бунта стал суздальский священник Никита Добрынин, уже отлучённый от церкви. На диспуте в Грановитой палате он разгромил патриарха Иоакима, за что получил от патриарха обидное прозвище Пустосвят. Но на следующий день после торжества подручные Софьи скрутили Никиту Пустосвята и на Лобном месте отрубили ему голову.

В 1689 году Пётр столкнул Софью с престола и заточил в Новодевичий монастырь. Через девять лет московские стрельцы снова взбунтовались и хотели вернуть Софью на трон. Растоптав бунт, Пётр вынудил Софью постричься в монахини и стать инокиней Сусанной. Умерла Софья там же, в Новодевичьем, в 1704 году. В Царицыной Могиле на Керженце лежала какая-то другая женщина.

Кирилл посмотрел в выбитое окно. Реки отсюда не было видно. Тихая, неширокая, забытая всеми река. Разве поверишь, что она текла сквозь бунты и пожары истории?

Где-то во времена схимницы Прасковьи в Чёрную Рамень из Торжка пришёл старообрядец Комар, который основал Комаровский скит, а из Пскова — братья-иноки Калитины, которые основали Калитин скит. Комаровскому скиту было суждено большое будущее, но сейчас от него остались уже только пустыри и могилы. Калитин скит славы не снискал, но выжил в виде деревни Калитино. Это было первое упоминание о прошлом Калитина, которое Кирилл выкопал в и-нете. Похоже, след становился тёплым.

При Петре I для скитов настали тяжёлые времена. Нижегородский архиепископ Питирим пошёл войной на раскольников. Эти события получили название «Питиримово разоренье». С 1719 по 1738 год солдаты отыскали в чащах все скиты до единого. Были разрушены и Оленёвский скит, и Корельский, обитель матери Голендухи, Комаровский и Калитинский скиты. Уцелела только часть Старого Шарпана. Раскольники побежали с Керженца на восток.

Милость проявила императрица Екатерина. В 1762 году вышел её указ, дозволяющий раскольникам вернуться на пепелища. Керженец ожил. Работящие староверы восстановили скит матери Голендухи, Старый Шарпан разросся до пяти тысяч насельников, Оленёвский скит превратился в женский, и в нём образовалось 14 обителей. Это с тех пор укрепилось убеждение, что «раскол бабами держится». Бабами — вдовами, что навеки уходили в обители, непримиримо храня верность мёртвым мужьям, да и самой бабой-императрицей.

Мать Маргарита основала Одинцовский скит, а княжна Болховская — Бояркину обитель. В этой обители принимали схиму вдовые боярыни и дворянки. На иконостасе в часовне висела главная святыня: орден князя Степана Лопухина на Александровской ленте. Ещё две другие знатные инокини в 1780 году основали бабий скит Улангер.

На многолюдных торжищах Макарьевской ярмарки разбогател Комаровский скит. Две тысячи его обитателей разделились на 48 обителей, 48 хозяйств. После страшной московской чумы 1771 года из столицы в скит пришли ярые ревнители «древлего благочестия» — Игнатий Потёмкин, Иона Курносый и Манефа Старая.

В 1800 году государство учредило единоверие, но Чёрная Рамень, суровая душа раскола, не дрогнула. На Керженце возродили Корельский скит. Правда, сгорел Одинцовский скит: от него осталась только могила матери Маргариты, источающая целебную воду. А скит Улангер превратился в купеческий. Купчихи уходили сюда со всей челядью: хозяйка принимала схиму, а работницы — простое иночество.

Комаровский скит разбросал анклавы. Игнатий Потёмкин основал свой скит, а Иона Курносый — свой. Когда Иона умер, рядом с его могилой выросла ель, считавшаяся чудотворной.

Свою обитель основала и Манефа Старая. Её поддерживала родня, заводчики из Балахны. Однако для процветания заводов родне потребовалось дворянство, а раскольникам оно не светило. Пришлось родне перейти в никонианство и отказать Манефе. Но железная старуха удержала скит от гибели в нищете. Дело Манефы Старой продолжила Манефа Новая. А история скита завершилась при Манефе Последней — разгоном в 1928 году. На лесной поляне осталась одинокая мраморная гробница первой Манефы.

Гром грянул над Керженцем в середине вроде бы мирного XIX века. Павел Мельников, чиновник особых поручений по искоренению церковного раскола при МВД, в 1849 году вывез из Старого Шарпана заветную икону Богородицы, что привела соловецкого инока Арсения. Предание гласило: скиты погибнут, если этот образ уйдёт с Керженца. И вскоре начался процесс, который назвали «выгонкой».

В борах под Нижним Новгородом власть открыла мужские и женские единоверческие монастыри — для тех раскольников, которые покорятся. Один за другим закрывались самые уважаемые скиты: Улангер, Голендухин, Комаровский. Из Бояркиной обители забрали орден Лопухина. В Шарпане от 5000 жителей осталось 4 человека, и скит стали звать не Старым, а Пустым Шарпаном. Оленёвский скит объявил себя простой деревней, и тамошние инокини молились тайком в подземных убежищах. Только Манефа Новая вывела свою богатую обитель из-под удара: не пожалела денег на взятки.

Когда начальство утихомирилось после «выгонки», сбежавшие раскольники тихонько потянулись обратно на Керженец — к своим развалинам, могилам и святыням. У погребения старицы Февронии вырос скит Новый Шарпан. Савва Морозов, московский старообрядец, отвалил денег, и в обновлённом Корельском скиту поднялась каменная раскольничья часовня — назло всем властям. Засохшую ель Ионы Курносого спилили и начали поклоняться её пню, пока паломники по щепочке не съели его дочиста.

В 1905 году раскол был реабилитирован, но Гражданская война выкосила скиты не хуже «Питиримова разорения» и «выгонки». Те из раскольников, что уцелели и не ушли с белыми, опять побрели на Керженец. Их вёл сюда словно бы внутренний компас, который ведёт на север птичьи стаи, хоть стреляй в них, хоть не стреляй. И советская власть поняла, что изменить эту природу уже невозможно. Легче уничтожить. В 1928 году все скиты Керженца были закрыты.

В потоке событий Калитин скит затерялся, Кирилл не нашёл упоминаний о нём. Но интуиция подсказывала: ниточка где-то рядом.

Так-так-так... Калитин скит стал деревней, как Большое Оленёво или Улангерь... Часовня Саввы Морозова... У керженских жителей не было денег на каменные храмы... А церковь в Калитине? Она ведь не раскольничья, возведена в середине XIX века. Значит, уже после «выгонки»... Зачем каменная церковь на месте закрытого скита? Чтобы тяжестью одной веры придавить святыню другой?.. Но отвергнутая святыня проросла в новом храме изображением Псоглавца, как трава сквозь асфальт. «Выгонка», «выгонка»... Псоглавец, фреска... Икона соловецкого инока Арсения... Чиновник Павел Мельников...

Кирилл набивал в Google запрос за запросом, словно в темноте бросал лассо.

По результатам своей поездки Мельников предоставил в МВД отчёт. А к отчёту, оказывается, прилагалось «Частное доношение Его Превосходительству о событиях близ К-на скита». «К-на» — Калитина? В открытых файлах Госархива Горьковской области Кирилл нашёл IMG-копии «Доношения». На каждой странице мелькало слово «Калитин». Йесс!.. А на титульном листе рукописи поперёк строчек автора начальственным карандашом было начертано: «Во исполнѣніе Указа Синода отъ лѣта 1722 отнѣсти к сѣкретнымъ дѣламъ». Ого!.. Указ Священного синода 1722 года? За 127 лет до поездки Мельникова?.. А ведь этот указ, среди прочего, окончательно запретил изображать святого Христофора с собачьей головой!

Кирилл понял, что вот теперь он попал в яблочко. Скопированные IMG-файлы мельниковского «Доношения» лежали в памяти ноутбука. Остаётся разобрать слова старинного и выцветшего рукописного документа. Но спешить некуда.

Кирилл начал закрывать программы. Надо выспаться.

25

Надоела консервированная пицца в вакуумной упаковке, надоел растворимый кофе с кубиками сахара, надоело завтракать за дурацкой школьной партой, а не за столиком кафе. Кирилл жевал пиццу и смотрел в разбитое окошко на серую дымную улицу деревни Калитино. Ему надоело здесь. Но под этим обыденным и неинтересным ощущением скрывалось другое — волнующее предчувствие финала.

Утро вечера мудренее, хотя сейчас было уже не утро, а день, и Гугер с Валерием давно укатили к фреске. Кирилл думал не о тайне псоглавцев, а о вещи более насущной — об украденном телефоне. На кой чёрт он нужен Сане Омскому?

Ещё в Москве Лурия выдал им с Гугером и Валерием эти три телефона и предупредил, что аппараты необычные. В них не было SIM-карты, не было разных развлекух типа веб-камеры или игрушек, но был встроен биллинг-маячок и диктофон, а память — только на десять номеров. Лурия сказал, что это — экспедиционная модель, счёт пополняется только Фондом, который организовал экспедицию. Потом машинку надо сдать. Такую вещь украдёт только идиот. Всё равно что украсть у пожарного брандспойт. Что с ним потом делать, куда деть?

Кирилл вылез из-за парты и смял в ком пластиковую посуду. Надо поскорее сходить к Сане, пока Саня не продал телефон Мурыгину.

Дом Сани Омского скрывался в акации палисадника. Кирилл смело вошёл в калитку, не опасаясь собаки. Дом выглядел вполне прилично, аккуратно. Снаружи он был обшит тёсом и выкрашен. Хотя краска выцвела, дом всё равно казался ухоженным. На крылечке лежала мокрая тряпка и стояли галоши. Звонка не имелось.

Кирилл вытер ноги и отворил дверь на веранду. Он уже освоился с деревенской особенностью — входить на веранду самостоятельно. На веранде тоже было чисто и прибрано. Кирилл постучал в косяк. Не ответили. Однако если веранда открыта — значит, хозяева дома. Кирилл ещё раз постучал. Не ответили. Да фиг ли, подумал Кирилл. Я ведь не сто рублей занять пришёл, я пришёл к вору за своей вещью. Он решительно потянул на себя дверь, толсто обитую дерматином.

Он оказался в прихожей, откуда, как у Токаревых, были видны большая комната и кухня. В комнате — стол без скатерти, старый шифоньер с пятнистым зеркалом, занавески, половики, настенные часы, синенькие обои. Слева — кухня. Вилки и ложки блестели, как хирургические инструменты. На электроплитке свистел кипящий чайник. Посреди пустого стола, как единственная улика, стояла гранёная стопка. Кухня напоминала операционную, и вообще везде в доме Сани была стерильная чистота. Кирилл понял, на что это похоже. Такой чистотой блещет богатый наркоман, не утративший социального статуса, но насквозь выжженный коксом. Выхолощенный, безупречный — но живущий на одной кислоте.

В комнате за столом сидела высокая старуха в чёрном монашеском платке. Она как робот повернула голову и посмотрела на Кирилла пустыми глазами. Вот, значит, в кого превратилась «вафлёрка с биксами», некогда пригревшая Саню Омского.

— А где Саня? — напрямик спросил Кирилл.

— У Годовалова, — механически ответила старуха.

— У вас чайник кипит.

Старуха осторожно встала, словно боялась расплескать что-то внутри, и механически, но очень ровно, как по программе, двинулась на кухню. Когда она проходила мимо, Кирилла обдало каким-то древним запахом церковных свеч — и горечью водки. Старуха была насмерть пьяна. Наверное, вот так она и жила автоматом: стирала, гладила, убиралась, готовила. Алкогольный андроид.

Кирилл вышел из дома Сани Омского и пошагал к дому Лёхи Годовалова. Жена Сани, конечно, поразила его. Саня, хоть и хромой, казался весьма живым и живучим, как помойная крыса. А собственный дом Саня омертвил. Так жутко Кириллу было в детстве, когда смотрел «Терминатора»: человек обгорел, остался механизм. Жена была тем механизмом, скелетом, благодаря которому Саня выглядел живым.

На огороде Годовалова высились две теплицы из рам, затянутых полиэтиленом. Сейчас, в жару и дым, держать их закрытыми не было смысла. Жена Годовалова, Верка, сняла многие рамы, составила в ряд возле торца теплиц и поливала заросли огурцов и помидоров. Воду она приносила в ведёрной лейке. На краю огорода у Годовалова имелась скважина с насосом, но шланг до теплиц не дотягивался.

— Верка! — позвал Кирилл, останавливаясь у забора.

Ему не хотелось входить в дом и видеть Лёху Годовалова. Лучше попросить Верку, чтобы вызвала Саню на улицу.

Верка оглянулась и сощурилась.

— Какая я тебе Верка! — заорала она. — Я тебе коза, что ли? Ты мне подол не задирал, козёл!

Кирилл не знал, почему он сказал «Верка», а не «Вера». Видимо, деревенский порядок жизни потихоньку переформатировал его под себя. А Верка ощерилась охотно и от души. Кирилл вспомнил, как он оттаскивал Верку от Раисы Петровны, и подумал, что подол у этой хабалки он всё-таки задирал.

— Подойди, и снова задеру! — крикнул Кирилл.

— Без тебя есть кому!

Остроносая и остроглазая Верка была, конечно, не красавица, но чем-то она, безусловно, притягивала мужиков. Каким-то лихим и задорным паскудством. Бабьей бесстыжестью, которая сродни лихости ворюги или веселью хулигана.

— Саня Омский у вас?

— Ушёл!

— Куда?

— А тебе какая разница?

— Верка, подойди, — попросил Кирилл и взялся за планки забора.

Верка поставила лейку и через грядки подошла к забору.

— Верка, мне Саня нужен, а не Лёха, — по-человечески объяснил Кирилл. — Скажи, куда он ушёл.

— А они вместе ушли! — заявила Верка.

— Да плевал я на твоего Лёху! Я Саню ищу!

— Доплюёшься, он тебе ноги переломает!

— Я вообще его за три километра обойду, — пообещал Кирилл.

— Я не знаю, где они бухают!

— Знаешь, — убеждённо сказал Кирилл.

Верка осмотрела Кирилла шустрыми, умными, мышиными глазками и улыбнулась, показав острые зубки.

— Они дрова пилят. Около сарая, где дрезина у Мурыгина.

— Молодец, — похвалил Кирилл. — Так и надо было сразу ответить.

— А зачем тебе Саня?

— Он у меня телефон украл.

Верка захохотала, прикрывая рот ладонью.

— И чо, думаешь, отдаст?

— Но спросить-то я должен.

— Тебя как зовут? — неожиданно заинтересовалась Верка.

— Кирилл.

— Слушай, Кирюха, а ты правда Лизку Токареву прёшь?

— А по морде? — вежливо спросил Кирилл.

— Да ладно, чо ты, — Верка заложила руки за спину, кокетливо выставляя грудь. — Ты в Москву её заберёшь?

— Кого?

— Лизку, кого ещё. Вся деревня говорит.

Кирилл опешил от своей популярности в деревне Калитино.

— Слушай, Верка, это вообще не ваше дело.

— Ага, поматросил и бросил.

— Я вот щас перелезу забор и под жопу надаю.

— От хорошего мужика можно и под жопу, — согласилась Верка, но отступила на шаг.

— Пока, — сказал Кирилл, отцепляясь от забора.

— Погоди, — окликнула Верка. — Что вы, городские, такие нервные? Мне-то чего твоя Лизка? Забирай, хоть Лёха к ней таскаться не будет. Она, сучка, у меня уже вот где, — Верка ткнула пальцем себе в горло.

— Я в ваши отношения не лезу, — осторожно отстранился Кирилл.

— Будешь с Лёхой драться, бей ему в почки, у него всегда там болит, — посоветовала Верка. — И скажи, чтобы про Лизку забыл.

— Хорошая ты жена, — сдержанно похвалил Кирилл и пошёл прочь.

— Про Лизку ему скажи! — крикнула Верка вслед Кириллу.

Кирилл издалека услышал шорканье двуручной пилы. Лёха и Саня разбирали полусгоревший дом на окраине деревни, пилили брёвна на чурбаки, чурбаки выкатывали к дороге. Кирилл прошёл к развалинам по смятой полосе бурьяна.

Лёха и Саня как раз присели перекурить и выпить. Оба они были в мятых майках-алкоголичках. Пили самогонку из двухлитровой банки. Они даже не удивились появлению Кирилла.

— Здорово, — сказал Кирилл. — Саня, я к тебе.

— А я тебя не звал, — ответил Саня.

— Ты вчера телефон мой спёр. Отдавай.

— Докажи.

— Не ломай комедию.

— У нас за базар отвечают, — предупредил Лёха. Он обшаривал Кирилла взглядом: пытался понять, с оружием Кирилл или нет.

Кирилл вдруг понял, что эта встреча ему невыносима. Не страшна, не противна, а именно невыносима, как тогда, на кладбище, ему невыносимо было думать о восстающих мертвецах.

— На хера вам дрова? — равнодушно спросил Кирилл и покачал ногой ближайший чурбак. — Вы же торфом топите.

— Городским продаём, которые тут дома имеют, — ответил Саня и цвиркнул плевком под ноги Кириллу. — Чушкам вроде тебя.

Кирилл не ответил на оскорбление.

— Если Саня твой звонарь отработал, пиши заяву в ментовку, — нагло предложил Лёха и улыбнулся.

Кирилл задумчиво качал ногой чурбак. Надо дать этим подонкам покуражиться, не переждёшь кураж — бесполезно ждать результата.

— Саня Омский по банберу не ходит.

— Вам ваще сваливать отсюда пора.

— Обшаркались вы тут, дома мамочки заждались.

— Я у Токаревых ещё увижу твоё рыло — убью.

Кирилл угрюмо осматривался. Бурьян, заросли малины, груды деревянного мусора и битого кирпича. Уцелевшая половина дома была открыта изнутри, как сцена. Серое небо, душная жара, мгла, стрекот кузнечиков. Всё было вне разума, но и вне глупости. Вне добра и зла. Вне всего мира. Не заповедник, а запретная зона. Как вокруг Чернобыля. Только здесь не радиация, а деградация. Если в зону Чернобыля нельзя ходить, чтобы не облучиться, то сюда нельзя ходить, чтобы не упроститься до уровня животного. Если в Чернобыле станешь мутантом, то здесь... станешь оборотнем.

Вот сидят Лёха с Саней... А ведь они — не люди, они же ведут себя как волки. Разве не могут сейчас их рожи вытянуться волчьими мордами и обрасти шерстью? Кто увидит? Святой Христофор?

Жену Сани Омского разрушил алкоголь, и от бабы остался робот, как скелет под плотью. Может, в деревне

Калитино всё разрушилось вместе с государством и образом жизни, и от людей остались чудища — псоглавцы? Кириллу всегда казалось, что оборотни — это люди, обладающие дополнительной способностью превращаться в зверей. А здесь, похоже, самые продвинутые звери вроде Сани и Лёхи обладали дополнительной способностью казаться людьми. И состояние зверя для них — не усилие воли, а расслабуха вроде выпивки.

Как-то Кирилл видел фильм «Остров доктора Моро», где врач-вивисектор перекраивал животных в людей. Когда врач погиб, эти человекоподобные существа начали возвращаться в исходное состояние животных. Они оказались оборотнями наоборот: не люди, на время ставшие зверями, а звери, на время ставшие людьми.

Пиджак Сани Омского висел на гвоздике, вбитом в бревенчатую стену, до которой ещё не добралась пила Сани и Лёхи.

— А я вот обшарю,— сказал Кирилл и шагнул к пиджаку.

Дома Кирилл бы не поверил, что он способен хладнокровно обшмонать одежду у чужих и взрослых людей, как надзиратель в тюрьме. Но Саня и Лёха — не люди. Если они оборотни, сейчас им самое время для трансформации.

— Не трогай клифт! — заорал Саня, дёргаясь.

С его хромотой он бы не успел остановить Кирилла. Похоже, что краденый телефон лежал в кармане пиджака. Рядом с мыльницей-портсигаром.

Саню опередил Лёха. Мгновенно, как зверь, он оказался между Кириллом и пиджаком. Кирилл напрягся, подобравшись. А Лёха уже не угрожал, он сразу нанёс удар кулаком в лицо Кириллу. Но Кирилл успел отклониться, перед глазами промелькнули сбитые в кровь костяшки Лёхиного кулака с татуировкой «ВДВ».

Кирилл отпрыгнул назад. Лёха, промахнувшись, развернулся всем корпусом. Надо было толкнуть его, чтобы упал, но Кирилл не решился. А Лёха на развороте обратно, не глядя, направил Кириллу в грудь удар пяткой. И Кирилл взбесился. Подонок Лёха даже не посмотрел на противника, он был уверен, что Кирилл стоит, где и прежде, как баран, и ждёт, когда его ударят снова. Кирилл думал, что в драке разъяряются от страха, от боли, от драйва, наконец, но оказалось, что душу взрывает оскорбление. Он не баран, не тупая покорная жертва. Кирилл не ожидал от себя такого: он поймал в воздухе Лёхину ногу за резиновый сапог и дёрнул вверх. Лёха полетел спиной вниз и рухнул, ломая какие-то доски в траве.

— Бля!.. — взревел он.

Хорошо, что у Лёхи не было топора, — только пила. И плохо, что у Кирилла не было пистолета, — драться Кирилл не очень-то умел. Но не хуже умения в драке помогала ненависть.

— Лёха, вали его на хер! — со своего чурбака захрипел сидящий на месте Саня Омский. — Зароем щенка, никто не найдёт!

Кирилл не сомневался, что Саня говорит правду. Саня с Лёхой легко убьют его и спрячут тело. Вот просто так, не дрогнув бровью. Но Кириллу не хотелось бежать. Хотелось улучить момент и теперь уж повалить Лёху, а потом топтать до полусмерти. За всё сразу. За терпёж, когда приходилось мириться с паскудством деревенской жизни, за то, что пошёл на такие уступки, но не оценён и в копейку, за Лизу и её сломанную судьбу.

Лёха поднялся и двигался на Кирилла в позе вратаря.

— Чо, падла, ствол дома забыл? — спросил он, тяжело дыша.

Кирилл отбежал на пару шагов и быстро огляделся вокруг. Голова работала, как компьютер. Кровь бежала по жилам, как электричество по проводам. Ненависть не оставила в душе места для страха.

Доска?.. Кирилл наклонился и рывком выворотил из мусора трухлявую, заплесневелую, треснувшую по всей длине половицу.

Лёха сделал бросок. Кирилл гибко отклонился и махнул доской, но тоже не попал по Лёхе.

— Лизку захотел, да, гондон? — спросил Лёха, задыхаясь. — Вы там в Москве все такие борзые, да?

Кирилл руками разорвал доску пополам и отбросил одну половинку, а другую перехватил, как дубину. Широко размахнувшись, он вмазал по Лёхе, рассчитывая попасть по голове. Лёха пригнулся и выставил локоть, встречая удар, гнилая доска разломилась.

— Я тебе, мудила, за Лизку горло перегрызу! — с подвыванием крикнул Лёха и потряс плечами, словно скидывал невидимую одежду.

Может, это была не одежда, а человеческое обличье. Зверь хотел вернуть себе свою изначальную форму, которая самой природой приспособлена для схватки с врагом.

Кирилл отбежал ещё на несколько шагов и очутился на развале печи. Под ногами хрустели и перекатывались обломки кирпичей. Кирилл нагнулся за обломком. Тяжесть кирпича была как уверенность в своей силе.

Лёха опять пошёл на Кирилла.

Кирилл метнул в Лёху кирпич и попал в плечо.

— Бля-а!.. — заорал Лёха, хватаясь за плечо.

Кирилл швырнул в Лёху другой кирпич, но промазал. Наклонился, выколупал из-под ног новый обломок и опять швырнул — теперь попал Лёхе в рёбра.

— Башку расколю! — с упоением крикнул он.

— Лёха, не ссы! — издалека завопил Саня Омский.

Кирилл что было силы метнул обломок кирпича в Саню и попал в банку с самогоном, которая стояла перед Саней на чурбаке. Банка взорвалась, самогон плеснул Сане на брюхо.

В это время Лёха вытащил из мусора ржавую дужку от спинки кровати. Кирилл опять кинул в Лёху кирпич, не подпуская к себе.

Где-то за стеной вдруг басовито заревел автомобильный гудок, и через мгновение из кустов малины к развалинам вывалился Ромыч.

— Всем стоять! — рявкнул он.

Откуда он взялся?..

Ромыч схватил Лёху за руку. Лёха с разворота обрушил на Ромыча ржавую дужку. Кирилл, не успев осознать появления Ромыча, по инерции метнул кирпич. Что произошло дальше, Кирилл не разглядел.

Дужка от кровати вдруг полетела в сторону, как бумеранг, а над головой Ромыча мелькнули Лёхины резиновые сапоги. Ромыч каким-то волшебным движением поднял Лёху в воздух, перевернул вверх тормашками, сложил, как зонтик, и шмякнул себе под ноги уже лицом вниз и с заломленной назад рукой, а сам упал коленями Лёхе на спину, словно пригвоздив Лёху к земле. Обломок кирпича, брошенный Кириллом, Ромыч словно бы вынул из пустоты над своей головой и спокойно откинул в кусты.

И всё замерло, даже кузнечики замолчали. Лёха лежал рожей в мусоре, придавленный коленями Ромыча, Кирилл стоял и стискивал в ладони кусок кирпича так, что сыпалась струйка песка, а Саня, сидя на чурбаке, скомкал в горсти майку на брюхе, и самогон из кулака капал ему на промежность. Со стропила раскуроченного дома свешивался и покачивался обрывок электропровода.

— Все высказались? — спокойно спросил Ромыч, обводя Кирилла и Саню какими-то прозрачными глазами. — Война окончена.

Ромыч сильно и точно ткнул Лёху двумя пальцами в шею и под лопатку. Лёха мыкнул и дёрнулся. Ромыч поднялся на ноги.

— Минут десять отдохнёт, потом начнёт шевелиться, — пояснил он. — Кирилл, проваливай отсюда.

— А... э... — Кирилл не знал, что сказать, потрясённый и появлением Ромыча, и его мгновенной техничной победой. — А как ты здесь?..

— Да никак, — раздражённо сказал Ромыч. — Просто мимо ехал.

26

Ромыч никак не мог приехать на драку случайно, хотя бы по той причине, что руины, где Саня и Лёха пилили чурбаки, находились в тупике. Дальше дорогу преграждала узкоколейка. Но странность появления Ромыча Кирилл осознал слишком поздно. Он уже ушёл и умывался у колодца. Про телефон Кирилл тоже забыл, и телефон остался у Сани. Не идти же обратно драться второй раз. Кирилл пошагал к школе.

В распахнутых воротах сарая Кирилл увидел открытую корму их автобуса. Гугер и Валерий возились в салоне, перекладывая вещи в каком-то ином порядке.

— Вы чего делаете? — спросил Кирилл.

— Все, Кир, — пропыхтел Гугер, запихивая кофр. — Сваливаем!

— То есть?

Валерий вылез из автобуса и начал обтирать ладони салфеткой.

— Мы сегодня сняли фреску со стены. Наклеили на неё фанерный щит, и Гугер вибратором отделил штукатурку от кладки. Покрыли с тыльной стороны раствором и оставили сохнуть. Завтра можно везти.

— А где фреска? — глупо спросил Кирилл.

— В церкви стоит, — из салона пояснил Гугер. — С утряни ещё разок обмажем её сзади и катим отсюда.

— Надо же три раза...

— Вообще-то да, — неохотно согласился Валерий.

— Я поеду десять километров в час, — пообещал Гугер. — Даже не тряхну, как на подушечке привезу. Ни фига в пути не случится.

— К вечеру уже в Нижнем Новгороде будем. Хоть в нормальной гостинице переночуем, с горячей водой, с рестораном,— Валерий вздохнул, смиряясь, что надо ещё немного потерпеть до комфорта.— А фреску на третий раз покроем уже в городе и подождём сутки. Потом сдадим в музей, и в Москву.

— Гейм овер, короче,— добавил Гугер.

— То есть мы уезжаем? — всё ещё не веря, переспросил Кирилл.

— Н-н-на хрен! — с наслаждением сказал Гугер.

— Где-нибудь в шесть встанем, раствором покрыть — это полчаса, и сразу от церкви гоним до Нижнего.

— Значит, сегодня — последняя ночь?

— У тебя какие-то планы? — лукаво улыбнулся Валерий.

— Кир, последний шанс! — подмигнул Гугер.— Сгруппируйся!

Кирилл стоял потрясённый. Нет, он не мог уехать завтра утром, уехать так внезапно и насовсем! А как же всё? Как же псоглавцы? Как же Лиза?! Нет, это невозможно!

— П-послушайте,— запинаясь, сказал Кирилл.— Так нельзя!

— Почему? — тотчас спросил Валерий.

Кирилл чувствовал себя нефтяником, чья партия сворачивает работы, хотя до нефтяного пласта не добурились каких-то два метра.

— Тут... Тут всё непросто...— Кирилл не знал, как ему объяснить ситуацию.— В общем, вы свою работу сделали, а я — ещё нет.

— А что тебе ещё остаётся?

На этот вопрос Кирилл ответить не мог.

— Как я понимаю,— начал Валерий,— твоя задача — собирать фольклор. Ты опросил местных жителей?

— Вообще-то моя задача — не фольклор собирать. Я должен узнать, происходит здесь что-нибудь необычное в связи с Псоглавцем или нет.

— И чо? — с интересом спросил Гугер. — Происходит?

— Происходит, — с наигранной уверенностью ответил Кирилл.

— А почему ты нам не рассказывал?

— Для чистоты эксперимента.

Гугер недоверчиво хмыкнул. Валерий покачал головой:

— Сколько времени тебе надо, чтобы довести работу до конца?

— Не знаю.

Гугер перебрался через вещи в багажном отделении автобуса и уселся на порог салона.

— Мы же не можем ждать здесь до тех пор, пока ты не решишь, что всё сделал, — резонно возразил Валерий. — Есть ли какие-нибудь критерии, по которым ты можешь судить, что миссия выполнена?

Есть критерии, подумал Кирилл. Поймать псоглавца.

— Нет критериев, — вздохнул Кирилл.

— Ох, Кирилл... — печально сказал Валерий.

Кирюша, это несерьёзно.

— Это серьёзно, — сам себе возразил Кирилл. — Я недоделал. Мне надо ещё побыть здесь.

Три дня назад он и сам бы ни за что не поверил, что не захочет уезжать из деревни Калитино.

— Хорошо, — согласился Валерий. — Давай разберёмся. Ты выяснил, что в деревне имеют место некие необычные явления, связанные с фреской. Верно?

— Верно.

— Ты их задокументировал?

— Ну, я кое-что записал, конечно, на диктофон, но это не то, — замямлил Кирилл. — Это нельзя задокументировать.

— Не хило, — буркнул Гугер и закурил.

— Как же ты отчитаешься перед Лурией?

— Расскажу.

— Считаешь, это будет убедительно?

— Да, — твёрдо и уверенно подтвердил Кирилл.

— А из того, что тебе известно сейчас, прямо на данный момент, уже следует, что деревня представляет интерес для Лурии?

— Следует.

— Значит, ты выполнил свою работу, Кирилл. Этого достаточно. Рад за тебя. Признаться, я думал, что ты просто бездельничаешь. Но если ты обнаружил некий феномен — великолепно. Однако дальше его должны изучать специалисты. Ведь ты не специалист.

Логика Валерия была безупречна. Но Кирилл готов был метаться из угла в угол, чтобы доказать: она здесь не работает.

— Н-ну... Понимаешь... Ну как же растолковать! — Он с мукой искал формулировки. — Это вот так вот не поймать, не пощупать... Это надо быть здесь, сжиться, шкурой ощутить...

— Специалисты сживутся.

Кирилл представил, как умные специалисты ночуют в школе, пугаются призрачных собак, влюбляются в Лизу, бродят по карьерам, падают с наблюдательной вышки...

— Не сживутся, — твёрдо сказал Кирилл. Он нашёл слова. — Это опыт индивидуальный. Он неповторим.

— Тогда он необъективен, и ты ничего не нашёл.

— Он объективен, — бессильно возразил Кирилл.

— Слушай, Кир, — сказал Гугер. — Если тебе тут понравилось, так ты поговори в Москве с Лурией, выпиши новую командировку и приезжай сюда хоть на год. Нам-то с Вэлом на фиг тут торчать? У нас никакого опыта нет. Говно здесь одно, вот и весь наш опыт.

— Я не могу всё оборвать... Не восстановится...

— Тогда оставайся здесь один.

Это был абсолютный аргумент.

— Мне нужна поддержка, — покраснев, сознался Кирилл.

Валерий и Гугер осуждающе молчали.

— Как-то мы с тобой друганами-то не стали, — осторожно заметил Гугер. — Ты ведь без нашей поддержки обходился. Зачем мы тебе?

— Есть травматический пистолет, — негромко сообщил Валерий.

Вот тут Кирилл уже вообще ничего не мог объяснить. Оружие, физическая сила — да, это было важно для Лёхи там Годовалова или для Сани Омского. Но поддержка Гугера и Валерия была не только в возможности самозащиты. А в чём тогда ещё? Кирилл не знал. Но был уверен, что без этих двоих он не найдёт псоглавцев.

— Знаешь, Кирилл, я всё понимаю, — мягко сказал Валерий тоном человека, который всё понимает. — У тебя роман с этой деревенской девушкой. Ничего предосудительного. И тебе это действительно важно. Но мы-то с Гугером здесь ни при чём. Да, наше присутствие отпугивает от тебя соперников. Но не надо делать нас заложниками своих отношений. Понимаешь, борись за них самостоятельно. И некрасиво вводить в заблуждение товарищей или работодателей.

Валерий всё свёл к Лизе. Именно этого Кирилл и боялся. Он уже сталкивался с ревностью женатых к неженатым. Хотя, может, он и сам всё сводил к тому, что Валерий просто завидует.

— Я постараюсь обрисовать картину, — убитым голосом произнёс Кирилл. — Ты сядь, Валер, это не в двух словах...

— Тогда в трёх, хорошо? — сухо попросил Валерий.

Он вытащил из кармана платок, расстелил на пороге салона рядом с Гугером и тоже сел. Кирилл стоял перед Гугером и Валерием, словно сдавал экзамен, и понимал, что экзамен будет провален.

Такой поворот всегда был в фильмах ужасов или в фильмах-катастрофах. Герой талдычит, что опасность реальна, а ему не верят. Обычно говорят, что мертвецы не оживают или что интересы туристского сезона важнее риска акулы, лавины, извержения вулкана.

— Это очень старая деревня, — начал Кирилл, — она на месте скита. И здесь у раскольников была легенда про людей-псов, которые убивают убегающих отсюда. Поэтому и Псоглавец в церкви нарисован.

— Увлекательно, — холодно сказал Валерий.

— Есть свидетельства, что здесь псоглавцы нападали на людей. А Псоглавец — древний образ, у него много значений. Надо сравнить, какое из его значений сейчас, в наше время, подходит для того, чтобы карать беглецов, и вообще, кто здесь будет считаться беглецом. Тогда станет ясно, кто такие псоглавцы, как они действуют, как спастись...

— Круто же, — взбодрился Гугер. — Мы поедем, то есть побежим, они погонятся, мы их сфоткаем. Триллер. Ты сделаешь это, Кир!

— Это и будет чистота эксперимента, — улыбнулся Валерий.

— Они только на своих охотятся...

Кирилл чувствовал, что Гугер и Валерий ни шиша ему не верят. Какие, на фиг, псоглавцы? Алкозавры здесь, а не псоглавцы.

— Я видел псоглавца, — беспомощно сообщил Кирилл.

— Йесс! — возликовал Гугер.

Если бы Кирилл не сказал, что сам видел псоглавца, шанс, что ему поверят, ещё сохранялся. Теперь — нет и нет.

Валерий вздохнул с невыразимой усталостью.

— Кирилл, я понимаю, что это банальный сюжет из трэша. У нас с Гугером роль скептиков, которые должны быть посрамлены. Видимо, ты считаешь, что надо сколько-то прожить здесь, чтобы сойти за своих, тогда псоглавцы объявятся и посрамят нас. О'кей. Допустим, псоглавцы существуют. Ты их даже видел. Кто они?

— Монстры! — заявил Гугер и скорчил рожу монстра.

— Версия первая. Монстры. Какие-нибудь мутанты, гоминиды вроде снежного человека, не важно. Биологические существа. Так?

— Так, — кивнул Кирилл. Ему стало скучно.

— Но ведь подобные существа не могут жить сами по себе в количестве трёх-пяти экземпляров. Нужна большая популяция для воспроизведения вида. А она оставит следы, которые непременно бы обнаружили, ведь здесь заповедник. И какая у монстров пищевая база? Крупные животные истреблены. Растительноядные псоглавцы — это смешно. В общем, большой популяции здесь не прокормиться.

— Я это понимаю.

— Тогда привидения! — предложил Гугер. — Они прокормятся!

— Я надеюсь, ты не будешь настаивать, что псоглавцы — призраки?

— Не буду, — хмуро кивнул Кирилл. — Но может, это духи какие... Ведь раскольники же...

— То есть фантомы. Информационные сущности религиозного происхождения.

— Здесь святой Христофор, — напомнил Кирилл.

Валерий задумался, покусывая губы.

— Фантомы должны повторять какие-то реальные объекты. Или те объекты, которые некогда были реальными и оставили в данном месте информационный след. Святой Христофор на Керженце не бывал, здесь нет его следа. Здесь только фреска. Значит, твои псоглавцы могут повторять только Псоглавца с фрески. Но фреску мы увезём в музей. И дальше информационные дубликаты должны появляться там, где находится источник — изображение святого Христофора. То есть в музее. А в этой деревне искать псоглавцев уже бесполезно.

Если бы Кирилл сам придумал такое объяснение псоглавцам, то стоял бы за него насмерть. А в изложении Валерия выглядело, что фреска — ксерокс, который печатает псоглавцев-привидений. Где ксерокс, там и копии. Валерий превратил чудо в обыденность.

— Какие ещё будут версии?

— Пришельцы! — прорычал Гугер.

— Это не пришельцы, — с досадой отмахнулся Кирилл.

— Слава богу. Пришельцами ты меня бы доконал.

— Оборотни, — не унимался Гугер.

— Мне кажется, оборотни, — тихо сказал Кирилл. Сейчас он был готов рвать на себе волосы, так глупо это всё звучало.

— То есть местные жители иногда превращаются в псоглавцев, да?

— Кир, завязывай с этой девчонкой, — влез веселящийся Гугер. — Она тебя загрызёт!

— Что-то вроде этого...

— Кирилл, но есть биология! Даже если возможна трансформация человеческой головы в собачью, это долгий процесс! Годы, а не минуты! Это ведь регулируется метаболизмом, ростом тканей... Ну какие оборотни, Кирилл?

— Но я видел, — тупо сказал Кирилл. — Это оборотни.

— Самое опасное — минет от девушки-оборотня! — заговорщицки сообщил Гугер, слез с порожка и начал отряхивать джинсы на заду.

— Чего ты ржёшь, Гугер? Тебе не интересно? — разозлился Кирилл.

— Оборотни бывают только в играх, — неожиданно жёстко ответил Гугер. — А игры — туфта.

— Почему тогда сидишь день и ночь в онлайне?

Гугер посмотрел в глаза Кириллу, и Кирилл вдруг прочёл во взгляде Гугера и ненависть, и тоску.

— В играх возможно всё, поэтому они туфта, — отчеканил Гугер. — Но лучше всё, чем ничего. Как здесь, в херовом офлайне.

Гугер развернулся и пошёл из сарая к крыльцу школы.

— Ты задел его символ веры, — задумчиво заметил Валерий.

— Он верит, что ничего нет, а я верю, что есть псоглавцы.

— Верую, ибо абсурдно.

— Не абсурдно. Просто я доказать не могу.

— Хорошо, Кирилл, и я тебе тоже скажу, во что верю, — произнёс Валерий и спрыгнул с порожка автобусного салона. — Ты веришь в оборотней, а я — в культуру. Человек может стать скотом. И эта деревня — яркий тому пример. Здесь живут люди-скоты. Злые и незлые, образованные и невежественные, хорошие и плохие. Не важно. Важно то, что у них нет культуры. А без культуры невозможно стать оборотнем. Оборотень — культурный герой. Но не бывает культурного героя там, где нет культуры. И наплевать на метаболизм. Не путай оборотней и скотов.

— Как нет культуры? — не понял Кирилл.

— А так. Для невежды Земля плоская, потому что он так видит. Для образованного человека — круглая, потому что ему так сказали. Но и невежда, и образованный человек не задумывались, какая Земля, они просто узнали. А человек культуры — задумывается. Вот и вся разница.

Кирилл едва не качнулся. Валерий высказал те сомнения, которые больше всего и смущали Кирилла. И правота Валерия была просто чудовищной. Да, оборотень — культурный герой. Святой Христофор и расколоучители Керженца — тоже культурные герои. А в Калитине нет культуры. Была культура раскольников, пока стояли скиты, но скиты уничтожены. Здесь никто ничего не помнит, вместо преданий — какие-то обрывки, убогие бредни. Ну какие здесь оборотни? Здесь нет для них среды. Почвы. Здесь легенда о святом Христофоре — семя в песке, оно не прорастёт цветком чуда. Ублюдок Лёха Годовалов или уголовник Саня Омский — разве люди культуры? Разве они способны на перевоплощение в псоглавца? А Мурыгин, Верка, Раиса Петровна — разве люди культуры?..

А Лиза? А Лиза? Но ведь и Лиза тоже... Так есть здесь псоглавцы или нет их? Нет? Нет, есть, сказал себе Кирилл. Это не вопрос веры.

Кирюша, это несерьёзно...

27

Конечно, утром он уедет вместе с Гугером и Валерием. Один здесь не останется. На полуслове оборвутся отношения с Лизой, так и не откроется тайна псоглавцев. Почему? Из-за раннего отъезда? Нет.

Отъезд — лишь реализация чего-то другого. Какого-то отторжения. Он, Кирилл, вполне совместился с этой деревней. Пускай его бесило почти всё, тем не менее он совместился, хоть и в негативе. Впрочем, учитывая Лизу, — и в позитиве тоже. А Валерий с Гугером — никак.

Они убегают отсюда как из инородной среды. В их аквалангах кончается воздух. Они задыхаются. Но чем же они дышали прежде? Чем их кислород отличался от кислорода Кирилла? Такой вопрос не задать прямо, потому что ответ будет дурацким. Можно попробовать поискать ответ самому. Где? В Livejournal Валерия и Гугера.

Лурия говорил, что их команду подбирали по ЖЖ. Что ж, надо посмотреть. Кирилл начал с Гугера.

ЖЖ Гугера расползался во все стороны десятками ссылок на другие ресурсы, чаще всего — на игровые комьюнити. Помнится, Чеширский Кот говорил Алисе: если ты не знаешь, куда хочешь, иди хоть куда. Кирилл пошёл куда попало.

Guger участвовал в обсуждении некоего Мира Дальминдора.

Guger: По сабжу, после тщательного чтения всего написанного, полностью согласен с расширением союзного квартала. ИМХО, из всех предложенных идей эта самая реальная.

Me4enosez: А поговорить о новых расах-существах?

R_o_l_a_n_d: Могу кинуть список рас из двух больших вселенных. Они друг друга дополнят. Думаю, получится рас 25, не меньше.

LubluFriske: А я вовсе не жажду увидеть их всех в Дальминдоре.

Strannik111: Поддерживаю R_o_l_a_n_d. Для тех 25 уже создали около 30 разных юнитов, притом каждая раса более-менее уникальна.

Beowulf: А зачем нежить и вампиров разделять? Это сломает всю некромантию. Некромант может водить вампира с собой. Как раса союзников нежить — хороший вариант, но без некромантов-людей! Кто тогда ими должен командовать: лич, рыцарь смерти или ещё кто-то?

Lev_iz_Atlantidy: Тёмные звери — это кто? Если пауки-василиски или даже гидры — категорически против. Это не раса и не животные. Если разумные — то приведите пример.

Guger: Помимо существующих союзнических рас, можно добавить тёмных эльфов (уравновешивают светлых), крысолюдей (что-то вроде половинчиков и гоблинов), волколюдей (нейтралы), нежить (про их карму — большой вопрос, может быть и светлая, и тёмная). Также нужно добавить 2 светлые расы, иначе дисбаланс. Такими могут быть, например, русалки и птицелюди (враги гарпий и мантикор).

Fuete: Скорее всего, имеются в виду гноллы (как из «Героев-3»).

Landsknecht: Увеличение квартала союзников — конечно, хорошо, но хотелось бы разнообразия в кампании. Хотя бы разных целей на осколках и разных условий победы. Изредка играю магом (когда условия располагают), пробовал командиром и разведчиком. Но так обычно воином, чтоб не усложнять и без того сложную и долгую игру.

LubluFriske: Наверное, Guger имел в виду воргенов, так ведь?

Me4enosez: Гноллы — это гуманоиды с собачьими головами?

Strannik111: Думалось мне намедни, что у гноллов всё-таки головы гиен, реже — собак. Но если речь идет о «волках» (которые на двух ногах стоят), то это всё-таки воргены.

R_o_l_a_n_d: Возможно, головы гиен. Каюсь, играя в HMM3, не очень к юнитам присматривался. Да и когда это было?

Guger: Я не привёл те расы, которые обязаны быть. Это к теме о том, что реально создать различных юнитов для 10—15 рас и более.

Beowulf: Да, да, можно создать кучу недорас, у каждой из которых будет по 1—2 юнита, дублирующих уже действующих юнитов, и совершенно не вписывающихся в существующий мир Дальминдора. Вот только не могу понять — зачем?

Guger: Кампанию надо разнообразить. Честно говоря, после 30 осколков уже скучно развиваться каждый раз с нуля... Дайте хоть пару зданий автопостройкой и возможность за энергию убрать готовые здания. Можно привязать к количеству осколков и поверженных противников. И здания давать типа «лесопилка», «кузня», «таверна», «рынок», «храм», «кристалл» и т. д., что не требует выбора постройки. И цели в миссии надо разнообразить, а то тупо «убей всех врагов»... Скучно становится. Тем более к середине битвы за осколок, если чуть-чуть повезёт, у меня герой-воин уже отлично танкует в одиночку, и редко где ему нужна пати в помощь.

Landsknecht: Возможно, я требую революцию, но определите наконец, как же называть волколюдей? Вот названия, которые тут просияли: воргены, ругару, варги, вервольфы, оборотни, гноллы.

Lev_iz_Atlantidy: Можно ещё вспомнить ликантропов и волколаков. Но не подходит. Дальминдору нужно что-нибудь самобытное.

LubluFriske: Например?

Proxima: Что-то вроде древочеловека или людоящера.

Beowulf: Это уже есть.

4erepYorika: Как всегда, я всё узнаю последним. Ещё не оправился от существования двух ядер в компьютере, а тут на тебе.

У Кирилла зажужжало в мозгах от этого инопланетного спора. Он понял, что комьюнити Гугера заселяет новый мир — Дальминдор — разными тварями. В том числе и гноллами. Помнится, Псоглавца, святого Христофора с собачьей головой, Гугер назвал гноллом.

Кирилл ушёл с ЖЖ Гугера и полез смотреть, кто такие гноллы.

Их придумал лорд Эдвард Дансени, автор романов-фэнтези, где-то после Первой мировой войны. Лорд просто слепил воедино тролля и гнома, и получился гнолл. Герои лорда приглянулись Гэри Гайгексу, тоже писателю и заодно игровому дизайнеру. В 1970 году Гайгекс разработал первую настольную ролевую игру «Dungeons & Dragons» — «Подземелья и драконы». Среди прочих чудищ там были и гноллы.

Игра развивалась, ветвилась, дублировалась — и наконец вышла в виртуальное пространство. Для объяснения устройства игровых миров, стратегий поведения и характеров персонажей Гайгекс написал несколько объёмистых книг. Капитальный труд 1977 года «Monster Manual» содержал подробный рассказ о гноллах. Кирилл не стал вникать в подробности анатомии, нрава, быта и веры этих существ. Гайгекс утверждал, что он всё выдумал сам, не обращаясь к опыту Дансени или Толкина. Наверное, было и так, и не так. Главное в том, понял Кирилл, что Гайгекс повторил подвиг Иакова Ворагинского, епископа Генуи, а его «Monster Manual», «Управление монстрами», в каком-то смысле повторяло «Legenda Sanctorum», «Золотую легенду» Ворагинского. Семи веков, разделяющих эти книги, как не было.

Значит, в СССР строили лагеря, а их контингент, глядя на фреску святого Христофора, придумывал «торфяных гапонов». А в Европе строили персональные компьютеры, а их пользователи, читая Толкина или «Золотую легенду», придумывали гноллов. В Европе создавали «Dungeons & Dragons», «дэ-энд-дэ», а в СССР — ДНД, добровольные народные дружины. Такие разные ролевые игры.

И вот Гугер с ноутбуком под мышкой и Дальминдором в голове приезжает в бывший лагерь у деревни Калитино, а Кирилл предлагает ему поиграть здесь в «торфяных гапонов». Нет. Этот геймер в такие игры не играет. «Гапоны» не тождественны гноллам и с ними несовместимы, как несовместимы Дальминдор и Калитино. А поскольку другой игрой деревню не загрузить, геймер просто покидает ресурс.

Кирилл тоже покинул Гугера и перешёл к Валерию. Валерий имел ник Valery1985. И активно присутствовал в ЖЖ все дни, пока был в Калитине. Гугер из деревни выходил в и-нет в свои игры. Сам Кирилл выходил в и-нет, чтобы собирать информацию. А Валерий прямо с поля боя вёл теоретический спор. Последние посты были датированы сегодняшним числом. Кирилл представил, как в заброшенной церкви Валерий сидит на куче мусора с ноутбуком на коленях и дискутирует с невидимыми собеседниками.

Кирилл пробежал взглядом по гармошке постов и понял, что Валерий и его оппоненты обсуждают, что же такое современная деревня в культурном смысле. Как раз примерно то, о чём говорил Валерий, когда заявил, что псоглавцев здесь быть не может.

Valery1985: Боюсь, что прав Diskobol, а ваши взгляды, Missia, просто народничество, свойственное отечественному интеллигенту.

Missia: Уверяю, Valery, что мои взгляды основаны на статистике.

Paracels: Как известно, есть ложь, большая ложь и статистика.

Missia: Не будем трюизмы выдавать за аргументы, хорошо?

Valery1985: Статистика не учитывает многие параметры, которые видны при личном знакомстве с социумом.

Missia: Частный опыт не универсален по определению.

Valery1985: Хорошо, но у меня он хотя бы есть. И с ним я склонен разделить мнение Paracels.

Paracels: Эти мысли, прошу прощения, я высказал ещё в прошлом году в своей статье в 7-м номере журнала «По-настоящему на самом деле». Русская деревня как самостоятельный мир уничтожена.

Diskobol: Что для вас основа русской деревни?

Paracels: В первую очередь общинность. Против неё и были направлены реформы Столыпина. Против Бунина, Чехова и Горького.

Missia: Эти господа ненавидели деревню. А Столыпин не прошёл.

Paracels: Ненависть классиков объясняется их буржуазностью, для которой общинность неприемлема. А Столыпин, скажем так, просто не успел. Колхозы и совхозы надолго «подморозили» разлагающееся тело деревни. Но Постановление Совмина от 1974 года о ликвидации малых деревень возобновило процесс и добило деревню.

Diskobol: Почему?

Paracels: Большие сёла не сельские общины, а маленькие города.

Missia: Гибель русской деревни — это Белов, Распутин, Астафьев.

Diskobol: Согласен абсолютно.

Valery1985: Я о том же, господа. Русской деревни как мира больше нет. То, что существует, деградировало. И мой опыт говорит, что культура этих остаточных сообществ — не культура сельских общин, а культура племён. Их надо изучать не по Проппу, а по Леви-Строссу.

Paracels: Очень неожиданная мысль.

Кирилл полез в и-нет искать про Леви-Стросса и Проппа.

Владимир Пропп родился в 1895-м, а умер в 1970 году. Работал в Ленинградском университете. Фольклорист и филолог. Пропп изучал структуру сказок, в том числе и русских. Он выявил 31 функцию сказочных героев. Определив «устройство» сказок, Пропп соотнёс их с древними культами и доказал, что сказки — продукт разложения тотемизма и шаманизма. И не важно, какая сказка, христианская, мусульманская или буддистская: все они родом из древних верований в духов стихий и силу заклятий. Скелет один и тот же, мускулатура разная. По Проппу, культура русской деревни — это новый и сложный этап развития такого же сложного языческого мировоззрения.

По Проппу, понял Кирилл, Псоглавец — леший, прирученный силой христианства. Если есть лешие, то есть и псоглавцы, как если есть волки, то есть и собаки. Но Валерий считал, что мира, который может приучить лешего, давно нет. Значит, не может быть и псоглавцев. Русская деревня опримитивилась больше, чем тот мир, который изучал Пропп. Как если бы человек деградировал не до троглодита, а до обезьяны. И Кирилл согласился с Валерием. Разве кража у туристов лодочного мотора — это отголосок культа плодородия?

Клод Леви-Стросс родился в 1908 году, а умер в 2009-м. Закончил Сорбонну. Несколько десятилетий провёл в дебрях Амазонки, изучая жизнь индейцев. Этнограф, социолог, культуролог, он сформулировал суть человеческого, базис антропологии. Он выявил поведенческие стратегии, которые отличают племя от стаи. А культура — просто способ фиксации этих стратегий в сознании, потому что как инстинкты стратегии не фиксируются. Леви-Стросс проследил, как эти стратегии продолжают своё существование в сообществах, куда более сложных, чем племена Амазонки. Как они существуют в дне сегодняшнем. Как культура обслуживает их и в джунглях тропической Америки, и в залах Лувра, и в палате лордов. Уровень племён, которые изучал Леви-Стросс, предшествовал уровню народа, который изучал Пропп.

Кирилл продолжал читать.

Missia: А что для вас культура?

Valery1985: Процесс познания и осмысления мира. Как и для вас. В нынешней деревне культура не процесс, а статичный набор навыков и представлений. Нет движения, развития. Гегель здесь и не ночевал.

Diskobol: Чем характеризуется племя по Леви-Строссу?

Paracels: В племя людей объединяет не родство и не общий труд, а в первую очередь случайный набор факторов, удерживающих сообщество в стабильности. Родство и разделение труда — вторичны.

Diskobol: Какой фактор в вашей деревне?

Valery1985: Невозможность уехать. Здесь есть некий местный владыка, который сжигает дома тех, кто собирается уехать.

Missia: Зачем??!!

Valery1985: Здесь заповедник. А у богача — дача. Не станет деревни — дачу выселят. Но за участок со сгоревшим домом заповедник заплатит копейки, которых жителю на отъезд не хватит.

Diskobol: А разные стратегии племени? «Война», к примеру.

Valery1985: «Война» здесь — грабёж приезжих. Чужак — приезжий. Турист. Что украдут — то трофей, военная добыча.

Diskobol: Гм. А «охота»?

Valery1985: «Охота» — промыслы вроде рыбалки или ягод, работа на богатых. «Собирательство» — социальные пособия вроде пенсий.

Diskobol: А «культ предков»?

Valery1985: «Культ предков» нужен для благополучия. Здесь «предки» стали «потомками» — детьми, которые уехали в город и помогают деревенским родителям. Для них — лучший кусок в доме.

Кирилл этого не наблюдал воочию, но согласился, что так и есть. Богатство Мурыгина держалось на потомке — сыне Мишке. Наверняка в доме Мурыгина Мишка был объектом культа. Валерий сообразил это без знакомства с Мурыгиным.

Деревня Калитино, по мнению Валерия, деградировала до уровня культуры тех племён, которые изучал Леви-Стросс. Но псоглавцев на этом уровне попросту не могло быть. Они могли быть на уровне культуры тех общин, которые изучал Пропп, но деревня Калитино давно скатилась с той ступени. Псоглавцам не было места. Об этом и говорил Валерий: нет культурного героя там, где нет культуры.

Кирилл почувствовал себя римлянином. Он, Валерий, Гугер — это римляне в стране варваров. Гугер сказал, что боги варваров не могут играть в богов Олимпа, а Валерий сказал, что у варваров вообще не может быть богов, потому что все боги — на Олимпе, а Олимп не здесь. Гугер и Валерий были правы. Но кого же тогда увидел Кирилл?

А это не важно. Всё равно римляне уезжают в Рим.

Кирилл сидел в своём классе с ноутбуком на парте. В разбитом окне школы клубилась темнота и затекала в помещение. Её отгонял только синий свет экрана. В дверь постучали, и потом деликатно всунулся Валерий. Кирилл быстро переключил файлы, словно читать ЖЖ Валерия было так же неприлично, как читать его письма.

— Кирилл, — позвал Валерий. — Мы собираем вещи.

— За меня не беспокойтесь.

— Я не об этом. Надо удлинители забрать. Сходить к соседям, мы ведь к ним подключены. И расплатиться тоже надо.

28

Наматывая провод на длинную планку пилота, Кирилл шагал через огородные грядки к дому Токаревых. Окна там не светились, разве что с другой стороны. Дом стоял в сумраке, будто нежилой. Кирилл неудержимо приближался к крыльцу. Провод виток за витком укладывался на пилот. Кончику всё равно быть, думал Кирилл. Всё равно придётся сказать Лизе, что он уезжает, и вряд ли он сможет уклониться от надрывных разговоров. Лиза заплачет? Заистерит?

Кирилл просто не знал, что ему делать. Он в любом случае покинет деревню, не завтра, так послезавтра. Но вопрос в другом. В том, что у его отношений с Лизой нет перспективы. Остаться насовсем — без комментариев. А приезжать сюда изредка — значит, внушать Лизе напрасную надежду. В Москве тяга к Лизе развеется, это точно.

Можно, конечно, взять Лизу к себе... Кирилл не хотел такого сравнения, но оно само напрашивалось: это будто завести в Москве корову. Здесь, в деревне Калитино, Лиза нужна ему, да. А вообще?..

Кирилл подошёл к крыльцу. Провод нырял под запертую дверь веранды. Стучать бесполезно: через две двери его стук в доме не услышат. Вот откуда эта странная деревенская традиция — барабанить в окно... Кирилл положил пилот на крыльцо и обошёл дом. В окошках, за которыми вроде как была комната Лизы, сквозь занавески неярко горела настольная лампа.

Он тихонько побренчал пальцами в стекло. Через миг занавеска сдвинулась, кто-то посмотрел на Кирилла, а потом окошко открылось. Против света Кирилл узнал Лизу по ореолу растрёпанных волос.

— Лиза, выйди, — прошептал Кирилл. — Поговорить надо.

Он направился обратно к крыльцу.

Лиза стояла в проёме босая, одетая в цветастый халатик.

— Я провод хочу забрать, — пояснил Кирилл, поднимаясь по ступенькам. Он показал пилот. — Надо вилку из розетки выдернуть.

Лиза молча ушла в дом. Кирилл прислонился плечом к косяку. Лиза вернулась и протянула Кириллу вилку с хвостом провода.

— У... у... — попробовала сказать она.

Кирилл понял, что она хочет спросить: «Уезжаете?» Из темноты веранды Лиза прямо и смело смотрела в лицо Кирилла. А Кирилл не мог смотреть так же прямо, хотя почти не различал лица Лизы.

— Мы уезжаем рано утром, — сказал он, глядя в сторону, и протянул приготовленные деньги. — Это Раисе Петровне за электричество.

Лиза деньги не брала. С отказа от денег должна начаться сцена оскорблённой гордости, подумал Кирилл. Но ведь он ничего не обещал Лизе. Он и не трахался с нею, чтобы оказаться обязанным.

— С-совсем? — спросила Лиза.

— Совсем.

Лиза взяла деньги и сунула в карман халата. Она стояла и молчала. Какими были её глаза, Кирилл не знал. Он тоже стоял и молчал. А чего стоять? Лиза деньги взяла. Значит, в расчёте.

Не бери у нас ничего. Он заплатил за то, что взял.

— Я пойду, — сказал Кирилл, отлепляясь от косяка.

Ну, и всё. Нет больше в его жизни Лизы, псоглавцев, тайны торфяных карьеров. Надо было сразу признаться себе, что влюбился в Лизу, подумал Кирилл. Тогда бы сейчас Лиза простилась с ним хотя бы с грустью. Но он ничего не сделал, чтобы чего-то ожидать в ответ.

— П-погоди... — прошептала Лиза.

Она скрылась в доме. Иконой, что ли, меня благословит? — подумал Кирилл, стараясь настроиться на язвительный лад. Но Лиза вернулась на веранду без иконы и молча начала всовывать босые ноги в резиновые сапоги.

Они вышли на крыльцо. Лиза прикрыла дверь и показала Кириллу какой-то ключ, слабо блеснувший в мутной темноте.

— Там... весь дом... пустой, — тихо сказала Лиза. — П-пойдём... туда?

Кирилл не понял: что, Лиза решила переспать с ним напоследок?

Дымная тёмная улица была без людей, окна школы — без света. Лиза вела Кирилла мимо школы к соседнему дому, который был обшит сайдингом и стоял без хозяев.

— Хозяева... городские, — прошептала Лиза. — Я им... клубнику... поливаю. Они ключ... мне... оставляют.

Лиза на Кирилла не смотрела, а Кирилл то и дело оглядывался на Лизу. Она казалась обычной, спокойной, заторможенной, но Кирилл понимал, что всё не так. В душе у Лизы всё горит. Но чего Лиза хочет? Попрощаться насовсем? Или привязать его к себе? Только в деревне, наверное, ещё верят, что постелью можно привязать.

Кирилл знал, что постель стоит недорого. Он видел, как Веронике было хорошо с ним в постели. Но это не помешало ей уйти, когда всё остальное у Кирилла для неё стало второсортным. Кстати, и Вероника легла с ним сама, он не звал. Она просто забралась в его койку, когда он остался ночевать у друзей в общежитии. За ту близость Кирилл переселил Веронику к себе, в квартиру тётки. И что это ему дало?..

Если Лиза рассчитывает, что после секса Кирилл увезёт её в Москву, то она ошибается. Была у него мысль позвать Лизу с собой, да, но мысль — не твёрдое решение. Зря Лиза надеется, что сексом превратит свою надежду в его гарантию. Москву надо заслужить. Если Лиза хочет к нему, то должна дать больше, чем у него уже есть. А у него есть Москва. Что может быть больше этого?

Лиза открыла калитку, пропустила Кирилла вперёд и закрыла калитку. Потом обогнала Кирилла, поднялась на крыльцо, отперла дверь и опять пропустила Кирилла вперёд. Кирилл почувствовал себя каким-то начальником, перед которым заискивают.

Лиза не включала свет, но и так было видно всё. Кирилл стоял посреди тёмной комнаты и оглядывался, а Лиза по-хозяйски застилала широкую кровать чистым и чужим бельём, которое доставала из шкафа-стенки. Комната была обставлена по-городскому: кресла, ЖК-телевизор, уютные бра, журнальный столик на колёсиках, евроокна с врезанным кондишном. Хозяева жили со сдержанным комфортом. Наверное, приезжали на неделю в месяц, загорали в шезлонгах, ели малину с настоящими сливками, купались, катались на велосипедах. Это была достойная, добропорядочная, немножко дворянская жизнь на даче, а не купеческие загулы Шестакова, когда в бассейне плавают проститутки, а хозяин с перепоя блюёт вискарём в рокарии.

Кирилл рассматривал Лизу, точно она была его расторопной служанкой — босоногой, от усердия растрепавшейся, в лёгком халате, надетом словно бы только для приличия. И Лиза сняла халат. Загнув руки, расстегнула и сняла лифчик, наклонившись, спустила трусики. Потом откинула одеяло и застыла, ожидая Кирилла. Кирилл сел на кровать спиной к Лизе, разделся и сразу сунулся под одеяло. Лиза осторожно легла рядом.

Не надо туда. Ладно, забыли про это.

Она вся была из тугих и живых округлостей и пахла горько и тонко, словно из торфяной гари вымыло почвенную духоту чада, и остался благородный жар пламени. Кирилл не думал, что у Лизы такие мягкие губы и такие тяжёлые волосы. Оказывается, он раньше и не испытывал тёмной звериной сладости повелевать женщиной по-настоящему, но только после этого можно было говорить о женщине «моя». То, что делала Лиза, по-старинному называлось «отдаваться». Вероника же всегда только «дозволяла». Чего хотела Вероника, всегда было приятно для неё и немножко стыдно для Кирилла, а сейчас ему было приятно делать, что хотел он, и это было немножко стыдно для Лизы. Ведь Лиза, понял Кирилл, ничего не знала. Да и кто мог рассказать ей о самой себе через нежность и ласку — Годовалов, что ли, который зажимал рот и заламывал руку в болевом приёме? И Лиза впервые закричала не от боли и обиды. Закричала чисто и ясно и в то же время как-то тихо, для одного только Кирилла, чтобы из этих стен её голос не вырвался во тьму деревни Калитино.

Кирилл повалился на спину и долго лежал без движения, тяжело дыша. Лиза тихонько пристроилась рядом на боку, Кирилл чувствовал касание её груди. Он поглядел на Лизу. Лиза подпёрла голову рукой и глядела на Кирилла. У неё припухли и губы, и глаза.

— Щекотишься, — тихо сказал Кирилл, и Лиза послушно убрала с его скулы прядку своих волос.

Кирилл ни о чём не думал. Его засасывало в сладкую дрёму. Он бы заснул, поддавшись, но Лиза почему-то полезла через него, встала с кровати и пошла к выходу.

— Я сейчас, — оборачиваясь, виновато сказала она.

Держась за косяк, она по очереди засовывала ноги в сапоги.

Негромко хлопнула входная дверь.

Кирилл приподнялся на локте и выглянул в окно.

Лиза, голая, только в резиновых сапогах, прошла к воротам. В дымной тьме она казалась призраком — обнажённая и потому ещё более нереальная. Она открыла калитку, оглянулась и сделала рукой движение, словно приглашала кого-то выйти со двора на улицу. Кого? Кирилл недоумевал. А потом увидел, что по двору друг за другом бегут две собаки, большая и поменьше. Это им Лиза открыла калитку.

Кирилл подскочил на кровати и проснулся. Он всё-таки задремал. Лиза лежала рядом, подперев голову, и легко, почти невесомо, гладила его по лицу.

— Спи-спи! — обеспокоенно зашептала она ему, как ребёнку.

— Кошмар приснился... — пробормотал Кирилл, расслабляясь и закрывая глаза.

Псоглавцы не отпускали его. Они уже были в памяти, в душе.

— Тебе здесь страшно... — печально прошептала Лиза. — Но это скоро закончится. Дома станет всё хорошо.

Это точно, подумал Кирилл. Дома станет всё хорошо. Псоглавцы, карьеры — они будут жуткими и прекрасными воспоминаниями. Он будет рассказывать о псоглавцах девчонкам, и девчонки станут просить свозить их в эту мрачную деревню, чтобы визжать здесь от ужаса и прижиматься грудями к его предплечью. Но подставлять груди можно и без деревни Калитино. И он никогда сюда не вернётся. Не потому, что здесь страшные псоглавцы, а потому, что здесь Лиза.

Ну как он возьмёт её в Москву? Кем она там будет? Москву надо заслужить. Интернатовского ЕГЭ Лизе не хватит, чтобы поступить на учёбу. Лиза стеснительная, неразговорчивая, и останется такой, даже если вылечит заикание. А вылечить — это ходить по больницам, полис, то-сё, прописка, деньги... Лиза, конечно, красивая. Такие сиськи, такая попка. Естественная блондинка. Похожие девочки устраиваются официанточками в рестораны «Ёлки-палки» и выскакивают замуж. Но Лизу не возьмут в «Ёлки-палки»: она не сможет улыбаться чужим людям с оценивающими взглядами, она не запомнит блюда меню, она перепутает все заказы. Да и глупо брать её с собой, чтобы она искала женихов в ресторане. В Москве Лизе место лишь лифтёршей, дворничихой, посудомойкой. Такую даже в подъезд на ресепшн не устроить. А сидеть дома и молча смотреть всю жизнь на Кутузовский... Нет, забирать Лизу в Москву —

это жестоко по отношению к ней самой. *Кирюша, это несерьёзно...*

— Лиза, а ты хочешь в Москву? — спросил Кирилл.

Её лицо не дрогнуло, словно она давно уже всё решила.

— Я была в Москве, — тихо ответила Лиза, будто поездка исчерпала все отношения с Москвой. — Меня папка возил. Там у вас так красиво, столько огней... Я не могла понять, как можно спать в Москве? Надо смотреть, смотреть, смотреть... Ведь Кремль, Третьяковская галерея, Большой театр, всё настоящее... Я говорю папке: давай не будем спать, будем до утра кататься в метро. А он говорит, метро тоже на ночь закрывают. А мы устали уже. Целый день ходили. Видели собор Василия Блаженного, Останкинскую телевышку, часы такие забавные с куклами, Новодевичий монастырь, Музей Андрея Рублёва... Папка меня на корабле катал. Я МГУ увидала, думала, как здорово там учиться, сидишь на уроке, а урок в огромной башне. Но я в тот раз заснула, дурочка, и пол-Москвы своей проспала.

Лиза так и не ответила на его вопрос.

— А кем ты хотела быть?

— Ну, кем-нибудь, потихоньку...

Лиза потянулась за одеялом, но Кирилл остановил её. Голая — она откровенная.

— Учительницей, — сказала Лиза. — В младших классах. Чтобы уроки были как игры, но все научались читать и писать. Это самое важное — читать и писать.

Чтобы стать учителем начальной школы, подумал Кирилл, хватит педучилища где-нибудь в райцентре.

— Лиза... и всё-таки... — настаивал он.

Ему надо было услышать либо твёрдое «да», либо твёрдое «нет». Своего решения он не изменит. Но будет знать, что сделал, приняв это решение. *Я правда помогу...* Не получилось.

— Кирюша... — жалобно прошептала Лиза, словно просила пощады.

«Кирюшей» его называла Вероника. В этом её обращении Кирилл всегда прочитывал ласковое снисхождение. А пухлые, зацелованные губы Лизы произнесли «Кирюша» как ответный поцелуй.

Хочет Лиза в Москву или нет? Четыре года назад Кирилла поразил фильм «Дьявол носит Prada». Как там в финале фильма беспощадно отчеканила Миранда Пристли, гламурная акула, мудрая и циничная редакторша глянцевого журнала? «Этого хотят все».

— И всё-таки? — повторил Кирилл.

Лиза нежно погладила Кирилла по щеке.

— Кирюша, это не важно — где. Важно — с кем. Ты хороший. Самый хороший. Ты добрый, храбрый, сильный. У меня папка был такой. Я же не умерла, когда его не стало. Нигде — значит, ни с кем. Я всё понимаю. Ты не думай об этом, Кирюша. Ты не виноват. Ты засыпай, я разбужу тебя, когда будет надо.

Кирилл тоже всё понял. Ещё он понял, что Лиза хочет проститься с ним, пока он будет спать. Проститься с ним, но как бы без него.

29

Кажется, над деревней Калитино появилось небо. Кирилл пил кофе и в окошке видел за крышей школы какие-то синие размывы. Лиза собирала постель: простыня, пододеяльник и наволочки — в кучу на пол, одеяло и подушки — аккуратно в шкаф. Бельё всё-таки чужое, его надо выстирать и выгладить, только потом можно положить в хозяйскую стопку.

Лиза разбудила Кирилла в 5.45. Чайник уже кипел, банка кофе и сахарница ждали на столе. Спала Лиза в эту ночь или нет? Кирилл не смог определить, а спрашивать не стал. Лиза хлопотала по дому, ликвидируя следы их ночлега. Ей легче было сделать это при Кирилле. Кирилл знал: когда он уйдёт, Лиза будет реветь над чашкой, над ложкой, над банкой кофе. И Лиза тоже это знала, а потому старалась переделать все необходимые дела и этим сократить количество будущих напоминаний о разлуке.

В халатике, растрёпанная, румяная, она была очень домашней, тёплой, своей. Но Кирилл гнал нежность прочь. Всё. Не судьба.

— Я пойду,— сказал Кирилл, отодвигая чашку.— Спасибо.

Он встал.

— Конечно,— кивнула Лиза, не глядя ему в глаза.

Кирилл поцеловал её в горячую щёку.

— Пока,— сказала Лиза.

— Пока.

Кирилл вышел на улицу. И вправду поддувал беглый ветерок. Может, дым торфяных пожаров отнесёт в сторону от деревни и хоть напоследок он вздохнёт свободно? Хотя и сейчас дышалось уже легко. Но это не из-за ветра, это из-за Лизы. Ведь обошлось без драмы.

Кирилл шагал к школе. В проулке он увидел двух коров.

Гугер сидел на крыльце школы и курил.

— Нормально ты, Кир, — хмыкнул он. — Успел всё-таки?

— Успел, — кивнул Кирилл.

— Везёт. У тебя тут сразу и триллер, и эротика. А у меня что?

— Рекламная пауза.

Гугер сплюнул, и вдруг лицо его застыло.

— Так, — сказал он, слезая с крыльца. — Только ничего не говори.

Кирилл не понял, о чём это он. Гугер пристально смотрел куда-то за плечо Кирилла. Кирилл оглянулся. Всё тот же двор школы. Бурьян. Вкопанные автопокрышки. Забор Токаревых. Угол школы. Угол сарая. В воротах сарая, в скобах, цепь висела с отомкнутым замком.

— Я его не открывал, — сказал Гугер. — Но я его закрывал.

— Может, Валерий открыл? — тревожно предположил Кирилл.

— Ключа я ему не давал.

Гугер бросил окурок, принялся рыться в карманах и вытащил ключ от замка, который Мурыгин дал Кириллу. Гугер долго глядел на ключ, а потом вдруг опять полез по карманам. Кирилл наблюдал.

— Брелока от «мерса» нет... — мёртвым голосом произнёс Гугер.

— Пойдём посмотрим, — предложил Кирилл.

Вдвоём они молча подошли к воротам сарая. Гугер взялся за скобу и потянул створку ворот на себя. Сарай был пуст. Автобус исчез.

— Блядь, — тихо сказал Гугер и заорал, топая ногами: — Блядь! Блядь! Блядь!

— Гугер, ты чего? — раздалось с крыльца. — Это уже чересчур...

Валерий вытаскивал из школы большую хозяйственную сумку.

— А ты посмотри, — мрачно предложил Кирилл.

Валерий поставил сумку на крыльцо и подошёл. Он долго смотрел в пустой сарай и жевал губами.

— Я правильно понимаю, что автобус угнали? — наконец спросил он и посмотрел на Гугера и Кирилла так, словно они были виноваты.

— Правильно, блядь.

— А кто?

— Дед Пихто.

— Нелепый вопрос, конечно, — задумчиво согласился Валерий.

— Я догадываюсь, — сказал Кирилл. — Лёха Годовалов или Саня Омский. Больше некому. И незачем.

— В деревне есть и другие мужики.

Есть, подумал Кирилл. Но на такую крупную кражу надо решиться. А решиться можно только по личным мотивам. Без личных мотивов пороха не хватит. Другие просто ограбили бы автобус.

— Надо разобраться логически, — сказал Валерий. — Замок на сарае открыт или сорван?

— Открыт, — Гугер брякнул цепью, показывая замок.

— Замок принёс ты, Кирилл. У кого ты его купил?

— Есть тут кулак местный... Мурыгин фамилия.

— У него мог быть второй ключ?

Ещё бы, конечно, имелся, подумал Кирилл. Без вопросов. Такой уж человек Мурыгин. Но зачем он отдал ключ Сане и Лёхе? Он в доле?

— Он не сознается про второй ключ, — предупредил Кирилл.

— А мог он сам угнать автобус?

— Нет.

Мурыгин осторожный. Мурыгин и так хорошо живёт, рисковать не будет. Но свой бонус с кражи он получит.

— Значит, считаем, что автобус угнали эти двое. Или кто-то из них.

— Саня Омский — это старпер с палкой? — спросил Гугер. — Вэл, это он ночью к нам ломился.

— Зачем? — удивился Кирилл.

— Да бухой. Сначала дружка своего искал, потом тебя, потом денег на выпивку просил.

— Гугер, а как они автобус завели? — осторожно спросил Валерий.

— Брелок спёрли.

— Где? Когда?

— Откуда я знаю?

— Он же всегда при тебе был.

— Вэл, я не знаю! Я не карманник, я не в курсе, как это делают!

— Не нервничай.

— А ты вопросы дурацкие не задавай!

— Гугер, мы все попали. Надо решать, чего делать. С автобусом ясно. Угнали эти двое. Ключ взяли у этого... Мурыгина. Брелок украли. Теперь давайте сядем на крыльцо и подумаем. Но сначала пять минут будем молчать.

Кириллу понравилось, как Валерий взялся руководить процессом: деловито, по-американски. Да, мозги у него работали отлично. После чтения ЖЖ Кирилл преисполнился уважения к Валерию.

Валерий вернулся к крыльцу и демонстративно сел. Кирилл тоже подошёл к крыльцу и сел с другой стороны, спиной к Валерию. Гугер потоптался у открытых ворот сарая и ринулся к Валерию и Кириллу.

— Надо прямо щас... — начал он.

Валерий зажал уши и сказал:

— Пять минут.

Гугер ожесточённо плюхнулся задом на ступеньку и закурил.

Кирилл смотрел через забор школы на обшитый белым сайдингом соседский дом. Несколько часов назад за теми окнами он занимался сексом с Лизой. Сейчас всё это стало страшно далеко и совершенно не важно. Важен — автобус. Дело не в том, что без автобуса они застряли здесь надолго. Дело в том, что автобус «мерседес» стоит огромных денег, и выплачивать конторе проката придётся из своего кармана.

— Что ты хотел сказать? — спросил Валерий у Гугера.

— Уже ничего.

— Понятно. С чего начнём? Позвоним в милицию?

— Ближайшее отделение только в посёлке, это сорок километров, — сообщил Кирилл. — Если кто и приедет, только завтра.

— Менты ни хера не будут искать, — горько сказал Гугер. — Потому что ни хера никогда не находят. Внесут в базу данных угона, и всё.

— Уже неплохо, — осторожно заметил Валерий.

— Да ни тепло ни холодно. Чего мы в прокат сдадим? Справку? Что с ней, что без неё, — нас на бабло поставят.

— Н-да, ты прав, — согласился Валерий.

— Надо найти автобус самим, — сказал Кирилл.

Валерий и Гугер долго обдумывали его слова.

— А почему ты считаешь, что его уже сегодня вечером не продадут в Нижнем так, что концов не отыскать?

— Саня и Лёха пьяные. Им надо протрезветь.

— Сомнительный аргумент.

— Пожалуй, согласен, — неохотно признал Кирилл. — Но есть ещё одно соображение. Саня и Лёха не знают, кто мы. Кто за нами стоит. Может, мы позвоним в Москву дружкам, и завтра здесь будет фургон с ОМОНом нам на выручку. Тогда Сане с Лёхой хреново придётся. Омоновцам не нужны доказательства. На кого мы укажем, того они и вывернут наизнанку. А укажем мы на Саню с Лёхой.

— У меня нет таких знакомых. А у вас?

— И у меня нет, — сказал Кирилл.

Гугер молчал, но было понятно, что он тоже без поддержки.

— Продолжай, — попросил Валерий.

— Но Саня и Лёха не знают, есть ли за нами сила. Потому сначала проверят. Ворьё всегда так поступает. Если силы нет, если никто не приедет, тогда спокойно продадут автобус. Но у нас фора пару дней.

— Думаешь, наш «мерс» где-то рядом с этой деревней спрятан? — с надеждой спросил Гугер. — И будет стоять там?

— Думаю, да.

Валерий и Гугер размышляли.

— Мы сами не найдём, — наконец подвёл итог Валерий. — Огромная территория. Заповедник. Здесь столько закоулков.

— Это так кажется. Дорог-то ведь тоже нету.

— Автобус не танк, — подтвердил Гугер. — Городская машина. Он по просёлкам не пройдёт. Его не так-то легко спрятать.

— Автобус можно спрятать в двух местах, — размышлял Кирилл. — На карьерах или на каком-нибудь отвороте с грейдера. Больше негде.

— Предлагаешь побегать поискать? — Валерий оглянулся.

— Да.

Гугер закурил. Валерий достал из кармана конфетку, развернул фантик и положил леденец в рот.

— Думаю, ты прав насчёт форы, — сказал Валерий Кириллу. — Но не прав насчёт того, что мы сами сможем найти автобус. Мы не знаем местности. Мало ли чего тут может быть. Да что угодно. Пока мы по лесу бегаем, время потеряем, фору свою.

— Надо не лес прочёсывать, а воров тряхнуть.

Кириллу ужасно не хотелось вновь встречаться с Лёхой и Саней. Вчерашней драки ему хватило. Второй раз Ромыч его не выручит.

— Давайте возьмём пистолет и потрясём их поодиночке, — сказал Кирилл. — Вы умеете бить человека, которого держат двое?

— Почему сразу бить? — напрягся Валерий.

— А потому, что по-другому они не понимают. Как животные.

— Припугнуть можно и без мордобоя.

— Чем?

— Ну, не знаю...

— Когда мы явимся трое на одного, это будет значить, что никакие омоновцы за нас не впрягутся. Какая угроза исходит от нас сейчас — такая и есть вся возможная наша угроза. А чем мы сами по себе опасны? Заявление в ментовку подадим? Это ерунда. Дом подожжём? Нет. Только мордобой и можем устроить. Но до полусмерти. А как оклемается — надо повторить, и так бить, пока не сдаст автобус.

— Пытку напоминает... — пробормотал Валерий.

А ты сам всё про это в ЖЖ и написал, подумал Кирилл.

Валерий и Гугер молчали. В их молчании Кирилл уловил какое-то согласие друг с другом, но не с собой.

— Есть ещё способ, — проскрипел Гугер.

— Какой?

— Ты иди один.

— То есть? — обомлел Кирилл.

Валерий заёрзал.

— Гугер прав, — осторожно сказал он.

— Вы о чём?! — почти закричал Кирилл.

Он уже догадался о мыслях Гугера и Валерия, но до последнего надеялся, что Гугер и Валерий не сделают неизбежных выводов.

— Угнать у нас автобус — это месть персонально тебе, — сказал Валерий. — Извини, Кирилл. Но это так. Иначе бы они просто нас ограбили. Но ты увёл у того парня девушку, а он увёл у нас автобус.

Кирилл слетел с крыльца. Валерий и Гугер сидели спинами к нему и не оборачивались.

— То есть это я во всём виноват?!

— Мы-то с Гугером ведь с ними не ссорились.

— То есть это я всех подставил?!

— Кир, не психуй, — буркнул Гугер.

Кирилла переполнила ненависть. И Лизу, значит, приплели? Не могут справиться с проблемой сами — перевалили решение на него!

— Нет, погодите, давайте разберёмся! — Кирилла подбрасывало. — Значит, вы такие белые и пушистые, а я тут со всеми разосрался, отбил девчонку, и в отместку они угнали нашу тачку?

— Да! — крикнул Гугер. — Да, Кир! Не хер было тут для них своего корчить! Не хер за их баб хвататься! Ты чужой здесь! Полез в свои — получи как свой! Ты по их правилам начал играть! Забыл, что наше дело — сторона! Расхлёбывай теперь!

Значит, по мнению Гугера, у Кирилла выбор был такой: или Годовалов насилует Лизу, или угоняет автобус. Кирилл выбрал спасти Лизу. Ушёл от своих, ввязавшись в разборки внутри чужого лагеря.

— Не орите! — крикнул и Валерий. — Гугер, замолчи! Кирилл, выслушай! Выслушай!

— А чего я ещё от вас не услышал?!

— Кирилл, тебе надо поговорить с этим парнем. Один на один. Без драки. Скажи, что мы уезжаем. Что у тебя нет видов на эту девушку. Просто отдай ему её. Это их жизнь, их отношения, понимаешь? Скажи, что мы заплатим. Пусть вернут автобус, и всё закончится.

В общем, Кирилл и так уже сделал всё это, когда час назад сказал Лизе: «Пока!» — и поцеловал в горячую щёку. В чём проблема-то?

Проблема в том, что, сказав «Пока!», он, Кирилл, стал подлецом для... Нет, не для Лизы. Лиза его простила. Для деревни Калитино. И на это ему плевать. Он здесь не живёт. Но если он поговорит с Лёхой Годоваловым, то будет подлецом для Валерия и Гугера.

Лично на них ему тоже плевать. Но они — свои. Они представляют не себя, а всех своих, вместе взятых. И пускай они никому ничего не расскажут. В душе Кирилл всё равно признает, что для своего мира, который он любил, он — подлец, бросивший девчонку, как собачонку.

Нет, он не пойдёт к Лёхе Годовалову с предложением забрать Лизу и отдать автобус, потому что этим предаст весь свой мир: все кафешки у Нескучного, Кутузовский и толстый, трогательно-могучий космический самолёт «Буран» возле Пушкинской набережной.

30

Пускай Валерий и Гугер прутся пешедралом восемь километров до карьеров, чтобы искать там автобус. Кирилл был уверен: автобус спрятан где-то вблизи дороги. Раиса Петровна говорила, что раньше недалеко от деревни стоял кордон заповедника, куда дважды в день приезжала вахтовка. Туда и шла Лиза, когда возле промоины на неё напал Годовалов. Кордона сейчас уже нет. Но его площадка-то осталась. Там и можно спрятать автобус. И недалеко, и возле трассы.

Мятая грейдерная дорога, засыпанная белёсым гравием, казалась вымощенной сохлой рыбьей чешуёй. Вдоль боковых канав плотной стеной стояли пыльные кусты. Над ними поднимались лохматые шапки осинников или высокая арматура сосновых боров. Небо шевелилось под ветерком, который перемешивал загустевшую дымную мглу, и от этого по зелени кустов и по гравию дороги перетекали тени, словно кто-то менял резкость изображения.

Ритм ходьбы успокаивал, и вскоре Кирилл перестал психовать из-за Валерия с Гугером и автобуса. Валерий с Гугером просто хотели перевалить проблему на него, это понятно. А вот автобус...

Наверное, пьяный Лёха завалился к Лизе — а её нет. Мать вряд ли выдала, где находится Лиза, но Лёха сообразил, с кем она. И взбесился. Днём Кирилл швырял в него кирпичи, а вечером увёл любовницу. Тогда в отместку Лёха ночью угнал автобус. Всё логично.

Годовалов, конечно, идиот, но ведь не до такой же степени, чтобы продавать автобус. Нет. Это уголовка, ясная как божий день. Статья и срок. Значит, Годовалов скоро объявится и, шантажируя автобусом, станет что-нибудь вымогать. А вымогательство – ситуация понятная. В общем, автобус всё равно вернётся. Чёрт его знает каким образом, но вернётся. Если Кирилл вообще не отыщет его сам до начала торга.

Кирилл дошёл до промоины. Никаких отворотов по пути он не встретил. Лишь в одном месте показалось, что отворот есть, но через десять шагов Кирилл понял, что здесь какой-то пьяный тракторист просто съехал с дороги, проломился сквозь кусты и врезался в дерево.

Промоина оказалась руслом лесного ручья, даже небольшой речки. Сейчас речка пересохла. Сквозь насыпь грейдера для неё были проложены трубы, но их давно забило гнилым мусором. Весной речка не могла протиснуться сквозь пробку из веток, палой листвы и смытых кусков дёрна и ломилась поверху, прямо через дорогу.

Вот здесь остановился их автобус, когда они ехали в деревню. На том рыжем обрывчике Кирилл увидел двух собак, когда Лиза сбежала из автобуса. А вот за обрывчиком и отворот. В тот раз Кирилл смотрел на собак, на Лизу, и не обратил внимания на неприметный съезд.

Кирилл свернул на узкий просёлок. Узкий, но довольно ровный. Автобус по нему проедет, это точно. Через сто метров просёлок вывел на большую, укатанную автомобилями поляну. Видимо, место кордона.

Издалека поляна выглядела идиллически: травка, очаг из кирпичей, навес на столбах, под навесом – вкопанный длинный стол и лавочки, мангал, поодаль – зелёный вагончик. Автобуса не было.

Кирилл направился к вагончику, и вблизи идиллия лесного лагеря развеялась. В траве валялись пожелтевшие сигаретные пачки и смятые колёсами пластиковые бутылки. Вокруг очага рассыпались ржавые и обгорелые консервные банки. Навес соорудили из листов фанеры, рваного полиэтилена, полос рубероида. Доски стола были покрыты выцарапанными надписями: «Сёма Саратов», «Оля Анжела», «Лысый Нижний», «Надька жёпа», «УНТ Толик», «2009 Серый 2009», «Вика дала Киту». Взгляд Кирилла зацепился за четыре слова, написанные в столбик: «Кирьян Лера Дэн Москва». Кирилла продрало ознобом по спине. Словно намёк. Хотя наверняка совпадение. Кирьян — может, какой-нибудь Кирьянов. Лера — похоже, девушка. Дэн — не Денис, как Гугер, а Данила. А в Москве пятнадцать миллионов. И всё равно очень неприятно. Будто бы кто-то ждал его здесь.

Но ещё неприятнее выглядел вагончик. Некогда синий, сейчас он был грязно-ржаво-облупленный. Окошки заколочены. Все четыре колеса спущены. Под днищем чернели кучи мусора. И самое главное — вся стенка была густо издырявлена. Похоже, по вагончику в упор лупили дробью, лупили долго и зло, десятками выстрелов.

Под дверкой на земле вместо приступочка лежал пластиковый ящик из-под бутылок. Кирилл встал на ящик, взялся за ручку и увидел на двери выцветшую надпись фломастером. Сначала Кирилл подумал, что надпись сделана по-английски, но потом понял, что по-русски, только в зеркальной проекции. Все буквы — наоборот, а слова — справа налево. Кирилл нагнул голову, читая, и его снова продрало по хребту. «Месяц Золотые Рожки обрати зверя в человека пролить мне ножом булатным его руду горячую».

Да что здесь творится? Что за проклятая деревня, не отпускающая его от себя? Что произошло на этой поляне, что видели эти деревья и птицы? Кирилл оглядывался. Пусто. Серый дым вместо неба. Навес. Трава. Мусор. Тишина. Но здесь вовсе не выморочный мир, нет. Этот мир оскорблён. И у него ещё есть сила отомстить.

Кирилл открыл дверь. Внутри вагончика оказалось не так уж и страшно. Даже довольно чисто. Два клеёнчатых топчана. Откидной столик. Печка-буржуйка с трубой, выведенной сквозь крышу, а рядом — горка поленьев и старый топор. Только все стены исписаны и разрисованы, но это уже неизбежно. Кирилл повертел головой и выбрался обратно.

Что теперь делать? Он стоял посреди поляны. Автобуса здесь нет. А просёлок?.. Кирилл вернулся к краю поляны и увидел, что просёлок на поляне не заканчивается, а уходит дальше в лес. Пойти дальше?..

Кирилл колебался. С одной стороны, страшно. Все эти оборотни, псоглавцы. С другой стороны, автобус-то нужен. А с третьей стороны... «Руду горячую», «нож булатный»... Какие-то сказочные, древние выражения. Здесь, в Калитине, Кирилл встретил настоящую Тайну. Быть может, единственную настоящую тайну в своей жизни. Пусть она перемешана с грязью и скотством, но всё равно — Тайна.

Кирилл двинулся по просёлку в лес. Он решил, что сразу повернёт обратно, едва встретится первый же буерак, через который автобусу не проехать. Но пока просёлок бежал по лесным прогалинам двумя ровными колеями в пожухлой траве.

Погода была непонятно какая, мерцающая, неверная. Где-то сверху ветер крутил дымные толщи, а в лесу мгла оплетала деревья, будто рыбацкая сеть запуталась в донных корягах. Вокруг то светлело, то темнело. Кириллу казалось, что краем глаза он ловит какие-то движения, перемещения, точно кто-то крадётся за ним по лесу, но прячется всякий раз, как только он повернёт голову. Или это деревья шевелятся, будто живые, но застывают под прямым взглядом?..

И ещё было чувство, что он не один. Что на него смотрят — искоса или в спину. Что кто-то обнюхивает его следы, подаёт знаки, ждёт какой-то его ошибки или сигнала от собратьев. Так в школе на уроках на виду у учителя ученики сидят тихо и смирно, а по сторонам — шепчутся, передают записки, беззвучно толкают друг друга.

Леший шалит? Кирилл, озираясь, вытер лоб. В детских мультиках леший — старичок с моховой бородой.

Но в безжалостных преданиях народа леший — оборотень. Он может быть и карликом, и серой лесной мышью, и великаном до неба, и чудищем с головой зверя. Про леших Кирилл вспомнил, когда читал ЖЖ Валерия. Вот и аукнулось.

Они, эти исконные владыки земли, не добрые и не злые. Они не награждают за правду и не мстят за преступление. Они соблюдают законы своего мира — леса, поля, реки. Но ведь человек не знает этих законов. Он может ошибиться, не желая ничего плохого, но всё равно его настигнет кара, и он не поймёт за что, не успеет приготовиться к обороне. Чужаки погибают. Кто найдёт его в этих лесах, если здесь трудно найти даже автобус, который не умеет перелезать через буреломы, забираться на пригорки, прыгать по веткам?..

Ноги дрожали от напряжения, живот поджало, кулаки сжимались, но Кирилл без суеты, как хозяин, прошёл сотню шагов дальше и лишь тогда оглянулся. Никого. Он никогда никого не видит, но кто наводит этот морок?.. Надо было взять из вагончика топор.

Просёлок вывел к ручью, точнее, к высохшей долинке с берегами-обрывчиками. Наверное, это всё тот же ручей, что размыл грейдерную дорогу. Автомобильные колеи теперь змеились по дну долинки. Куда, чёрт возьми, ездил этот водитель?

Почему-то идти по ручью было не так страшно, как по лесной дороге, хотя над обрывчиками стоял прежний спутанный лес. Кирилл почувствовал себя бодрее. Ручей гладко вылизал своё ложе, а колеи виляли справа налево оттого, что берега осыпались: корни леса не держали пересохшей почвы. Они торчали из земли, будто костлявые и волосатые руки бессильно тянулись к путнику, но не дотягивались.

В одном таком земляном вывале Кирилл увидел грязно-жёлтый шар, облепленный глиной. Кирилл подумал, что это какая-нибудь окаменелость, какой-нибудь ископаемый трилобит, фиг его разберёт, как он называется.

Кирилл остановился и повернул шар ногой. На него уставились две чёрные дыры человеческих глазниц. Это был череп.

Кирилл отпрыгнул назад, словно кошка. Череп лежал на виске и глядел на Кирилла, точно подмигивал. Только не бежать! — сказал себе Кирилл. Ни в коем случае не бежать. Побежишь — освободишь свой страх, а страх убьёт раньше любого хищника, любого чудовища. Если кто-то наблюдает сейчас за ним, то, как собака, бросится вслед, едва он побежит. Нужно двигаться медленно и спокойно.

В земляной осыпи, которая вынесла череп, Кирилл разглядел остатки сгнившей бревенчатой кладки. Похоже, здесь было что-то вроде сруба, заполненного грунтом. В грунте желтел второй череп, торчали изогнутые кости. Над ямой со срубом в зарослях кустов, покосившись, стоял деревянный крест: высокий, тёмный, с треугольной кровлей. Это старая раскольничья могила, понял Кирилл. Он же читал, что от скитов оставались только кладбища. А у староверов в дебрях Чёрной Рамени было много разных почитаемых погребений святых и мучеников. Наверное, это — одно из них.

Могила, вскрытая ручьём, исчерпала возможности самообладания. Кирилл повернул бы обратно, но впереди сквозь кроны леса белело небо — там находилась какая-то большая поляна. Может, автобус стоит на ней? Кирилл пообещал себе: он только посмотрит поляну и пойдёт назад, хватит натягивать нервы.

Поляна оказалась обширной луговиной, по краю которой и бежал ручей. Видимо, луговину деревенские жители использовали как покос, здесь громоздились два прошлогодних стога, изопревшие и бурые. Потому сюда и вёл просёлок — вывозить сено.

На свободном пространстве страх угас. Кирилл вертел головой, удивляясь сам себе. Да, в лесу нет обзора, кажется, что за любым деревом прячется нечисть, подкрадывается близко-близко. Но ведь для защиты лес предоставляет больше возможностей. Сучья — оружие, залезешь на дерево — будто забаррикадируешься в крепости, и вообще в лесу можно укрыться от врага так же, как и сам враг укрывается от человека. А на поляне? Враг виден издалека — это да, но тебе не убежать от него, и отбиваться нечем. Почему же в лесу страшнее? Потому что враг непобедим и единственный способ уцелеть — это увидеть его раньше, чем он увидит тебя? Или потому что тысячелетия назад твои предки были степными всадниками, владыками простора, и лес для них являлся неведомым и смертельно опасным миром?

Кирилл решил обойти луговину по опушке и возвращаться. В то, что автобус где-то здесь, он уже не верил. Просто в пути ему стало не до автобуса, и самовнушение развеялось.

Кирилл шагал, заплетаясь ногами в траве, и смотрел в зелёную глубину леса как в глубину омута, в котором живут таинственные твари. Лес шумел, дышал, чирикал, на поляне неистово стрекотали кузнечики. Пахло смолой, листвой, пылью, жарой, дымом далёких пожаров. Почему с этим прекрасным миром нельзя жить в согласии?

Обходя маленькую ёлочку, Кирилл поймал краем глаза какой-то тёмный промельк на поляне и быстро оглянулся. Ничего. Только посреди поляны стоял ещё один старинный крест. С других точек Кирилл его не видел. Кирилл пошёл к кресту. Он успокоился, ему было интересно. Ведь это же настоящий раритет раскольничьих времён. Хотя простоит ли деревянное сооружение, вкопанное в землю, целое столетие? Нет, вряд ли. Значит, какие-то последователи вкопали здесь этот крест лет 20—30—40 назад.

Крест был высотой метра два. Мощный тёсаный брус совсем сгнил у основания. Две перекладины — маленькая косая и большая прямая — были вставлены в пазы, место стыков обросло плесенью. Треугольная кровля из двух треснувших досок держалась на ржавых гвоздях.

В теле креста была вырезана ниша для иконы, и сейчас нижняя полочка нежно зеленела тонким мхом. Крест потихоньку умирал.

Удивительно, подумал Кирилл. Мировая архитектура — каменная, один раз построил — и навеки запечатлел свою идею, свою мысль. А русская архитектура — деревянная. Три-четыре десятилетия, и всё разваливается. Три-четыре десятилетия — срок одного поколения. Мысль, идею сохраняет в себе общество, бесконечно воспроизводя недолговечные и тленные формы. И с таким способом существования мысль всегда живая, всегда — гребень волны, а не глубины океана, всегда отбирается лучшее, максимально насыщенное информацией. Выходит, что деревянное зодчество — это архивация усложняющегося мира каждым новым поколением. Если в Европе её наследие — огромное множество файлов от разных поколений, то в России — один и тот же файл, который вечно в работе. Приходит поколение, этот файл разворачивает, правит, немного дополняет, архивирует. Потом следующее поколение опять разархивирует тот же файл, опять правит, опять дополняет, опять архивирует. И так далее. Такое количество работы над одним и тем же файлом превращает этот файл во что-то вроде намоленной иконы, которая способна творить чудеса.

Только вот сейчас чудес не надо, подумал Кирилл.

Он уже спускался с луговины в русло ручья и ещё раз оглянулся. Крест стоял в двух десятках шагов от него.

Кирилл попятился.

Он встретил крест у разрушенной могилы. Там и оставил его. Вышел на луговину — креста здесь не было. Обошёл луговину по кругу — и крест оказался посреди поляны. Спустился на русло — крест стоит на берегу. Крест идёт за ним, как живая тварь?..

Кирилл принялся тереть руками лоб и лицо. Крест не двигался. Да как он может двигаться, он же вкопан!.. Кирилл стал вытирать потные ладони о майку на животе и снова заметил что-то неладное... Его майка с чёрно-красным Че Геварой... Майка была надета наизнанку.

Нет, он не смотрел на себя в зеркало, когда утром одевался... Но его видели Лиза, Валерий, Гугер... Они бы сказали, что он надел майку наизнанку... Не мог же он за целый день не обнаружить этого!

Или в раскольничьем лесу он сам медленно и незаметно превращается во что-то противоположное себе? И начинает видеть то, что в обычном мире не может существовать?

Кирилл почти бежал по руслу ручья в обратную сторону. Уже знакомый изгиб пути... За ним должна быть развалившаяся могила с черепами... Рыжая глинистая осыпь по-прежнему пересекала русло. В глине желтели два черепа... Но теперь поверх них громоздился огромный деревянный крест с кровлей домиком. Одна доска кровли оторвалась и лежала на отлёте, как сломанное крыло. Откуда крест взялся? Он упал со своего места над могилой, пока Кирилл ходил по луговине, или это тот же крест, что шёл за ним по лугу, а сейчас как-то обогнал его и лёг здесь поперёк дороги?..

Кирилл перепрыгнул через крест, ожидая, что деревянное чудище схватит его за ноги чёрными лапами... Отрубить лапы... Топор. Топор остался в вагончике.

— Кирюша! — окликнул Кирилла девичий голос за спиной.

Кирилла затрясло. Он не оглянулся, а вжал голову в плечи. Это не Лиза нашла его, как тогда на торфяных карьерах. Это не Вероника. Это кричал раскольничий лес.

Кирилл пролетел по руслу ручья, взвился на берег, помчался по просёлку. Кажется, он даже метался из стороны в сторону, как заяц.

Поляна с вагончиком и навесом выглядела точно так же, как и прежде. Никаких крестов. Кирилл остановился, перевёл дыхание и медленно двинулся к вагончику, словно по тонкому льду. Ящик вместо крылечка. Дверь.

Та же надпись фломастером: «Месяц Золотые Рожки обрати зверя в человека пролить мне ножом булатным его руду горячую». Кирилл потянул дверь на себя. В вагончике – пусто. Низкий потолок, разрисованные стены, заколоченные окошки, топчаны, печка.

Кирилл вошёл, прикрыл дверь и бросился к печке, схватил топор и оглянулся. Никто не появился, никто не ломился в дверь. Сквозь щели между досками ближнего окна Кирилл видел поляну. Пустая.

Что не так? Что, чёрт возьми, не так?!

Один из двух топчанов был изодран в лохмотья. Куски клеёнки и клочья поролона валялись на полу на бурых пятнах... бурых пятнах... высохшей крови. Кровью была измазана стенка над топчаном. Поверх рисунков и надписей Кирилл увидел глубокие царапины, по четыре в ряд. Будто кто-то царапал стену когтистой лапой.

Картинка встала перед глазами, как в кино. Псоглавец. Кто-то подстрелил псоглавца. Раненое чудовище кинулось в вагончик. А стрелок не стал заходить. Он изрешетил дробью убежище оборотня сквозь тонкие стенки. Дробины рвали тело оборотня, чудовище ревело и билось на топчане и на полу, искромсало когтями лежанку, исцарапало стену и сдохло в луже собственной крови. А стрелок так и не вошёл, но словно запечатал вагончик заговором, написанным фломастером на двери.

Этого не могло случиться, пока Кирилл ходил до луговины. Такие лужи крови за час не высохнут... Это всё было давно. И эти следы уже были, когда он заходил сюда час назад. Только он их тогда не увидел. Он не мог их увидеть, они были по другую сторону мира, лишь в зеркальном отражении. Как надпись на двери, которую он только что прочитал свободно, правильно...

Но он-то, Кирилл, живой! Он не псоглавец! Он на этой стороне! Его не остановит заговор! Кирилл топором рубанул по дверке – дверка отлетела. Кирилл выпрыгнул в траву.

Конечно, никого вокруг. Здесь всегда вокруг – никого.

Кирилл побежал к просёлку, побежал по колеям и не успел даже задохнуться, как очутился на грейдерной дороге. Гравий, обочины, пыльные кусты, лес шумит под ветром, в небе тает дым пожаров.

Он выбрался. Вырвался. Вырвался, хотя там никого не было и никто на него не нападал. Но всё случилось по-настоящему, вот в руке ржавый топор... Кирилл поглядел на топор и увидел, что на нём самом майка надета уже как обычно. Правильно. Романтичный красавчик Че Гевара с его груди смотрел в великие дали мировой революции.

31

Школа была пуста, Гугер и Валерий куда-то ушли. Их вещи лежали на виду, неспрятанные, словно после такой грандиозной кражи, как угон автобуса, прочие возможные потери перестали пугать.

Электричества у Кирилла больше не было, даже бутерброды не разогреть, кофе не выпить. Чем заняться? Не бегать же по деревне за Гугером и Валерием. Кирилл вытащил ноутбук.

Он открыл ещё не прочитанные IMG-копии «Доношения» Павла Мельникова и перечитал резолюцию начальства: «Во исполнѣніе Указа Синода отъ лѣта 1722 отнѣсти к сѣкретнымъ дѣламъ». Кто он такой, этот Павел Мельников? Кирилл поколебался, но свернул IMG-файлы и вытащил Google.

Павел Мельников оказался личностью неординарной. Обедневший дворянский род, Казанский университет, подозрение полиции, ссылка в Зауралье, учитель гимназии — обычный путь тогдашнего интеллигента. С такой биографией прямая дорога в пламенные литературные критики или в террористы, что мечут бомбы под колёса императорской кареты. А Мельников неожиданно оказался в Нижнем Новгороде чиновником особых поручений по искоренению церковного раскола при Министерстве внутренних дел.

Ему всего-то 30 лет, и у него нет воинского сопровождения, а он вторгается в глушь Чёрной Рамени, в дремучие дебри керженских скитов. Просто Кортес от МВД. И там, точнее, тут, на Керженце, Павел Мельников добирается до скита Старый Шарпан, твердыни раскола. В Шарпане, в кондовой бревенчатой часовне, он бесстрашно достаёт из киота чудотворную икону Богоматери, которую принёс соловецкий инок Арсений. Главную святыню Керженца, без которой, как гласит предание, Керженцу конец. И доставляет икону в Нижний Новгород церковным властям. Это 1849 год. Значит, «Доношение» Мельникова — приложение к отчёту о той роковой экспедиции.

С неё началась керженская «выгонка», в которой Мельников сыграл ключевую роль. Он действовал жёстко, вплоть до того, что отбирал у раскольников детей, пока родители не отрекутся от раскола. И в то же время внимательно изучал тот мир, который уничтожал.

Лично для Мельникова «выгонка» скитов завершилась почётной отставкой в 1866 году и орденом Святой Анны. К тому времени Павел Мельников давно заматерел, стал редактором столичной газеты «Русский дневник» и писателем Андреем Печерским.

Наверное, писатель Печерский родился тогда, когда чиновник Мельников составлял своё «Доношение». Слишком странным, слишком удивительным был опыт «выгонки», чтобы он вместился в мемуары чиновника. И десять лет Андрей Печерский создавал пудовую эпопею о раскольниках Керженца: огромные романы «В лесах» и «На горах». А потом можно стало умереть, и Мельников-Печерский умер.

Кирилл рассматривал дагерротип Мельникова-Печерского. Этот человек знал то, до чего Кирилл никак не может докопаться. Или хотя бы видел то, что у Кирилла мелькает на краю зрения, но ускользает от прямого взгляда. Кирилл развернул файлы «Доношения».

«Ваше Высокопревосходительство.

Как я уже уведомил Вас, предприятие моё завершилось вполне благополучно и образ Богоматери Казанской древнего письма обрёл достойное место в древлехранилище Пророко-Ильинской обители под неусыпным попечением отца Никодима. Однако некие обстоятельства экспедиции моей не могут быть отражены в рапорте по службе в виду невозможности истолковать их иначе, нежели Божье попущение, а сие не входит в круг вопросов, подведомственных нашему Министерству. Я же считаю должным поставить Вас в известность о печальной, если не сказать ужасной, участи тех двух крестьян Калитина скита, что изъявили желание оказать мне посильную помощь и в ответ получить от меня таковую же для перехода в единоверие. О подлинности излагаемых мною событий могут свидетельствовать г-да офицеры Терешников и Траубе, что сопровождали меня в экспедиции.

Напомню Вашему Высокопревосходительству, что, видя опасность нападения на экспедицию со стороны раскольников, я решил вывести своих спутников к городу Семёнову не привычным трактом, а старой дорогой от Калитина скита. В ските встретили нас с изрядной неприязнью, поэтому я предпочёл иметь ночлег в лесу под открытым небом. После моего посещения скита на дороге меня догнали калитинские насельники Трофим Л-ов и Авдей В-ин. Они покинули скит тайно и сообщили, что давно ожидали какой-либо оказии для выхода из пределов керженских лесов. Также Л-ов и В-ин сообщили, что дорога, которую я избрал, много лет оставлена без присмотра и заросла, а потому неопытный путник может легко потерять верное направление и заблудиться. Я не усмотрел причин сомневаться в искренности желания этих людей оставить раскол и вернуться в лоно Православной Церкви и вполне доверился Л-ову и В-ину. К наступлению темноты они вывели мою экспедицию к поляне, замечательно пригодной для ночлега.

Далее, Ваше Высокопревосходительство, я должен сделать некий экскурс в область преданий, чтобы картина произошедшего с нами произвела на Вас такое же впечатление, какое она произвела на меня и моих спутников. Калитин скит, который мы миновали днём, в среде местных раскольников известен историей своих основателей псковских бояр Калитиных. Двое братьев во времена Петра Великого приняли монашеский постриг и были названы Иафетом и Христофором. Они основали пустынь, в которой и поселились как два схимника.

Некоторое время спустя Христофор заметил, что брат его Иафет стал небрежен к молитвам и послушаниям, рассеян и смущён. На расспросы отвечал он уклончиво и неохотно. Ревностный Христофор в своих подозрениях начал слежку за братом и открыл, что на берегу лесного ручья Иафет встречается с девицей, что имела жительство в недалёкой Корельской обители. Иафет покаялся перед братом в том, что вопреки всем обетам уступил соблазну и полюбил девицу, которая ответила ему взаимным чувством. Христофор поклялся спасти брата. Он вознёс Господу молитву о том, чтобы Всевышний отвратил девицу от Иафета и тем избавил несчастного от сердечных страданий. Но девичья любовь оказалась сильнее Христофорова рвения. И тогда Христофор преступил предел и потребовал от небес собачьей головы для брата Иафета. Никакая любовь не преодолеет ужаса пред таким чудовищем, и девица избавит возлюбленного от своего чувства. И чудо свершилось, но путём неисповедимым. Собачья голова увенчала плечи самого Христофора, а не его смущённого брата. Обнаружив своё страшное преображение, Христофор бросился к ручью, где грешный Иафет обнимал свою суженую, и как пёс растерзал обоих насмерть».

Стоп-стоп! Кирилл даже прикрыл экран ладонью. Там, в Москве, в армянском ресторане Лурия рассказывал эту легенду совсем иначе! В его варианте было вероломство и безумие, а в варианте Мельникова — стратегия жизни скита и деревни на три столетия вперёд! И конечно, Мельников был ближе к первоисточнику.

Может, он, Кирилл, не случайный свидетель странностей деревни Калитино, а сам и порождает эти странности? Пусть теперь не монахи и чужая девушка, пусть теперь чужак — он, а Лиза в команде местных, от перемены слагаемых сумма, как известно, не меняется... Это за ним рыщут псоглавцы?.. Это его они ищут ощупью в торфяном дыму? Но тогда прошедшая ночь будет ему смертным приговором!

Кирилл вперился в экран: что дальше?

«Ваше Высокопревосходительство, подобных басен в этой среде рассказывается великое множество. Происходят они от грубых нравов народных, от невежества, от огромных творческих сил, пропадающих в расколе втуне, и от искреннего желания служить Господу. Предание, которое я изложил, без сомнений, есть простодушное переложение еретической легенды о святом Христофоре, осуждённой как богопротивная ещё Указом Синода от 1722 года от Р. Х. Но в Калитином ските предание это послужило причиной уверенности, что вокруг скита в лесах живут стражники веры, псы Божьего гнева, убивающие вероотступников. Поляна, на которой разбила лагерь моя экспедиция, была той самой, на которой, в предании, пёс Христофор растерзал брата Иафета и его любовницу. Неширокий ручей, что протекал вдоль опушки леса, называется Фетов ручей. О важности этой поляны для раскольников свидетельствует деревянный крест, по-раскольничьи — «голбец». Я опрометчиво пренебрёг этим знаком, а несчастные Л-ов и В-ин, видимо, не знали предания Калитина скита».

У Кирилла заторкало где-то слева в груди. Поляна. Крест. Фетов ручей — это он оставил промоину на грейдере... Кирилл только что побывал в самом логове псоглавцев... Или на их лобном месте?

«Интересно, что с этой поляной связано и предание о проклятом архиепископе Питириме. Обитатели скита уверены, что здесь Питирим встретился с пёсьеголовыми стражниками веры. Случилось это, судя по всему, в 1717 году. Питирим, сам в прошлом своём расколоучитель, пришёл в Калитин скит с проповедью, призывающей уйти из раскола, но был встречен бранью и угрозами как изменник и вероотступник. На обратном пути у Фетова ручья Питирима догнали пёсьеголовые люди. Только истовая молитва помогла архиепископу уцелеть, чудовища в страхе отступили. Этот случай укрепил владыку в вере, но сподвиг на деяния, которые получили название «Питиримово разоренье». Не смею судить о правоте «разоренья», жертвою которого стали тысячи людей, но в психическом смысле жестокие поступки архиепископа были продиктованы местью за тот ужас, который владыка перенёс у Фетова ручья. Ваше Высокопревосходительство, замысленное нашим Министерством приобщение раскольников Керженца к утверждённым канонам, безусловно, в здешних местах будет истолковано как второе «разоренье», в роде Питиримова. Посему мне представляется, что моя история имеет не только сказочный, но и деятельный интерес».

«Питиримово разоренье»... Кирилл уже читал о нём, но как-то вскользь. Кирилл свернул лист «Доношения» и полез в Google.

«Питиримовым разореньем» раскольники Керженца называли жуткие репрессии нижегородского архиепископа Питирима. Этот мститель веры выявил в лесах Керженца 47 тысяч староверов — четверть всех раскольников России. 9 тысяч Питирим сумел загнать в никонианство, 19 тысяч обложил двойным налогом, а сколько тысяч ушло в тюрьмы и на каторги — никто не считал. Мало того: Питирим сжигал староверов заживо. Оказывается, и во времена Петра I, и ещё долго после Петра в России вероотступников жгли живьём. Это была редкая казнь, но официальная. Жертву засовывали в сруб из смоляных брёвен, заколачивали, обкладывали хворостом и на площади при всём честном народе устраивали огромный костёр.

Кирилл торопливо бегал по ссылкам.

Дата рождения Питирима не известна — примерно те годы, когда патриарх Никон впал в немилость, был низложен и осуждён. Питирим вырос на Керженце в раскольничьих селениях, энергия и дар речи сделали его расколоучителем. Но в чём-то он не сошёлся с владыками Чёрной Рамени и бежал с Керженца, покаялся, принял никонианство и жил в монастыре в Переславле. А здесь на Плещеевом озере был «морской полигон» молодого

Петра. Пётр познакомился с Питиримом, монастырским строителем, и не забыл бывшего раскольника.

Много лет спустя Пётр озаботился тем, что в его керженских лесах сидят староверы — пропадает такая сила! Пётр вспомнил Питирима. И Питирим был направлен туда, откуда сбежал, чтобы вернуть под руку державы упрямых тамошних жителей.

Питирим явился на Керженец с миром. Явился как проповедник. В руке его была книга «Пращица». Для этой книги Питирим собрал 240 самых острых вопросов, которые на прениях раскольники задают никонианам, и написал свои разъяснения. Но зря он стал тягаться со златоустами Чёрной Рамени. Раскольничий диакон Александр написал другую книгу — «Керженские ответы». От аргументов Питирима диакон не оставил камня на камне. Через несколько лет Питирим озвереет, а его солдаты выловят в лесах диакона Александра. На торгу в Нижнем Новгороде ему отрубят голову, останки сожгут, а пепел бросят в Волгу. Дискуссия кончится так же, как с Никитой Пустосвятом.

Перелом в настроениях Питирима произошёл, видимо, в 1717 году. Мельников был прав, датируя встречу Питирима с псоглавцами на Фетовом ручье 1717 годом. В 1718 году Питирим обратился к Петру с пространным планом разгона скитов, в котором чёрным по белому было сказано: непокорных «поведено убивати». И Пётр утвердил этот план своим указом чуть ли не слово в слово.

В 1719 году на помощь Питириму была прислана армейская команда гвардии капитана Ржевского, а нижегородские чиновники и священники получили приказ всеми силами содействовать миссии епископа. И началось кровавое и огненное «Питиримово разорение».

Раскольников просто выгоняли в города, конвоировали толпами. Скиты сжигали. Если жители не хотели уходить, их сжигали вместе со скитами. Расколоучителей рвали на пытках. Поля вытаптывали. Даже из почитаемых могил выкапывали гробовые колоды и высыпали на землю кости праведников: смотрите, это не мощи, и праведники ваши — не святые! Староверы побежали с Керженца на Урал и в Сибирь, где получили прозвище «кержаки». А Питирим получил от Петра звание «равноапостольного». Керженец пылал и кричал до смерти государя.

Потом новая власть одёрнула инквизитора. Размах Питиримовых деяний сократился, хотя Питирим не сводил взгляда с Керженца. В 1738 году императрица Анна Иоанновна назначила архиепископа непременным членом Синода — и почти сразу Питирим умер.

«Поведено убивати», — повторил себе Кирилл и снова развернул файлы с «Доношением» Мельникова.

«Ночлег наш у Фетова ручья воистину можно было бы назвать безмятежным. Мы разожгли очаги, для меня и для господ офицеров были поставлены шатры, ночь выдалась ясная и звёздная. Никто не мог и подумать, что из лесной чащи за нами следят нечеловеческие глаза наших преследователей.

В третьем часу пополуночи я проснулся от звука торопливых шагов и звона амуниции. Я выглянул из своей палатки и увидел господ офицеров, которые взволнованно разговаривали с перепуганным караульщиком. Торопливо надевая одежду, я услышал, как солдат прерывающимся голосом докладывает, что разбудил господ офицеров потому, что крестьяне Л-ов и В-ин, что были оставлены поддерживать огонь, удалились в лес за хворостом, и потом из леса донеслись леденящие душу человеческие стоны и звериное рычание. Господа офицеры поспешно проверили пистолеты, вынули из костра ярко горящие ветви для освещения местности и устремились к лесу, где скрылись Л-ов и В-ин. Я присоединился к военным не столько в рассуждении помощи, сколько из ответственности перед своими проводниками. Мы пересекли поляну и углубились в заросли.

В двух десятках шагов от опушки леса нашим взорам открылась жуткая картина. Пять или шесть существ терзали мёртвые тела несчастных крестьян-раскольников. В первое мгновение мне показалось, что я вижу отощавших медведей или очень крупных волков, но я понял, что меня подводит мой опыт. Это были люди с головами собак. Я не могу сказать, имелось ли на них человеческое платье, но я совершенно уверен, что собачьи головы не были масками или же какими-либо личинами, сооружёнными из голов животных, ибо маска не способна двигать челюстями без усилия рук ряженого, а руки этих существ были у меня на виду.

И я, и господа офицеры застыли словно поражённые громом, забыв о нашем оружии. Мы были просто потрясены и не верили своим глазам. А одно из этих существ повернуло к нам морду, почерневшую от крови жертвы, и пролаяло так, что в его собачьем лае мы разобрали людскую речь.

— Заповедано! — сказало существо.

Господа офи».

Всё. Документ Мельникова закончился.

Кирилл растерянно пересмотрел файлы заново, потом подумал, что, возможно, забыл скопировать до конца, но потихоньку понял, что он действительно прочитал всё, что сохранилось от «Доношения» Мельникова. Несколько последних страниц отсутствовали даже в архиве. Во всяком случае в том его фонде, что был оцифрован и выложен в доступе.

И в этот момент зазвонил телефон.

32

Откуда телефон? Ведь Кирилл не забрал его у Сани Омского! Но телефон звонил. Кирилл вылез из-за парты, пошёл на звук и увидел аппаратик, лежавший на вещах Гугера и Валерия. Под аппарат была подсунута записка: «Кир, тебе для связи. Г.».

— Кир, это я, — сказала трубка голосом Гугера.

— Привет, — растерянно ответил Кирилл.

— Мы с Вэлом на карьерах.

Значит, вняли его аргументам, пошли искать автобус на карьеры.

— И что?

Трубка молчала.

— Нашли тачку?

— Почти нашли, — туманно ответил Гугер.

— Это как понимать?

— В общем, Кир, тут надо, чтобы ты пришёл, — замялся Гугер. — Они не отдадут, пока с тобой не поговорят...

— Кто они? — разозлился Кирилл. — Саня с Лёхой?

— Нет, здесь только этот с палкой, Саня. Он поговорить хочет.

— Привезите его, и поговорим.

— Он здесь хочет.

— Гугер, ты чего темнишь? — не выдержал Кирилл.

В трубке зашуршало. Видимо, Гугер передавал телефон.

— Кирилл, это Валера. Понимаешь, автобус мы не нашли. Но встретили Александра. Он сказал, что укажет нам, где стоит автобус, но для этого ему нужно поговорить с тобой. Мы не знаем о чём. Но он один. Он обещал, что шантажа не будет. А для драки его физическое состояние не годится, ты знаешь. Я думаю, опасаться нечего.

— Почему нельзя в деревне поговорить?

— Я не знаю, Кирилл.

— Я не драки боюсь, Валер,— признался Кирилл.— Меня как-то весь этот расклад в целом напрягает.

— Условия диктует он.

— Ладно,— нехотя согласился Кирилл.— Я приду. Куда надо?

— Здесь есть такая наблюдательная вышка, она...

— Я в курсе,— перебил Кирилл.

— Около неё мы и встретим тебя.

— Я долго буду идти. Восемь километров.

— Что поделать, подождём.

— Ладно,— сказал Кирилл.— Пока.

Всё это очень смахивало на ловушку. Значит, так. Он, Кирилл, увёл у Лёхи любовницу — Лизу. Лёха обиделся, подговорил Саню, и они вдвоём угнали автобус. Спрятали на карьерах. Кирилл решил, что спрятали в лесу, двинул в лес, ничего не нашёл, только чуть в штаны не наложил от страха. А Гугер с Валерием отправились на карьеры и наткнулись на Саню. Саня велел заманить сюда Кирилла, после этого автобус вернут. Гугер и Валерий позвонили Кириллу. Хорошо, Кирилл пойдёт. В это время Лёха Годовалов сядет где-нибудь за кучей торфа, поднатужится и превратится в псоглавца. Гугер и Валерий отведут Кирилла к Сане, Саня отведёт Кирилла к Лёхе-псоглавцу, и Лёха в отместку за Лизу растерзает Кирилла на клочки. О'кей. Потом Лёха и Саня отдадут автобус, и Гугер с Валерием уедут в Москву. Гейм овер.

Кирилл понял, что напрягает его вовсе не ловушка сама по себе. Тревожит очевидная нелепость этой ловушки.

Можно даже не рассматривать аргументы про наказание за убийство, про невероятность оборотней и про слишком сложный расчёт для тупых алкоголиков. Или слишком тупой расчёт?.. Но дело не в этом. Дело в том, из-за чего, собственно, разгорелся сыр-бор.

Годовалов хотел отомстить за Лизу? Но для этого надо ограбить или побить Кирилла, а угонять автобус слишком чревато. Или Саня с Лёхой хотели продать автобус? Но зачем же тогда возвращать тачку?

Есть вариант, что Лёха хотел отомстить, а Саня — навариться, и они объединили свои усилия. Но при ближайшем рассмотрении этот вариант тоже не выдерживал критики. Автобус-то возвращают. А Кирилл, когда пойдёт «на разговор», будет начеку, и побить его окажется не так-то просто. Лёха уже дважды обломался.

От этих рассуждений у Кирилла закипели мозги. И даже кофе не имелось, чтобы привести разум в порядок. Кирилл закрыл и спрятал ноутбук, вышел из школы и пошагал к дому Мурыгина.

Сегодня по лесу он навертел уже сто вёрст. Устал. А до карьеров далеко. Надо попросить у Мурыгина дрезину.

Мурыгин сидел за прилавком своего магазинчика трезвый.

— Цепь принёс? — сразу спросил он.

— Какую цепь? — опешил Кирилл.

— Я тебе цепь давал с замком.

— Блин!.. — вырвалось у Кирилла.

Он совсем забыл о цепи и замке. Цепь осталась висеть в скобе на воротах сарая.

— Я вечером принесу.

— Правильно я сделал, что деньги с тебя содрал, — убеждённо проворчал Мурыгин. — Так и знал, что сопрёшь.

— Да на хрена мне в Москве ваша цепь? — заорал Кирилл.

Он побежал к школе. Целую тыщу этому козлу за всякое дерьмо заплатил — и это называется украл! — думал Кирилл про цепь и Мурыгина. И откуда Мурыгин знает, что Кирилл собрался уезжать, что ему пора отдавать хозяину цепь и замок?

Кирилл с грохотом вытянул из железной скобы цепь, на конце которой болтался раскрытый замок, и полетел обратно.

— Другой разговор,— довольно сказал Мурыгин, сгрёб с прилавка цепь и ссыпал в коробку.

— Дайте мне ключ от дрезины.

— Писят тыщ залог.

— Сколько?! — взвыл Кирилл.

— Писят тыщ. Я тебе теперь не верю.

— Я куда на дрезине уеду-то?! В Австралию?

— Мне по хер.

— Ладно, — сказал Кирилл, заставляя себя успокоиться.— Добро, Павел Константиныч. Я понял.

Он внимательно посмотрел на Мурыгина. Тот сидел и ухмылялся. Всё он знает, подумал Кирилл. Знает, кто и когда угнал автобус. Знает, где спрятали машину. Знает, зачем Кирилла сейчас зовут на карьеры.

— Про автобус мне вам говорить незачем, Павел Константиныч,— сдержанно сказал Кирилл.— Вы дали мне цепь, замок, ключ. Второй ключ остался у вас. Замок открыли вторым ключом. Получается, это вы дали вору второй ключ. Я это запомню. В протоколе так и напишу.

— Не было у меня второго ключа.

— А мне по хер. Я видел. У меня свидетели есть.

— Ничего не докажешь.

— Я и не буду. Это вы доказывайте. А я просто вам крови попью.

— Такие замки у половины деревни. У всех ключи есть. Там гвоздём открыть можно.

— Мне по хер. Я не обвиняю. Я жизнь порчу. Пусть вас в ментовку дёргают, жену вашу пусть дёргают, сына. Мне всего-то надо было на дрезине прокатиться, а вы — пятьдесят тысяч.

— Нет у меня ключа.

— У вас ни от чего ключей нет. Всё пальцем открываете.

— Лизка, сучка твоя, до сих пор не отдала. Встречу — по роже дам.

— А я сейчас пойду и проверю, — пообещал Кирилл.

— Да иди, гондон.

Кирилл вышел из магазинчика. Поговорили, называется.

Так, ключ от дрезины у Лизы. Простившись утром, Кирилл больше ни за что не пошёл бы к Лизе снова, но сейчас он был взвинчен и зол. Провались пропадом эта деревня с её ублюдками и псоглавцами! Что же за место такое вязкое, никак отсюда не выпутаться, ничего невозможно сделать по-человечески!

Кирилл постучал в дверь веранды Токаревых и сразу вошёл, зная, что стук не услышат. Постучал в другую дверь. Эффекта нет. Кирилл открыл дверь и заглянул в дом.

— Алё! — окликнул он.

Ему не ответили. За стенкой громко болтал телевизор.

Кирилл вытер ноги и шагнул в прихожую.

В комнате была только Раиса Петровна. Сидя на своей табуретке, она упоённо смотрела в экран и оглянулась на Кирилла с таким ужасом, будто Кирилл пришёл всех убить.

— Здравствуйте, — внятно сказал Кирилл. — А Лиза дома?

— Лиза?.. — пролепетала старуха.

— Лиза, — подтвердил Кирилл, внутренне кипя.

— Нету Лизы... Ушла куда-то...

Чёрт! Чёрт! Чёрт!

— Раиса Петровна, — тщательно выговорил Кирилл. — Я друг Лизы. Мне нужна дрезина Мурыгина. Скажите где у Лизы ключ от дрезины?

— Дак не наша машина-то... — забормотала старуха. — Она же этого, Пашки Мурыгина... Ты к нему поди...

— Ключ. У. Лизы.

— Нету её-то... Куда ушла, не знаю...

Кирилл открыл рот, чтобы ещё раз объяснить ситуацию, но понял, что бесполезно. Он повернулся и вышел, не прощаясь.

Что ли восемь километров пешком топать? Какие ещё варианты?

Кирилл стоял на улице деревни и тоскливо оглядывался. День клонился к вечеру. По серому дымному небу пролегли синие полосы. Из переулка появилась корова и побрела куда-то, качая рогатой головой. Двое ребятишек, одетых по-городскому, между планками забора обдирали чужую малину.

Последний шанс — толкнуться к Ромычу. Может, он на своём «крузере» подбросит до карьеров?

Кирилл мрачно прошагал сквозь деревню, сквозь перелесок, где за кустами светлели кресты и оградки могил, и выбрался к железным воротам усадьбы Шестакова. Он побарабанил в дверь сторожки, несколько раз пнул в ворота — впустую. Где ты, охранник хренов?..

Нет, до карьеров ему придётся идти на своих двоих.

В кармане зазвонил телефон. Кирилл вытащил трубку.

— Кир, ты где? — спросил Гугер.

— Да иду я! — рявкнул Кирилл и отключился.

На карьеры он притопает только в сумерках или даже в темноте.

Просёлочная дорога вела мимо церкви. Кирилл посмотрел на белёсые стены храма, на дырявый купол, обглоданную колокольню. Там, в церкви, у простенка стояла снятая фреска Псоглавца. Увезут ли они её? Увезут, за это ведь им и платят деньги. И Кириллу стало жаль святого Христофора. Здесь он погибал. Но здесь он жил. Сходил со стены или не сходил, но как-то действовал на людей. Пусть даже и никчёмных. А в музее он будто окаменеет. Станет странным курьёзом.

Кирилл не боялся заблудиться. С дорогой на карьеры всё понятно. Слева — река. Справа — узкоколейка.

Карьеры — далеко впереди. Их не миновать. Дорога может вести только туда.

Кирилл шёл через пустоши с руинами фундаментов, потом через заросли ивняка, через осинники, пересекал русла высохших ручьёв. Наезженные колеи уверенно сворачивали в обход холмов или ямин, где раньше стояли лужи, а теперь была только растрескавшаяся сухая корка. Иногда слева мелькало обширное пространство — плёс реки, а справа иногда появлялась невысокая насыпь узкоколейки.

Начинало смеркаться. Дымные лохмотья в небе окрасились алым, и Кирилл подумал, что впервые за много дней он видит не просеянный сквозь мглу, не проваренный в мареве, а чистый отсвет солнца.

Он чувствовал себя очень одиноким. Маленький чужой человечек идёт по большому пространству, столько раз покалеченному людьми, что оно стало злым, страшным, тоскующим. Оно не утешает, не греет душу, не врачует обиды. Но только оно и существует по-настоящему.

Ведь не получилось дружбы с Валерием и Гугером. Не срослось. Не получилось даже вражды с Лёхой и Саней. Невозможно враждовать с помоями. Вроде началась любовь — но Кирилл сам же её и закончил. Горько. В реальности не состоялось ничего. Впрочем, кроме одного. Кроме попытки разгадать тайну псоглавцев. Выходит, единственный офлайн этих его дней — оборотни, которых, увы, не может быть.

Кирилл наконец-то сформулировал, в чём же надсадная загадка ситуации. Она в том, что картинка всегда чуть-чуть двоилась. То, что он видел, всегда чуть-чуть не совпадало с тем, что он понял. На любую версию всегда находились и опровержения, и доказательства. Опровержений было больше, и с ними невозможно было спорить. А доказательства — личный опыт. Личный страх. Личная боль за сломанную судьбу Лизы. Потому что её судьбу сломал всё-таки не пьяный дембель Лёха Годовалов.

Её сломали псоглавцы. Ведь это их погони боялась Лиза, а потому не могла уехать отсюда. *Уйти из зоны.*

Он, Кирилл, мог спасти Лизу. Мог увезти её с собой. Но не увезёт. Потому что она ему не ровня, и это, увы, правда. Однако он мог найти псоглавцев, чтобы хотя бы знанием их повадок обезопасить Лизу от их нападения. Но не нашёл. Потому что... ну... ему хочется домой. Потому что едва появился выбор — быть здесь или не быть здесь, — он выбрал понятно что. Все его намерения помочь деревне Калитино оказались ничем, нулём в сравнении с возможностью просто оказаться дома.

Вокруг уже почти стемнело, и начались карьеры — рытвины и кучи торфа. Кирилл вспомнил, что путь к наблюдательной вышке ведёт через дренажную траншею. Но ведь Лиза в тот день подъехала к вышке на дрезине. Наверное, надо выбраться на узкоколейку и дальше идти по ней. Так он избавит себя от нового штурма канавы.

Узкоколейка была невдалеке. Кирилл свернул к насыпи и забрался наверх. Шагать по шпалам такой узенькой железной дороги было как-то нелепо, игрушечно.

Впереди и вдали догорал закат. Тучи дыма наглухо надвинулись на всю плоскость неба как навес, но вдоль горизонта широкой полосой горела длинная и ярко-жёлтая щель. Её ровная и непрерывная протяжённость словно очерчивала масштаб пространства, сейчас потонувшего во мраке. Кирилл увидел прямоугольный выступ вышки, контрастно черневший на фоне желтизны.

И вдруг в перспективе узкоколейки Кирилл различил какое-то странное и слабое свечение. А потом до него донёсся стук колёс.

Дрезина? — удивился Кирилл.

Стук приближался. Это и вправду была дрезина Мурыгина. Она ехала кузовом вперёд, фары её светили на закат, потому Кирилл и не понял, что за свечение он увидел.

Он отошёл с рельсов на обочину, пропуская дрезину. Кому вдруг понадобилось на ночь глядя гонять на карьеры?..

Дрезина прокатилась мимо, обдав ветром и запахом бензина, и резко сбавила ход, остановилась в двадцати метрах. Кто-то выглянул из кабины. Фары слепили, и Кирилл не разобрал, кто в кабине.

— С-сюда! — услышал он отчаянный крик Лизы. — К-х-хо мне!.. С-скорей!.. Они бегут!

33

На реверсе, задом-наперёд, дрезина шла на скорости километров двадцать в час. Чуть быстрее велосипедиста.

— Кто гонится? — спросил Кирилл, держась за стойку окна.

Лиза сжимала губы и не могла ответить. Словно и не было их ночи, когда она заговорила свободно.

Дрезина подпрыгивала, отчаянно стуча на стыках рельсов. В свете фар назад улетали кусты и деревья, а вокруг была темнота, лишь сверху, над кабиной, что-то синело. Зато воздух теперь казался чистым. Дым остался только запахом, будто музыка фоном.

— Как ты узнала, что я пошёл на карьеры? — спросил Кирилл.

— М-мать... с-сказала...

Точно. Он же заходил к Лизе за ключом от дрезины. А для чего нужна дрезина? Только для того, чтобы поехать на карьеры.

Приборная доска в кабине старого ГАЗ-51 была без лампочек, но уцелевшие шкалы и надписи на круглых циферблатах были начерчены фосфорной краской, и они всё равно чуть-чуть горели болотной зеленью, снизу подсвечивая лицо Лизы.

— А откуда тебе известно, что Лёха и Саня тоже здесь?

— Ж-жена... с-сказала... Они вчера... ушли.

Жена? Скорее всего, жена Сани. Пьяная старуха. Ведь не будет же Лиза выспрашивать, где Лёха, у Верки, которая за мужа готова убить Лизу. Значит, Лиза услышала от матери, что Кирилл искал ключи от дрезины, побежала в школу — там никого нет, побежала в дом к Сане Омскому — и ей сказали, что Саня ещё сутки назад отправился на карьеры. Где Саня, там и Лёха. Лиза бросилась к узкоколейке, завела дрезину и помчалась на торфяные разрезы. За ним, за Кириллом.

— Саня с Лёхой убили бы меня? — спросил Кирилл.

Лиза молча кивнула.

Почему, Кирилл не стал спрашивать. Почему человека, у которого ты же и угнал машину, тебе надо убить? Кириллу всё стало ясно до жути. Убьют не за машину. Убьют потому, что здесь, на карьерах, Саня и Лёха — псоглавцы, оборотни. А чем Лиза могла помочь? Ничем. Но она всё равно кинулась на карьеры. Ему повезло, что он увидел дрезину до того, как приблизился к вышке, к месту встречи.

— Ты ходила по карьерам, искала меня?

Лизе трудно было ответить односложно.

— Ездила... так, — Она помахала рукой туда-сюда.

Кирилл рассматривал Лизу словно впервые. Сейчас она была как снайпер — очень напряжённая и очень спокойная. Она глядела на дорогу, что уносилась назад из света фар. Черты лица у Лизы точно застыли. Кирилл рассматривал, какие у неё короткие и пушистые ресницы, чуть вздёрнутый нос, пухлые губы. Волосы она торопливо собрала в хвост, схваченный резинкой, но резинка сползла, половина гривы выбилась и вздулась волной.

Всего-то сутки назад у Лизы было совсем другое лицо — словно распахнутое ему навстречу, запрокинутое, не скованное страхом, напряжением или горечью предстоящей утраты. Кирилл подумал, что он никогда бы не устал смотреть на это лицо. Подумал, что он был настоящим человеком, и поэтому с ним в постель, доверчиво раздевшись, легла такая дивная девушка. Сейчас надо было думать о псоглавцах, а Кирилл думал о Лизе. Всё неправильно. Потому что, когда надо было думать о Лизе, он думал о псоглавцах.

— А Валера с Гугером? — вспомнил Кирилл.

— Н-не знаю, что с ними...

— Надо позвонить им, — Кирилл полез в карман за телефоном.

— Смотри! — вдруг почти крикнула Лиза и выключила фары.

Чего смотреть, если ничего не видно?.. Кирилл таращился в темноту, убегающую от капота. Как-то постепенно материя отделилась от воздуха: оказывается, в толщу черноты, в массив леса, вонзался тёмно-синий клин неба, слегка желтеющий на острие. Так выглядела перспектива просеки, по которой тянулась узкоколейка. В призрачной желтизне мелькало какое-то движение, и мелькало совсем близко.

Лиза вновь врубила дальний свет. И Кирилл увидел, что за дрезиной по шпалам гонится... нет, не человек... Какое-то существо. Оно походило на человека и, как человек, сразу прикрылось рукой от слепящих фар. Однако на одно мгновение Кирилл увидел морду этого существа: всю в складках, обросших шерстью, с вытянутыми вперёд челюстями и широкой переносицей. Надбровные дуги вылезли, как у питекантропа, лоб скосило назад, заострённые уши съехали к затылку.

За чудовищем, которое Лиза осветила фарами, бежало другое, не попавшее в луч. Сгорбившись, растопырив локти, такие невозможные, такие фантастические твари неслись за обычной дрезиной, переделанной из старого грузовика ГАЗ-51. Тарахтя изношенным движком, дрезина летела по ржавым рельсам узкоколейки, проложенной в лесу от спившейся деревни Калитино до заброшенных торфяных карьеров, где прежде работали зэки из закрытой колонии.

Это было мучительное сочетание, как скрежет железа по стеклу, и от него, как от скрежета, передёргивало плечи. Человек и зверь. Лощёный, откормленный трэш Голливуда — и дикая, быдлячья реальность сдохшего совка с его загаженными церквями, хрипатой блататой и суровыми машинами. И в то же время это сочетание оказалось столь же органичным и естественным, как доллары и уркаганы, и от его убедительности сердце рвалось из груди, колотясь вместе со стуком колёс.

В свете фар твари находились только мгновение. Та, что бежала первой и прикрылась рукой, словно от удара луча споткнулась и упала. Вторая просто шарахнулась в темноту.

— Кто это? — изумлённо спросил Кирилл и поглядел на Лизу.

Её лицо не изменилось, не дрогнуло, оставалось бесстрастным. Лиза наконец-то показала Кириллу ужас деревни Калитино, и на фоне смятения Кирилла её чувства превратились в ледяное ожесточение. Этот ужас — куда большая тайна, чем нагота в постели, и сейчас Лиза отдавалась Кириллу уже по-настоящему, потому что лечь в постель — это просто близость, а спасти того, кто от тебя отрёкся, — это любовь.

— Они, — тихо и горько ответила Лиза.

Они, подумал Кирилл. Всё-таки Лёха и Саня. Они стали сильнее и быстрее любого человека, но всё же не всесильны и не вездесущи. От них можно убежать и укрыться, они не проломят бревенчатую стену дома и не выживут с топором во лбу. Надо добраться до деревни...

Тот оборотень, что упал... Нет, он не споткнулся. По мельчайшим движениям твари, что отпечатались на сетчатке, Кирилл понял, что чудище свалилось в очередной судороге трансформации. Сейчас, наверное, оно корчится на шпалах, а трансформация выгибает ему плечи и вытягивает кости. Второй оборотень упадёт неподалёку, через сотню шагов... Но потом они встанут и вновь побегут за дрезиной.

— Жми на газ, — сказал Кирилл Лизе.

— Быстрее... нельзя, — тихо ответила Лиза.

Конечно, они же не на «сапсане». Не на локомотиве с турбинами. Старый ГАЗ-51, старый ГАЗ-51. Он и так выкладывался на полную. Движок трясся, бренча крышкой капота. Лиза исподлобья смотрела вдоль луча от фар, и лицо её было непреклонным. Пускай дрезина не способна увезти их от псоглавцев, но Лиза будет бороться до конца. Не упадёт ничком на приборный щит, прикрывая ладонями затылок, чтобы волк сразу перекусил шею, убив без мучений.

Дрезина мчалась сквозь темноту кузовом вперёд, тарахтела и стучала, а вокруг была неспокойная тишина, и ветер ворошил листву деревьев. Насыпь сменилась ровным участком, где полотно дороги было огорожено канавами. Фары не могли их осветить, но Кирилл заметил, как в бурьяне мелькает что-то живое.

Оно выскочило прямо на Кирилла и мгновенно заполнило собою весь проём дверки. Это оборотень прыгнул на кабину. Кирилл увидел какое-то волосатое тело в лоскутьях одежды — конечно, оборотни рвут одежду, когда превращаются из людей в чудовищ. Анатомию твари Кирилл вообще не смог понять. В спинку его сиденья вцепилась лапа, которая от запястья до локтя была в полтора раза длиннее, чем у человека, а с локтя свисал клок шерсти. На порожек кабины встала нога — словно от огромной собаки. Плечи чудища оказались на уровне крыши кабины, и чудище выгнулось, боком просунув страшную башку: Кирилл увидел тёмное темя и острое косматое ухо. И пахнуло псиной.

Кирилл повалился спиной на Лизу. Лиза не задёргалась, не завизжала. А Кирилл поднял ноги и со всей силы пнул тварь куда придётся. Он ощутил тугое, живое тело. Пинок выбил оборотня из кабины, тварь сорвалась и с рычанием упала обратно в канаву.

— Другой! — выдохнула Лиза.

Второй оборотень догонял дрезину по рельсам. В свете фар он был виден до последнего волоска. Он бежал огромными скачками, пригнувшись, совсем не по-человечески. Ноги выгибались назад, как у животного, а длинными передними лапами оборотень словно грёб по воздуху, изредка мимолётно отталкиваясь от земли. Он напоминал не волка, а гигантскую обезьяну, только на толстой шее сидела всё же почти волчья башка. Маленькие глазки оборотня смотрели не вперёд, не по-собачьи, а в разные стороны, по-лошадиному, и оборотень держал голову набок, чтобы видеть то, что перед ним. Кирилл понял, почему на фреске святой Христофор был изображён с головой в профиль: художник сам встречал псоглавца.

Оборотень прыгнул на кабину.

Одной ногой он ловко ступил на торчащую вагонную сцепку и упал брюхом на капот. Вывернув локоть, чудище уцепилось левой лапой за фару на крыше. Кирилл увидел морду оборотня, прижатую скулой к лобовому стеклу: тёмно-багровый глаз чудища глядел прямо на него. Оборотень бестрепетно ударил в стекло правым кулаком, обломки посыпались на Лизу и Кирилла. Псоглавец до плеча всунул длинную лапу в кабину и схватился за рычаг коробки передач.

Дрезина мчалась через ночной лес, а на её капоте распластался оборотень, который сквозь разбитое окно тянул рычаг, чтобы запороть двигатель, и дрезина остановилась бы, исчерпав инерцию наката. Кирилл давил на рычаг в обратную сторону, и на Кирилла бешено смотрел глаз оборотня, словно расколотый пополам трещиной в стекле. Лиза вдруг наклонилась и впилась в лапищу оборотня зубами, сама как зверь. Оборотень дёрнулся, засучил ногами, задрал морду и взревел, а потом разжал пальцы на рукояти рычага. На крыше кабины хрустнула вырванная из гнезда фара, и, громыхнув локтями по капоту, оборотень скатился вниз.

Лиза и Кирилл, удаляясь, видели в свете фар, что оба псоглавца стоят на рельсах узкоколейки. А потом они кинулись направо в лес.

— Ушли? — спросил Кирилл.

Лиза замотала растрёпанной головой.

— Дорога... петлёй... — выдохнула она. — Там... напрямик...

Кирилл понял, что чудовища побежали через перешеек дорожной петли, чтобы дальше на трассе опять атаковать дрезину.

— Они... справа прыгнут... где склон...

Кирилл высунулся из кабины посмотреть, но не увидел ничего — темнота. Из темноты на него летели ветви придорожных деревьев.

— Я в кузов вылезу, — решил Кирилл. — Далеко ещё до деревни?

— П-пол... пути...

— Мы не отобьёмся, — понял Кирилл.

— Д-дальше... дорога... п-под уклон. Мост.

Дорога под уклон? Дрезина наберёт скорость. Может, они обгонят тварей? Им хватило бы минуты, чтобы скрыться от псоглавцев.

Держась за рваную спинку сиденья, Кирилл выбрался на порожек кабины. В лицо ударил ветер. Угол кузова был на расстоянии шага. Кирилл ухватился за край дверного проёма и перешагнул борт кузова.

Кузов оказался маленьким, как кухня в квартире-хрущёвке. Вдоль задней стенки кабины, поперёк кузова, тянулась узкая скамейка. На замусоренном дощатом дне валялись грабли, совковая лопата, багор — инструменты, которыми деревенские жители выколупывали из буртов брикеты торфа. Кирилл поднял багор. Рукоять его была выкрашена в красный цвет. Видимо, багор забрали с пожарного щита. Но Кирилл вспомнил другое: в какой-то старинной армии солдат одевали в красные рубахи, чтобы в бою не пугал вид крови, чужой или своей.

Кирилл распрямился и стоял, опираясь на крышу кабины, с багром в руке, будто дозорный с копьём. Тёмный ночной ветер трепал майку с портретом Че Гевары. Стучали колёса, дрезина дрожала, движок тарахтел. Справа и слева проносились ропочущие громады деревьев. Вперёд, во тьму, убегала, загибаясь налево, узенькая полоса железной дороги. Дышалось легко, страха не было ничуть. Кирилл подумал, что никогда в жизни ему не было так свежо, так бесшабашно и свободно, как сейчас, когда за ним гонятся фантастические оборотни, а дрезину ведёт любимая девушка, в которой он уверен на все сто.

Кирилл знал, что оборотней не бывает, но это совсем не важно: нервы натянуло электричество высокого напряжения, ведь борьба-то была настоящей, за всё то, чего Кирилл не имел, а теперь обрёл. За любовь. За жизнь. За право открывать все тайны своего мира.

Лиза первой увидела псоглавцев и нажала на гудок. Дрезина мчалась и отчаянно кричала в ночи, словно призывала на помощь, а псоглавцы неслись сквозь лес вниз по склону горы, настигая беглецов. Кирилл не разглядел врагов, заметил только мельтешение за кустами.

Тварь прыгнула.

Кирилл промахнулся, не сумел поймать её остриём багра в полёте и шарахнулся в угол кузова. Оборотень из воздуха упал в другой угол, противоположный, и дрезина от тяжести чудовища качнулась, клацнув колёсами по рельсам. Кирилл не раздумывая нанёс новый удар багром, словно в штыковой атаке. И багор остановился, завяз.

Оскалясь от усилия, оборотень держал пожарный багор обеими ручищами, не давая острию вонзиться себе в грудь. Кирилл надавил на рукоять. Багор не двигался вперёд, но чем сильнее Кирилл наваливался, тем громче в горле чудовища клокотало звериное рычание. Кириллу не хватало последнего толчка. А оборотню уже некуда было пятиться — его вывернутые назад ноги упёрлись в борта кузова. Оборотень захрипел, изогнулся и вцепился зубами в черенок багра. Кирилл услышал, как захрустела древесина.

Напирая на оборотня, Кирилл видел, что другой псоглавец бежит вровень с дрезиной вдоль насыпи. Он не запрыгивал в кузов, потому что непременно толкнул бы собрата, и багор Кирилла вонзился бы в грудь прижатого к борту чудовища. А эта тварь сжимала челюсти на рукоятке багра, ещё мгновение — и перегрызла бы древко. Кирилл сам бросил багор и кинулся плечом в брюхо оборотню. Это был приём из американского футбола. Удар согнул оборотня пополам. Кирилл увидел, как лапы чудовища скользнули по замусоренному торфяной крошкой дну кузова, и зверь повалился за борт спиной вперёд.

В падении оборотень изогнулся и вцепился ручищей в кромку борта, дрезина потащила его за собой. Кирилл схватил, что подвернулось, — а подвернулась лопата, — и ударил оборотня по руке. Чудище разжало пальцы, свалилось с дрезины и покатилось по откосу. Кирилл услышал обозлённый рёв.

Похоже, начался уклон, о котором предупреждала Лиза. Дрезина пошла быстрее, цокот колёс ускорялся. Второй псоглавец перескочил через упавшего собрата, сиганул на дерево, а с дерева прыгнул в кузов. Он приземлился на четвереньки и тотчас вскочил, Кирилл еле успел отшатнуться, чтобы его не сшибли с ног. Для защиты у него осталась нелепая совковая лопата. Но Лиза, обернувшись, смотрела в кузов из окошка в затылке кабины и мгновенно нажала на тормоз.

Взвизгнули колодки, и дрезина дёрнулась, резко сбросив ход. Сила инерции кинула оборотня мимо Кирилла к заднему борту кузова, а Кирилл, уклонившись, врезал лопатой оборотню по хребту. Зверь не удержал двойного толчка, вышиб задний борт и вылетел из кузова.

Он упал на шпалы и перевернулся через башку. Лиза дала газ. Дрезина покатилась на полуоглушённое чудище, которое копошилось между рельсами. Железная лапа низкой вагонной сцепки уже нацелилась в косматый бок оборотня, но зверь повернул голову с багрово блеснувшим глазом, увидел угрозу, бешено лягнул ногами и сбросил себя с железной дороги в кювет. Дрезина прошла стороной.

34

Дрезина опять разгонялась, стуча на стыках, словно зубами от ужаса. Кирилл бросил лопату и схватился за крышу кабины. Фары освещали опустевшую узкоколейку, лесенкой утекавшую во тьму. А из этой тьмы постепенно появился бегущий вслед за дрезиной оборотень.

Эта был тот зверь, которого Кирилл хотел заколоть пожарным багром. Он бежал огромными прыжками, широко разбрасывая лапы и могуче двигая плечами. В руке он сжимал палку от багра. Опущенная, повёрнутая набок башка смотрела вперёд, на уходящую дрезину, одним глазом, как у коня, что в ямщицкой тройке идёт пристяжным.

Дрезина набирала ход, а оборотень в беге пригибался всё ниже, стараясь догнать. Несколько мгновений расстояние между дрезиной и зверем не менялось, а потом начало сокращаться.

— Газуй! — крикнул Лизе Кирилл.

Лиза молча дёргала рычаг передач и давила ногой на педаль, но оборотень был всё ближе. Вот он уже почти поравнялся со сцепкой...

Однако теперь чудище не хотело прыгать на капот и ломиться в кабину через лобовое окно. Чудище нырнуло в темноту левее фары и с размаху всадило палку от багра под крышку капота в открытый по бокам двигатель дрезины. А потом с шумом ссыпалось в канаву под насыпью и врезалось в кусты.

Дрезина улетала прочь с палкой, торчащей из двигателя, как стрела из скулы. Фары освещали пустую узкоколейку: шпалы, шпалы, шпалы, шпалы. А потом их ритм замутился белым паром. Он полез из движка, как из чайника, и ветер срывал его, будто пену с волны. Оборотень знал, куда нанести удар. Палка от багра выбила патрубок водяного охлаждения. Через минуту-другую перегретый двигатель заклинит, и дрезина остановится сама.

Кирилл растерялся. А Лиза вдруг на всём ходу начала выбираться из кабины. Она распрямилась во весь рост, стоя на порожке. Ветер принялся трепать её волосы, не давал говорить. Кирилл в кузове присел на колено, держась за борта.

— Надо! Прыгать! — задыхаясь, крикнула Лиза и для пояснения указала рукой на канаву под насыпью.

— Зачем? — глупо спросил Кирилл и сразу догадался сам.

Надо сбежать прямо сейчас, пока псоглавцы далеко, и пусть они гонятся за пустой дрезиной, которая остановится через километр-два. До деревни дрезина не дотянет, это точно. А у Лизы с Кириллом появится запас времени, чтобы добраться... ну, хотя бы до усадьбы Шестакова, где у Ромыча должно быть оружие, а ворота железные.

Лиза посмотрела Кириллу в глаза, словно убедилась, что он всё понял, и спрыгнула на обочину. Некоторое время она бежала, держась за кабину, а потом отпустилась, пронеслась несколько шагов, по-женски разведя руки, и исчезла в канаве.

Кирилл не испугался прыгать, страшно было оставить дрезину. Здесь они один раз уже отбились от оборотней, может, и дальше повезёт... Бросить дрезину — как бросить надёжный катер и нырнуть в открытое море. Но из-под горбатого капота 51-го ГАЗика валил пар, движок надрывно подвывал. Дрезина была обречена.

Кирилл перекинул ногу через борт, соскочил на порожек кабины, потом, пока не успел осмыслить и оробеть, — на землю, быстро-быстро побежал по трухлявым кромкам шпал — дрезина мощно тянула его вперёд, наконец отцепился, сделал несколько огромных прыжков, неудержимо слетая со склона в канаву, и затормозил на дне в бурьяне, чудом сохранив равновесие. Дрезина уносилась вдаль по насыпи, дымила движком и прощально светила фарами.

Фары угасли за поворотом, и наступила темнота. Кирилл кинулся обратно, к Лизе. Она сидела на склоне насыпи и плакала, закрыв лицо ладонями. По законам жанра она должна была вывихнуть ногу.

— Нога? — Кирилл упал на колени и стал ощупывать голени у Лизы.

— У... у... ушиб... лась!.. — всхлипывала Лиза.

— Идти можешь?

— Мо... могу.

— Тогда бежим!

Он схватил её за руку и потянул за собой. Дорог или тропинок он не знал, но сориентироваться было не сложно.

Путаный, тесный, густой лес оказался почти непроходим. Тонкие многоствольные деревца торчали вкривь и вкось, листва заслоняла обзор. Кирилл знал, что такие дебри называются мусорными, потому что родились из мусора, который остался на вырубке естественного леса. Ни порядка, ни передышки. Пробираться можно было только след в след. Кирилл двигался первый, ломая ветви, разгребая кусты, с трудом выдирая ноги из древесного хлама. Джунгли, но какие-то дрянные, душные. Даже нет: в джунглях, похоже, всё растёт одно на другом, карабкается к солнцу по соседям, опирается на ближних. А тут всё вытесняет друг друга, плющит, топчет. Джунгли строят сами себя до неба, как живая пирамида, а здесь давка, будто в метро.

Исцарапанный, облепленный паутиной, Кирилл выломился на какую-то дорогу, и такая же исхлёстанная из куста выбралась Лиза.

— Подожди! — приказал Кирилл, хватая её и останавливая.

Они замерли, прислушиваясь. Если псоглавцы преследовали их, то здесь не проскользнуть бесшумным хищником, треск и хруст выдадут любого. Но шума погони не было. Вместо него где-то вдали что-то протяжно прогрохотало.

— Что это?

— Мост, — прошептала Лиза.

Точно: узкоколейка проходила по мосту. А грохот — потому что их брошенная дрезина прокатилась по железному пролёту.

Грохот умолк, осталось только чириканье ночных птиц.

— Пойдём, — негромко сказал Кирилл. — Нет, погоди.

Он обхватил Лизу и стал целовать её в губы, в глаза, в волосы. Потом отстранился и пошагал вперёд, держа Лизу за руку.

По тёмно-синему небу проплывали чёрные клочья дыма, но иногда они разъезжались, и небо открывало глубину созвездий, а на дороге становилось светлее.

Дорога вывела к ручью. Когда-то здесь был брод, а сейчас всё пересохло. Слева, в сотне метров от бывшего брода, ручей пересекала узкоколейка. Это там стоял мост на двух кирпичных быках. Ложе ручья белело под тёмной железной балкой пролёта. Лиза торопливо дёрнула Кирилла назад. Они укрылись за кустом и осторожно выглянули.

По мосту медленно шли оба псоглавца. Теперь Кирилл разглядел их полностью, хотя только силуэтом. Широкие спины и могучие плечи. Странные и ловкие руки: от плеч до локтей короткие, дальше вытянутые. Толстые шеи с загривками. Собачьи головы с торчащими ушами. Выгнутые назад длинные ноги в ходьбе пружинили от силы. Твари двигались сгорбившись, но похоже, что эта осанка для них была естественной. Псоглавцы не производили впечатления уродов или мутантов. Казалось, что такими, как есть, их вылепила эволюция.

Кирилл заворожённо смотрел, как эти дикие существа вышли на середину моста и остановились, начали вертеть головами, нюхать воздух. Они явно чуяли людей где-то поблизости, будто собаки. Если бы не запах торфяной гари, от псоглавцев никто бы не укрылся. Одно из чудищ вдруг спрыгнуло с моста на сухое дно ручья и наклонилось, заглядывая под пролёт. Искало людей.

— Они... — начал Кирилл, но Лиза сразу закрыла его рот ладошкой.

Псоглавцы повертелись вокруг моста, ничего не обнаружили и настороженно пошли дальше по узкоколейке, скрылись за поворотом.

— Теперь можно идти, — почти беззвучно произнесла Лиза.

Лиза и Кирилл пересекли ручей и снова зашагали по дороге.

Этот ручей — видимо, и есть Фетов, подумал Кирилл. Тот, где его преследовал крест. Где Лиза встретила Лёху-оборотня. Где чиновник Мельников видел, как чудовища растерзали двух крестьян. Где, по легенде, раскольник Христофор, обратившись в псоглавца, убил брата Иафета за любовь к девушке.

А ведь всё повторяется. Он, Кирилл, на берегу этого ручья был с девушкой, с которой ему нельзя быть. И теперь его ищут псоглавцы. *Не бери у нас ничего.* Только разве братья ему Лёха и Саня?..

Лес сменился кустарником с прогалинами, а потом открылась обширная пустошь с развалинами фундаментов бывшего лагеря. Справа эту пустошь отчёркивала река, слева — линия узкоколейки. Далеко впереди на покатом холме виднелась заброшенная церковь в окружении высоких деревьев. Неспокойное небо словно не знало, на чём остановить взгляд.

Лиза и Кирилл озирались, пытаясь увидеть псоглавцев. Где они могут быть? Конечно, твари уже нашли дрезину — с горящими фарами, с парящим капотом и без людей. Куда они пойдут теперь? Вперёд, в деревню? Или вернутся, чтобы отыскать след? Или сядут в засаду?

Надо преодолеть полкилометра открытого пространства. Там, за церковью, надёжная, как крепость, усадьба

Шестакова. Но нельзя попасться псоглавцам на глаза. Они сильные и быстрые. Догонят.

Может, просидеть здесь до утра в укрытии? Если псоглавцы ждут в засаде, то здесь — безопасно. А если рыщут? Тогда всё равно найдут, и уже без шансов... Бежать через пустырь — рисковать. Но это борьба, в которой можно победить, даже если их заметят.

— Побежим напролом или пойдём тихонечко, прячась? — спросил Кирилл у Лизы.

— Тихо... нечко... — подумав, прошептала Лиза.

И они тихонечко пошагали по песчаным колеям, держась поближе к высоким зарослям бурьяна.

Небо шевелилось, вразнобой загораясь звёздами в разных местах, словно выборочно сканировало землю. В бурьяне стрекотали ночные кузнечики. С каждым шагом церковь приближалась — неторопливо, как старинный пароход. Пространство жило какой-то своей странной жизнью, будто неслышно перемещало внутри себя объёмы, беззвучно перестраивало высоты. Кирилл никогда раньше не замечал, что оно неоднородно: от этого до того поворота дороги идёшь свободно и легко, а дальше вдруг тяжелеют плечи, вязнут ноги, а потом вдруг тянет в сторону, будто вниз по склону.

Лиза потянула Кирилла за руку.

— Я... устала... — прошептала она.

До церкви оставалась сотня метров. Раньше Кирилл просто цыкнул бы на Лизу: шагай, через минуту отдохнём! Но сейчас Кирилл понимал, что Лиза ощущает их движение как ходьбу по канату, как зыбкий баланс неких сил или вероятностей, и нельзя гнать Лизу, чтобы не нарушить равновесия. Они присели в траве на угол какого-то полуразвалившегося фундамента.

Лиза молчала. Кирилл озирался.

Ещё мгновение назад всё было нормально, но вдруг душу словно продырявило, и грудь, точно канистру под краном, начала заполнять невыносимая, ледяная, смертная тоска.

— Ты чувствуешь? — Кирилл посмотрел на Лизу.

У Лизы на глазах блеснули слёзы.

— Они нас... нашли...

— Бежим!

Он вскочил, схватил её за руку и с дороги напрямик через бурьян бросился к церкви. Там ещё можно обороняться — закрыть дверь, чем-нибудь отбиваться... Они бежали вверх по склону ко входу в храм, по коленям хлестал чертополох, а вокруг по-прежнему никого не было. Никаких псоглавцев. Но Кирилл знал, что твари где-то рядом.

Церковь поднялась над ними, как огромный кирпичный вертолёт, что приземлился забрать попавших в окружение. Облупленная башня колокольни уходила в бурное небо уверенным и мощным взмахом. Заколоченный портал казался десантным люком, который сейчас откроется, и по аппарели выкатится танк. Кирилл распахнул дощатую дверку, пропустил Лизу вперёд и сам тоже перепрыгнул порог.

А бесполезно. В церкви им не спрятаться. Дверка открывалась наружу, и внутри на ней не было даже ручки, её невозможно было запереть. Кирилл заметался по притвору. Что делать?..

— Мы попали,— сказал он Лизе.— Здесь есть какой-нибудь подвал, подземный ход?..

— Не знаю,— прошептала Лиза.

Подземный ход — это в кино. А здесь всё по-простому, думал Кирилл. Псоглавцы видели, что они юркнули в храм. Значит, вслед за ними кинутся ко входу. Значит, нельзя выскочить через ту же дверь — попадёшь прямо в лапы оборотням. Значит, надо вылезать в окно и бежать, как и планировали,— к усадьбе Шестакова. Авось успеют.

Кирилл ухватил Лизу за руку и потащил из притвора в главный зал. Здесь почти всё было как прежде. Высокая кровля, высокие узкие окна, между ними — высокие фигуры святых в длинных одеждах... Что же вы не поможете, святые?.. Над головами — поперечные балки швеллеров. На полу груды мусора. Валялся упавший набок помост, на котором работали Гугер и Валерий. В простенке, где раньше стоял Христофор, темнел прямоугольник обнажённой кирпичной кладки. К другому простенку был прислонён обмотанный полиэтиленом и скотчем большой фанерный щит с наклеенной фреской. В воздухе висела синяя ночная дымка. Всё такое неподвижное, равнодушное...

Гугер и Валерий сняли доски с двух окон, чтобы лучше осветить себе рабочую площадь. Кирилл и хотел выбраться в одно из этих окон. Сколько там высота до земли? Метра два-три?.. Спрыгнут, не разобьются... Но сейчас в проёме окна контрастно чернел псоглавец.

Он забрался на подоконник и стоял во весь рост, держась за стены и наблюдая сверху. Увидев Кирилла и Лизу, он чуть присел, но не соскочил вниз: он словно бы поджидал товарища. Теперь он уже мог не торопиться. Беглецы никуда не денутся. Кирилл оглянулся на портал. Псоглавец в окне предостерегающе зарычал. В портале ещё никого не было. Второй оборотень запаздывал.

Справа от арки портала в стене была другая дощатая дверка.

Наверное, это был ход на колокольню.

35

— Лиза, — углом рта сказал Кирилл, крепко сжимая руку Лизы, — не отворачивайся... Смотри на него... Медленно отступаем...

Он сделал назад четверть шага. Лиза, помедлив, тоже. Он отступил ещё чуть-чуть. Лиза тоже. Он снова попятился. Лиза за ним.

Псоглавец в окне странно кивал, не сводя с людей глаз. Он видел, что люди пятятся, но не кидался на них, а будто вымерял: вот так можно, так тоже можно, и так можно, а сделаете настоящий шаг — наброшусь.

В портале страшно треснуло и громыхнуло. Кирилл и Лиза не выдержали, оглянулись. Выстрел? — подумал Кирилл. Прибежал Ромыч и пальнул в оборотня из пистолета?.. Нет. Это явился второй зверь и могуче сорвал входную дверь с петель. Он пролезал в низенький проём, обдирая шерсть о щепки.

Кирилл дёрнул Лизу за руку и метнулся к дверке на колокольню. Псоглавец в окне взревел и прыгнул, попал на кучу мусора и упал. А псоглавец в портале не успел понять, что происходит, кто куда бежит.

Кирилл распахнул дверку, толкнул Лизу в узкий проход, где чуть подальше виднелись кирпичные ступени, заскочил сам и захлопнул дверку за собой. Дверка открывалась внутрь, на Кирилла. Запора на ней не было. Но это уже и не важно. Кирилл навалился на дверку всем телом и нашарил ногой ступеньку, в которую можно упереться. Он сам будет засовом на этой двери.

— Лиза! — крикнул Кирилл. — Беги наверх!

В дверь снаружи ударили так, точно подпрыгнула вся колокольня.

— Я их подержу! — крикнул Кирилл. Он распластался спиной на двери, расставил руки и ноги в упор нараскоряку.— Беги наверх! Там спрыгни из окна и беги к Ромычу!

— А ты? — обомлела Лиза.

Кирилл еле различал её в темноте. Дверь сотрясали удары.

— Беги, дура! — заорал Кирилл.

Жаль, что не увидеть её лица...

Лиза развернулась и побежала вверх по ступенькам. И Кириллу стало легче. Теперь всё было понятно.

Оборотни не проломят доски и не схватят его сзади за горло, как это бывает в фильмах. Они, здоровенные бычары, просто напрочь вынесут косяк, точно бухие амбалы. Выбитая дверь повалит Кирилла, и они загромоздят собою лесенку. По узкому проходу оборотни станут протискиваться поодиночке. Когда первый полезет по Кириллу наверх, Кирилл вцепится ему в ногу или в руку. Главное — добраться до челюстей и драть пасть на разрыв. А дальше... Уже не важно.

Кирилл смеялся, представляя, как осатанеет чудовище, когда он не поползёт, спасаясь, а ринется к пасти. Бешеные удары в спину колотили Кирилла, но он держался крепче, нежели казалось поначалу. Достали, суки. Чего они хотели? Чтобы он сдался? Чтобы пришёл и сказал: «Кушать подано!»? В этом ресторане самообслуживание.

Но вниз по лесенке к Кириллу вдруг сбежала Лиза. Она тащила две крепкие доски. Не ушла, подумал Кирилл. Она не ушла. Не бросила... А доски... Верно, блин!

Лиза уже вставляла одну доску нараспор между дверью и кирпичной ступенькой. Кирилл подался чуть в сторону.

— Правее! — скомандовал он.

Вторую доску Лиза вставила правее.

Кирилл оттолкнулся и отскочил от двери. Удары снаружи не прекращались, но доски держали. Теперь можно отступить отсюда.

По узкой лестнице вслед за Лизой Кирилл взмыл на второй ярус колокольни. Завалить бы этот проход мусором, создать пробку...

На втором ярусе оказалось чисто и совсем пусто. Кирпичный пол. Вверху — балки под колокола. Арки, открытые во тьму. Дощатая лестница вела на последний ярус колокольни. Из этой лестницы Лиза выломала две нижние ступеньки и принесла их Кириллу.

Кирилл промахнул взглядом по аркам. Восемь. Они начинались почти от пола, и посерёдке, как перила, их перехватывали кованые железные тяги. Кирилл выглянул из одной арки, навалившись животом на тягу. Спрыгнуть вниз — и бежать к дому Шестакова... Высота метров семь... Кирпичи, доски, бурьян... А если ногу сломаешь? И нужно, чтобы псоглавцы потратили на дверь ещё хотя бы минуту... Кирилл перебежал к другой арке, что смотрела на гребень крыши. Крыша — ржавая, дырявая... Другой стороной она утыкалась в кубический массив здания, на котором возвышался такой же ржавый и дырявый купол с башенкой. Можно выбраться на крышу, но что дальше? Всё равно надо прыгать... Колокольня тоже была ловушкой.

Внизу затрещала дверь. Всё, псоглавцы её разбили. Прыгать поздно. Псоглавцы умеют прыгать не хуже людей.

— Наверх! — скомандовал Лизе Кирилл.

Лиза проворно полезла по лесенке к дощатому потолку. Кирилл карабкался следом, но задерживался — выбивал пяткой ступеньки. Старые доски или вылетали из пазов, или ломались пополам. Хрен вам, твари, наверх не заберётесь...

Наверху Кирилл опустился на одно колено у края люка и сунул ногу в проём. От лестницы уцелели только две вертикальные доски, все ступеньки между ними Кирилл уже повышибал. Он принялся пинать по правой доске и наконец обрушил её. Пути на верхний ярус не осталось. Ярус оказался островком, поднятым над псоглавцами на четыре метра. И бежать с островка было совершенно невозможно.

Кирилл поднялся на ноги. Ярус — голая дощатая площадка между сквозными кирпичными арками. Сверху — внутренность кирпичного шатра, что венчал колокольню, с дыркой в острие. Сквозь арки открывалась ночная панорама долины Керженца. Мерцающая чёрная река. Мглистые пустоши. Тёмные, волнующиеся массы деревьев. Вон стёжка узкоколейки. Перелесок с кладбищем. Крыши далёкой деревни. И квадрат шестаковской усадьбы с тортом уолт-диснеевского дворца и четырьмя прожекторами по углам бетонной ограды.

Лиза подошла к Кириллу и прислонилась к плечу.

Внизу, под полом, слышались шаги псоглавцев, стук их когтей по кирпичам, хриплое дыхание. Время от времени раздавались глухие удары — то один оборотень, то другой прыгал и пытался зацепиться за край проёма, в который только что вела лестница.

— Кирюша... — прошептала Лиза. — Если они... заберутся сюда... давай... давай вместе... туда.

Кирилл обнял Лизу. *Не надо туда.*

— Не заберутся,— пообещал он, сам себе не веря.

Он подошёл к люку, присел на корточки и глянул вниз. Оба зверя были на втором ярусе, и оба сразу задрали морды, глядя на Кирилла. Сверху вниз они казались совсем не жуткими. Просто странные собаки на задних лапах, вроде огромных, лохматых, тёмных бультерьеров.

Псоглавцы смотрели не мигая, и Кирилл тоже внимательно рассматривал чудовищ. Кто из них был Саней Омским, кто Лёхой Годоваловым? О чём они думают сейчас? О том, как добраться до его яруса? А ведь придумают. Они умные. Сообразили же они, как остановить дрезину. И здесь сообразят. Залезут друг на друга. Или приволокут из храма какую-нибудь опору. И тогда Кирилл с Лизой возьмутся за руки и спрыгнут с колокольни.

У одного из псоглавцев задрожала верхняя губа, и раздалось сдержанное рычание. Кирилл усмехнулся. Можно было подразнить тварей, позлить их, но не тянуло. В их существовании крылась какая-то отчаянная тоска. Словно своим существованием псоглавцы были обязаны какой-то неправильности, несправедливости мира. Жалеть их не хотелось. Ненавидеть не получалось. А страх кончился.

Кирилл увидел, как у тварей начали белеть глаза. Были живыми, тёмными, блестящими, а становились тускло-серебристыми, слепыми. Оба псоглавца медленно и в лад повернули морды в одну сторону и словно застыли. Под их ногами осветился пол, и на его кирпичах появились резкие, чёрные тени тварей и арок. И под Кириллом тоже осветились доски помоста, словно где-то в стороне зажглись фары.

Нет, это были не фары. Не прожектор. Это на небе засияла луна. Огромная, жёлтая, мятая. Столько дней из-за торфяных пожаров не было солнца, но и луны ведь тоже не было. А сейчас вот выкатилась.

Псоглавцы медленно развернулись и медленно двинулись к арке, а потом друг за другом пролезли в проём и очутились на крыше.

Они всё-таки придумали, как добраться до верхнего яруса?! Кирилл вскочил и бросился к своей арке. Он увидел псоглавцев внизу на кровле храма. Но псоглавцы уже не смотрели на колокольню.

— Лиза! — потрясённо позвал Кирилл.

Лиза подбежала.

Твари смотрели на луну. Они казались загипнотизированными. Они медленно шли по гребню крыши прочь от колокольни. Они не спотыкались, не задевали ногами лохмотья рваного железа, не проваливались в дыры. Тени их, шевелясь, двигались по кровле.

— Что с ними? — спросила Лиза.

— Не знаю...

Псоглавцы подошли к тому месту, где железная крыша примыкала к основному объёму храма, и, не останавливаясь, ловко полезли вверх по отвесной кирпичной стене, цепляясь за выбоины. Они добрались до купола и полезли по нему дальше, выше, на самую макушку, где стояла маленькая круглая башенка барабана.

— Их... луна зовёт... — прошептала Лиза.

Один псоглавец вскарабкался прямо на башенку, а другой стоял рядом на куполе и держался за башенку руками. Огромная и грозная луна висела прямо над ними. Псоглавцы вздёрнули длинные морды. Тонкий, переливчатый, полный ужаса вой ушёл в небо сверкающей нитью, а потом повторился, и к голосу первого оборотня прибавился такой же рыдающий голос второго. Псоглавцы стали волками. Они забыли обо всём, бросили всё, забрались как можно выше — на купол заброшенного храма, и это — во имя дивного волчьего счастья: петь в полночь для луны.

— Бежим! — одними губами произнёс Кирилл.

Он спрыгнул в люк и приземлился на кирпичи, отбив подошвы. Ещё с корточек он оглянулся на псоглавцев — те выли на куполе. Кирилл махнул Лизе. Лиза тоже спрыгнула, и Кирилл поймал её.

Они скатились по лесенке сквозь узкий проход, перескочили через завал из досок и очутились в притворе. Кирилл не знал, спохватились псоглавцы или нет, но весь храм изнутри был ещё залит лунным светом, который падал из двух окон косыми пластами.

Выбравшись из храма, Кирилл подумал, что родился заново. С неба ручьём изливался волчий вой. «Вой» — старое и любимое кино про оборотней...

Лиза и Кирилл отбежали на сотню метров, и Кирилл не выдержал, посмотрел назад. Он понял, что эту картину запомнит на всю жизнь. Низко над землёй висела огромная пятнистая луна, и на фоне её диска отчеканились чёрные силуэты церковного купола и двух псоглавцев с поднятыми мордами. А тишина вибрировала пронзительной нотой волчьего воя.

Лиза и Кирилл помчались дальше.

Когда они поравнялись с углом ограды, за которой стоял особняк Шестакова, всё вокруг будто угасло. Это луну опять заволокло дымкой. И волчий вой тотчас оборвался. Скоро псоглавцы обнаружат, что колокольня опустела, и снова пустятся в погоню. До деревни Лизе и Кириллу уже не добежать.

В сторожке Ромыча у железных ворот усадьбы светились узкие окна-бойницы. Кирилл взвился на крылечко сторожки и забарабанил кулаками в дверь.

— Ромыч! — заорал он. — Ро-мыч! Пусти!..

Однако, похоже, Ромыча в сторожке не было. Кирилл отскочил и примерился прыгнуть на ворота, чтобы вытянуть Лизу наверх и спрятаться за оградой. Но дверь сторожки внезапно лязгнула замком и открылась. На пороге стоял Ромыч.

Ромыч вышел при всём параде, словно собрался на войну: в высоких берцах, в камуфляже, а на плече под погончиком — свёрнутый берет. На ремне висела расстёгнутая кобура пистолета.

Кирилл без слов толкнул на него Лизу, и Ромыч ошарашенно посторонился с дороги. Кирилл влетел из уличной темноты в светлую сторожку, сразу захлопнул за собой дверь и повернул ребристый верньер замка, запираясь.

— Эй, ребята, что стряслось? — холодно спросил Ромыч.

— За нами гонятся! — пояснил Кирилл и лихорадочно потряс дверь, проверяя замок на прочность. — Они у церкви!

— Кто?

Кирилл повернулся. Странная сторожка, подумал он. Больше походит на лабораторию. Белый химический свет, несколько компов с горящими экранами, принтер и факс, стеллаж с какими-то приборами, стойки с дисками, два холодильника, кофемашина, офисный стол и кресла на роликах, цветные английские журналы, аскетичный диван, на который без сил опустилась Лиза...

— Псоглавцы! — по-инерции выпалил Кирилл.

— Псоглавцы? — удивлённо повторил Ромыч. В руке у него был блестящий пистолет с глушителем. — Посмотрим, — задумчиво сказал он и выстрелил в Лизу.

Кирилл остолбенел.

Лиза тихо закрыла глаза, обмякла и повалилась на диван.

Кирилл прыгнул на Ромыча, но Ромыч в полёте поймал его левой рукой за горло и снова выстрелил. Не боль, а тупая тяжесть обволокла живот Кирилла, а потом грудь, пах, колени, плечи... Мышцы ещё вздрагивали, напряжённые для схватки, а руки и ноги уже повисли.

Кирилл видел, как Ромыч, держа за одежду, укладывает его на пол, а затем отворачивается и начинает отпирать замок на двери.

36

В размыто-розовом небе висели багряные облака — не разводья дыма, а настоящие кучевые облака. Наверное, в глазах какое-то кровоизлияние, поэтому всё кажется красным, подумал Кирилл. Но это был обычный закат, яркий лишь потому, что Кирилл отвык от закатов.

Сначала Кириллу показалось, что он связан, но потом дошло, что его — руки по швам — просто впихнули в спальный мешок. Он спал, а теперь проснулся. От псоглавцев он убегал ночью, а сейчас уже вечер. Прошёл весь день?..

Кирилл зашевелился, высвободил руки и приподнялся. Засунутый в мешок, он лежал в шезлонге, что стоял на асфальтовой площадке возле рокария. Особняк Шестакова. Двор. Рядом — ещё два шезлонга, в которых, тоже в мешках, спят Валерий и Гугер.

Голова кружилась, во рту было сухо. Кирилл выбрался из мешка. Вокруг никого. И на нём самом нет никаких наручников или верёвок. На черепице особняка чирикают птицы. Возле сторожки Ромыча стоит их микроавтобус.

Кирилл потряс Гугера за плечо. Голова Гугера мотнулась, но Гугер не проснулся. Да хрен с ним, пускай спит, подумал Кирилл. Надо разобраться самому.

Фантастические события минувшей ночи ударили в душу так, что Кирилл пошатнулся. Дрезина с дымящим капотом. Чудовища на мосту. Осада колокольни. Псоглавцы, что воют под луной на куполе храма. Лиза... Лиза! Где Лиза?!

Где Лиза? Как он очутился в спальном мешке и в шезлонге, ведь он потерял сознание после выстрела в упор, а Ромыч открывал дверь оборотням? Как здесь оказался их «мерс»?

На неверных ногах Кирилл подошёл к автобусу. Он была в налёте тонкой торфяной пыли. Дверки не заперты. В багажном отделении грудой лежали сумки, коробки и кофры. Ладно, хотя бы с угоном всё ясно. Пропажа вернулась.

Кирилл поднялся на крылечко сторожки и потянул на себя дверь. Сторожка была пуста. То есть не пуста, это Ромыча в сторожке не было, а Лиза лежала на диванчике. Кирилл бросился к ней и упал на колени. Лиза жива? Жива. Спит. Дышит ровно. Укрыта пледом. Кирилл приподнял плед: одежда Лизы в порядке, никто её не срывал.

Почему все спят?

Кирилл поднялся на ноги и осмотрелся. Прежнее впечатление не сторожки, а лаборатории лишь усилилось. Горели лампы: хозяйское электричество Ромыч не экономил. Стеллаж с аппаратурой. Стол — из IKEA, но недешёвый. Кресла на роликах. Кассеты с дисками. Кулер. Холодильники. Могучий компьютер с наклейкой «Powered by Intel Xeon», фактически сервер для крупного офиса, а не для охранника, коротающего время на порносайтах и в «аське». Принтер. Экраны видеокамер. Большая кофемашина Jura Impressa. Повсюду валялись цветные журналы, Кирилл подумал, что глянец из разряда мужских, но оказалось — по искусству: «ILLO», «GizMag», «Platform58», «Illustration». Совсем непонятно...

Кирилл осмотрел оба холодильника. Он рассчитывал найти кейсы «Балтики», а увидел коробки с едой и почему-то пистолет. Тот самый, с глушителем, из которого Ромыч стрелял и в Лизу, и в него.

За узким окном-бойницей заурчал автомобиль. Кирилл выглянул. Это остановился «лэндкрузер» Ромыча. Кирилл, не колеблясь, схватил пистолет. Рукоять оказалась ледяной, ствол запотел инеем.

Ромыч распахнул дверь и сначала закинул в сторожку объёмистую спортивную сумку, протолкнул её вперёд ногой, а затем вошёл и увидел Кирилла и нацеленный пистолет.

— Опаньки! — добродушно удивился Ромыч.

— Не двигайся, — предупредил Кирилл.

Ромыч усмехнулся и приподнял обе руки ладонями вперёд.

— Сдаюсь! — сказал он.

И вдруг быстро и ловко он проскользнул мимо Кирилла и оказался сзади, мягко вывернул Кириллу левую руку, а правую согнул, уткнув пистолет в живот. Конец, подумал Кирилл.

Ромыч секунду подержал Кирилла, давая осознать положение, а потом отпустил, отодвинул с дороги, вернулся к сумке и встал в прежнюю позу с поднятыми руками.

— Поговорим или будем играть в войнушку? — спросил он.

Кирилл не знал, что ему теперь делать.

— Пистолет заряжен ампулами со снотворным, — пояснил Ромыч. — Если ты пальнёшь в меня, я усну. Как ты уснул.

— Ты спи, а мы уйдём, — тупо сказал Кирилл.

— Не уйдёте. Девушке и твоим товарищам я ввёл двойную дозу с лёгким транквилизатором. Они очнутся только утром.

— На автобусе увезу...

— Через три часа им надо сделать по уколу для поддержания сердечной мышцы. На всякий случай. Ты сможешь это сделать?

Кирилл молчал.

— Убери пистолет, — попросил Ромыч.

Угрожать было бессмысленно. Ромыч ведь уже доказал, что не имеет опасных намерений, а ситуацией владеет полностью. Кирилл осторожно положил пистолет на стол.

— А почему он в холодильнике был? — угрюмо спросил Кирилл.

— Препараты лучше держать в холодильнике, — Ромыч подошёл, вытащил обойму и убрал в холодильник. —

А пистолет я зря, конечно, сунул. Смазка замёрзнет. Чего не сообразил.

Пустой пистолет Ромыч положил в ящик стола.

— Ромыч, а зачем ты всех усыпил?

— Не хотел возиться с вами, пока вы в шоке.

— А почему я проснулся, а они нет?

— Потому что тебе я ввёл обычную дозу, а не двойную.

— Чем я лучше?

— С тобой я хочу поговорить обстоятельно.

— О чём?

— О псоглавцах, — сказал Ромыч и посмотрел Кириллу в глаза.

Кирилл уставился на Ромыча и не мог произнести ни слова.

— Кто ты? — наконец спросил он.

Ромыч толкнул Кириллу кресло на роликах, а сам сел на стол.

— Я сотрудник Континентального музейного фонда NASS. Коллега Даниила Львовича Лурии, который привлёк вас троих в эту миссию. Но в этой миссии я — подчинённый Даниила Львовича, хотя ранг у нас одинаковый. Так что, Кирилл, предлагаю, как принято у воспитанных людей, перейти на «вы». Меня зовут Роман Артурович Холмогоров.

Кирилл растерянно замигал. На его глазах Ромыч превращался в Романа Артуровича. Какой он Ромыч?.. Какой омоновец из ЧОПа?.. Накачанный, подтянутый, ухоженный мужчина за сорок. Ровный загар регулярного солярия. Здоровье фитнеса. Полированные ногти. Зубы ровные, с отбелкой. Безукоризненно выбрит. Лицо гладкое от очень корректной пластики. И волевой подбородок, скулы упрямца, лоб интеллектуала, доброжелательный взгляд далеко не добродушного человека. Роман Артурович. Фонд NASS, международное подразделение UNESCO, штаб-квартира Basel, Schweiz.

— Вы из ФСБ? — глупо спросил Кирилл.

Роман Артурович от души расхохотался:

— Вы не поверите, Кирилл, но вообще-то я из Эрмитажа.

Кирилл сел в офисное кресло. Ноги его не держали. А Роман Артурович встал и принялся подключать кофемашину.

— Думаю, нам поможет двойной эспрессо,— сказал он.

Кирилл смотрел, как Роман Артурович по-хозяйски обращается с кофемашиной — таким хай-тековским и эргономичным агрегатом, но вспоминал дрезину Лизы — битый, облупленный грузовичок ГАЗ-51 на смешных железнодорожных колёсиках.

— Значит, всё это был только ваш эксперимент?

— Мы предпочитаем термин «миссия». Он корректнее.

— Миссия невыполнима? — горько усмехнулся Кирилл.

— Почему? — удивился Роман Артурович.— Блестящий результат.

А у Кирилла было ощущение катастрофы.

— Нас с Лизой чуть не убили... Дрезина сломана...

— Я имею в виду смысловое содержание событий,— пояснил Роман Артурович.— Мы обнаружили уникальный феномен. Аналогов ему я не знаю. Материальные издержки компенсируем. А у вас, Кирилл, думаю, посттравматический синдром. Мы предоставим вам психотерапевта.

— Значит, вы заранее всё знали про псоглавцев?..

Роман Артурович развернулся, чтобы Кирилл видел его лицо.

— Нет, мы ничего не знали,— твёрдо и спокойно сказал он.— Итог миссии — замечательное открытие, которое значительно повлияет на всю нашу базовую теорию. Но сама миссия прошла очень рискованно, и за это мне придётся ответить. Я не удержал миссию в заданных параметрах. Моя вина не абсолютна, но она, несомненно, есть.

— Вы не рассчитали, что оборотни существуют в реальности?

— Моя задача была — обеспечить вашу безопасность. Я виноват в том, что утратил над вами контроль, когда у вас украли телефон. Я неверно оценил степень готовности местных жителей на криминал. Ваши товарищи перешли черту дозволенного, а я не отследил этого вовремя. Я не придал значения вашим отношениям с этой девушкой и пренебрёг очевиднейшей аналогией с историей Христофора и Иафета.

— Стоп-стоп-стоп! — закричал Кирилл и схватился за голову. — О чём вы говорите?! Давайте по пунктам!.. Какой контроль?..

Роман Артурович выдвинул один из ящиков стола и достал телефон, точно такой же, как у Кирилла, Валерия и Гугера.

— Телефон — средство слежения. В нём джи-пи-эс навигатор. То есть маячок. Телефон пишет и передаёт на мою станцию все ваши разговоры, не только телефонные, а вообще все в зоне слышимости. Кроме того, через вай-фай я знаю ваши запросы в Интернете, таким образом, могу ориентироваться в круге ваших поисков.

— Это вторжение в личную жизнь.

— Конечно. А разве вы не подписывали договор, где соглашались с этим вторжением?

Договор был на одиннадцати страницах. Кирилл его не прочитал.

— Всё равно это лукавство, нужно предупреждать отдельно.

— Кирилл, я думаю, что Даниил Львович предупреждал. Только вы пропустили мимо ушей. Извините.

— Он сказал, что вы будете контролировать, но не сказал как, — упорствовал Кирилл. — Не сказал, что через прослушку в телефоне.

— Тогда бы миссия лишилась смысла. Но в целом ваше положение он вам описал. Хотя и вы тоже правы.

— И куда пойдут записи наших базаров? — грубо спросил Кирилл.

— Никуда. Я их слушал и фиксировал только свои выводы. Мы их называем «экстракты». А сами записи ваших разговоров я уничтожал. У нас ведь не дознание не сбор улик или компромата.

— Я вам не верю.

— Это ваше право, Кирилл. Учитывая развитие технологий, никакая демонстрация уничтожения записи вас не убедит, верно?

— Верно. Вы запишете на десять носителей, а уничтожите один.

— В договоре, который подписали и вы, и мы, указано, что мы обоюдно признаём все записи ничтожными для использования в суде.

— И тем не менее.

— Кирилл, — в голосе Романа Артуровича мелькнула усталость, — но разве сам факт того, что мы признаём прослушивание, не является свидетельством нашей честности перед партнёрами? Если бы я сейчас не сказал вам о прослушке в телефонах, вы бы не узнали никогда. Но если бы я сказал вам об этом заранее, то вы начали бы скрывать свои переговоры и я не смог контролировать ситуацию.

— Вы и так не особенно контролировали.

— Вспомните драку возле развалин дома. Я успел её остановить — потому что прослушивал телефон. Вот только я упустил из виду, что после драки мне надо изъять телефон у Дергачёва и вернуть вам. Но и сами вы тоже об этом забыли.

— Кто такой Дергачёв?

— Александр Александрович Дергачёв, мелкий уголовник.

— Саня Омский, что ли?

— Да. Он. В общем, Кирилл, вопрос с прослушкой — это уже старый вопрос контроля в информационном обществе. Если вы считаете, что ваши права нарушены, предъявляйте материальные претензии, мы постараемся компенсировать моральный урон, который вам нанесли.

— Судиться с вами? — хмыкнул Кирилл.

— Можете судиться. Можете напрямую мне. Не в наших интересах и правилах, чтобы наши сотрудники чувствовали себя оскорблёнными.

— Хорошо, проехали, — согласился Кирилл. — А в чём вообще заключался ваш эксперимент?

— Миссия, — поправил Роман Артурович. — В том, о чём вам говорил Даниил Львович. Снять фреску для перемещения в музей. Посмотреть, как отреагирует местный социум. Всё.

— А социум отреагировал псоглавцами, — мрачно сказал Кирилл.

— Объясните, — тотчас с огромным интересом попросил Роман Артурович. — У меня весьма смутные представления о событиях этой ночи. Прослушав ваш телефон, я, в общем, мало что понял.

— Это не мой телефон. Гугера.

— Не имеет значения.

— А что рассказывать? — задумался Кирилл. — Меня позвали на карьеры... Сказали, из-за автобуса...

— Это я знаю. Что случилось, когда вас подобрала эта девушка?

— За нами... погнались оборотни. Только не смейтесь.

— Оборотни?

— Настоящие оборотни. Как в кино!

— «Настоящие, как в кино», — повторил Роман Артурович. — Ёмкий оксюморон для современной культурной ситуации.

— Я понимаю, что это нелепо, — Кирилл не пытался оправдываться или доказывать. — Думайте что хотите. Но я их видел. Лиза их видела.

— А зачем они за вами погнались?

— Убить меня.

— Это понятно. Но зачем им убивать вас?

— Я догадался, что местные могут превращаться в оборотней. Как на фреске. Поэтому Саня и Лёха решили меня убить.

Роман Артурович принялся задумчиво мять подбородок.

— Этого не может быть, — сказал он.

— Конечно, — саркастически согласился Кирилл.

— Я не про оборотней. Я про другое, Кирилл.

— А что ещё другое?

— Я хочу, чтобы вы прослушали запись с вашего телефона. С вашего. Который был украден Дергачёвым и находился при Дергачёве. Телефон у него сегодня днём я забрал, когда перегонял ваш автобус с карьеров. Прослушайте, Кирилл. Это важно. Важно именно в рамках миссии. Боюсь, что и я сам сделал неверные выводы. Прослушайте.

Роман Артурович был откровенно смущён.

— Я прослушаю, — раздражённо ответил Кирилл. — Включайте.

Роман Артурович задумчиво кивнул, подошёл к «Интелу» и начал стучать пальцами по клавишам, отыскивая аудиофайл.

— Я уже стёр лакуны, то есть промежутки тишины. Остались только реплики и характерные шумы. Запись заняла минут двадцать. Думаю, Кирилл, с вашим могучим воображением вам не составит труда представить картинку в действии. Слушайте. Плиз.

Роман Артурович подал Кириллу чашку кофе.

37

— Точняк спят, — подтвердил Лёха.

— На массу давят, сучки, — злобно сказал Саня Омский, будто не спать среди ночи его вынуждало какое-то важное дело, не сделанное Гугером, Валерием и Кириллом.

Пьяный Лёха заглядывал в разбитое окно школы. Пьяный Саня косо стоял за его спиной, воткнув в землю свою палку, но Саню всё равно кренило то на один бок, то на другой, как яхту под ветром.

Гугер спал в одних трусах поверх спального мешка и коврика-пенки. Его одежда аккуратно висела на спинке ученической парты. На столешнице лежал травматический пистолет. Кроме Гугера, в классе никого не было.

— По карманам сразу шмонай, — прошептал Саня.

— Сам знаю, — огрызнулся Лёха. — Вали давай. Помнишь, чего спросить надо? Что меня ищешь.

— Саня Омский, бля, не фраер, чтобы телегу забыть...

— Вали, бля, не фраер.

Саня наклонился и, обгоняя падение, шагнул вперёд. Шатаясь, он поковылял ко входу в школу.

Он не стал подниматься на крылечко, а зашёл сбоку и принялся колотить палкой в закрытую дверь и в окошко.

— Пацаны! — заорал он. — Пацаны! Это я!

Было часа четыре утра. Спала вся деревня. Даже неровная дымная темнота словно уснула и перестала клубиться. За окнами раздался шум движения, потом топот босых ног. Дверь открылась. На крыльцо решительно вышли Гугер и Валерий. Оба они были в трусах, всклокоченные, сердитые. Гугер прятал правую руку за спиной.

— Ты, что ли? — презрительно спросил Гугер, оглядываясь.

— Вам чего надо? — раздражённо спросил Валерий.

— Пацаны, это я.

— Видим,— буркнул Валерий.

— Пацаны, вы чего такие понтовые?

— Что вам нужно?

— Да я просто так, узнать хочу.

— Давайте утром поговорим.

— Чо ты как девка-то, «потом», «потом»...

— Что вам нужно? — повторил Валерий.

— Да ничего мне не нужно! Чего Сане Омскому нужно, он приходит и берёт, ни у кого не спрашивает! Саня Омский не фраер!

— Ну и хорошо. Спокойной ночи.

— Не, погоди... — Саня уцепил Валерия за ногу рукояткой своей трости.— Чо ты дриснул сразу... Поговорить не хочешь?

— Поздно уже.

— Всё, поговорили,— отрезал Гугер, разворачиваясь.

— Эй, постойте! — вскинулся Саня, удерживая собеседников на крыльце.— А Лёха с вами?

— Не с нами.

— Он с вами хотел побухать, поговорить как с пацанами...

— Я же сказал, не с нами!

— А где он?

— Откуда я знаю? — взбесился Валерий.

— Иди проспись,— посоветовал Гугер.

— Вот ты как, значит!..— оскорбился Саня.

— Пошли нафиг отсюда,— сказал Гугер Валерию.

— Стой! — обеспокоился Саня.— Ну, погодите, пацаны!..

— Че-го на-до? — раздельно произнёс Гугер.

— Дайте стольник в долг. Завтра отдам.

— Нету.

— Лучше бутылку сразу в долг возьмите, — посоветовал Валерий.

— Ты мне не веришь, что отдам? Ты Сане Омскому не веришь?

— Короче, всё, — сказал Гугер и потянул Валерия.

— И не беспокойте нас больше! — высоким голосом возмущённо сказал Валерий и захлопнул дверь.

Саня слышал, как дверь чем-то припирали изнутри. Он принялся колотить палкой в доски крыльца. В это время с улицы донёсся негромкий свист — сигнал от Лёхи. Саня тотчас прекратил колотить и поковылял к углу школы.

Пока Саня отвлекал Гугера и Валерия, Лёха через окно полез в класс. Он видел, как Гугер вскочил, разбуженный шумом, схватил с парты пистолет и выбежал в коридор.

— Вали-вали, сука, — бормотал Лёха, корячась через подоконник.

Он сразу принялся шарить по карманам одежды Гугера. Вытащил сигареты, брелок от автобуса, несколько купюр — и рассовал всё по карманам своих камуфляжных штанов. Потом вылез из окна обратно, прикрыл раму, тяжело потрусил на улицу и свистнул Сане.

Они не ушли от школы, а спрятались за ближайшим кустом, что рос возле забора токаревского огорода. Здесь Лёха оставил большую фляжку с водкой, чтобы не мешала в деле, и пластиковые стаканчики.

— Накатим, — сказал Лёха, удобнее укладываясь в бурьяне на бок.

Саня неловко усаживался, еле сгибая ногу.

Лёха разлил из фляжки по стаканчикам.

— А если бы тебя там шухернули, когда ты шкифт выставил?

Лёха усмехнулся и вытянул из ножен на ремне охотничий нож.

— Хорошая беда, — кивнул Саня. — А очко не сыграло бы у тебя?

— За своё очко бойся, — Лёха убрал нож.

— Бабки у чушка взял или пустой скок?

— Пустой, — соврал Лёха.

— Лады, полчаса посидим, — вздохнул Саня и опрокинул стаканчик. — Пока шкеты по шконкам разберутся.

Они покурили, снова выпили, снова покурили. Саня полез в карман пиджака, вытащил телефон Кирилла и посмотрел время.

— Пойдём, бля. А то до «Пионерской зорьки» дотянем.

Перед воротами сарая, где стоял автобус, Лёха уступил Сане дорогу. Саня достал из внутреннего кармана пиджака ключ от навесного замка. Руки у него тряслись, он не попадал ключом в скважину и матерился.

— На хер с этим ключом возиться... Поддели бы топором...

— Не киксуй, бля, — злобным шёпотом отвечал Лёха, оглядываясь на крыльцо школы. — Ключ Мурыгин дал — получается подельник.

— На хер нам подельник? Руль крутить не умеешь?

— Мурыгин в тему. Поможет тачилу продать. Да что ты там возишься, мудень старый?

Замок открылся. Саня вытащил цепь из скобы.

— Обхезался, что ли, уже? — насмешливо спросил он.

— Пош-шёл ты... Пока тачку не заведу, ворота не открывай.

Лёха проскользнул меж створок ворот в тёмный сарай, где тускло отблёскивал лаком и стеклом автобус «мерседес». Лёха направил в морду автобуса брелок, который только что украл у Гугера, и нажал на кнопку. Автобус в ответ мигнул подфарниками, словно заговорщик, и щёлкнул фиксаторами дверок.

Лёха забрался в кабину и воткнул ключ с брелоком в замок зажигания. Автобус завёлся почти бесшумно.

Саня отволок двери сарая, и Лёха выехал на улицу. Саня прикрыл двери, чтобы угон заметили не сразу, навесил на скобу цепь с замком и полез в кабину к Лёхе.

— Охереть тачила, — восторженно сказал Лёха и пошлёпал по рулю.

— Кати давай, а то сами тут охереем...

Никого не потревожив, они осторожно проехали мимо спящей школы и погнали автобус дальше. За деревней Лёха включил фары.

Лёха и Саня решили спрятать украденный автобус не в лесу, возле грейдерной дороги, а на карьерах, на самом отшибе. Угон такой машины у москвичей — дело серьёзное, и укрывать добычу надо надёжно. Например, на карьерах. Чужак не разберётся в лабиринте котлованов и буртов и не отыщет здесь автобус даже по следам.

— Было бы у нас где ездить, так хер бы я эту тачилу продавал, — от души признался Лёха.

— Борзый, не ты один решаешь. Тачила на троих.

— На хера тебе бабло, Саня? Ты даже бухать не можешь, блюёшь.

— Ты с моё на баланде посиди, сам заблюёшь. А тебе-то бабло на хера? Крышу на доме перекроешь?

— Пош-шёл ты. Крышу пускай Верка подолом своим перекрывает. Я мотор для лодки куплю, до Нижнего за два часа долетать буду. Шлюх сниму. Верка с Лизкой надоели, ни хера не умеют давать.

— Я хазу хорошую там знаю. Купишь адресок?

— Да пош-шёл ты. У меня там кореша со взвода.

Автобус катился по извилистой и узкой дороге меж кустов. В тумане она просматривалась метров на пятьдесят вперёд, не больше. Но Лёха рулил уверенно, рисково кидал автобус в повороты.

— Сколько за тачилу в Нижнем отлупить можно? — спросил Лёха словно сам у себя.

— Барыги полцены срежут, точняк. Мишка мурыгинский, сука, тоже своё возьмёт, он же на чёрных выходить будет. Что останется — на троих поделим. Тебе для шлюх только на пару палок хватит, баклан.

— А ты чо такой довольный? — разозлился Лёха.

— Смешно, как ты дёргаешься.

Лёха закурил.

— Эх, Саня, — с чувством сказал он. — На хера нам Мурыгин, Мишка евонный? Хера ли у тебя подвязок в Нижнем нет? На двоих навар делить не жалко, а на четверых — вилы... Ты ж говорил, что ты вор крутой, всех знаешь...

— Да щас шушеры всякой вроде тебя столько в дела набилось, что братьев ради тачки западло беспокоить, — обиженно ответил Саня. — А шушера Сане Омскому не канает.

— Конечно. Ты, бля, у нас по кассам ходок.

— Лёха, не гони порожняк. За базар отвечают, — предупредил Саня.

— Чо ты мне сделаешь? — хмыкнул Лёха. — Напердишь в автобусе?

Автобус пробрался среди буртов, преодолел дренажную канаву по накатанному съезду и теперь ехал вдоль разрезов. Один из карьеров дымил, и в свете фар уже ничего нельзя было разобрать.

— Место нормальное присмотрел? — спросил Саня.

— Никто на хер не найдёт. Я там «девяту» прятал, которую в Семёнове угнал. Два года назад, помнишь?

— Я за твоими скоками не слежу. Чо думаешь, черти эти будут в ментуру подавать?

— Московские же. Всяко будут.

— Они ведь сразу на нас закозлят.

— Ну и хера ли? Пусть докажут.

— Тебе в пресс-хате менты доказывать будут.

— Не бзди, я на пресс не расколюсь.

— Ваще им ничо не обещай. Только унюхают, что это мы тачилу дёрнули, и тачилу себе отожмут, и срок повесят.

— Не бзди, сам знаю.

Лёха затормозил. В темноте и дыму невозможно было понять, почему это место Лёха считает хорошим убежищем. Саня опустил стекло в окошке, высунул голову и огляделся:

— Леха, фраер, лажовое место. Вычислят.

— Отвечаю тебе, место могила, проверено,— самоуверенно заявил Лёха, доставая флягу и отвинчивая колпачок.

— Наши деревенские и вычислят. Вон там узкоколейка, я знаю.

— Хера ли? С неё не видно, я проверял. Сюда ваще не ездят. Да кто из наших ваще против меня залупнётся? Дом спалю.

— Надо было в лес загнать,— убеждённо и мрачно сказал Саня, подставляя под флягу два стаканчика.

— В лесу егеря.

— Лажовое место,— задумчиво повторил Саня и выпил.

Лёха тоже выпил.

— Я ключи от тачилы себе возьму,— сказал Саня.— Чтобы ты без меня не уехал.

— Хер тебе, Саня.

— Лёха, я тебя знаю, ты ведь меня кинешь.

— Кончай пургу гнать.

— Тогда ключи мне дай.

— Хер тебе.

Лёха вылез из кабины, обошёл автобус и открыл заднюю дверку. Саня тоже выкарабкался из кабины и подковылял к Лёхе.

— Хлама-то у них тут...— пробормотал Саня, оглядывая снаряжение Гугера, Валерия и Кирилла.

Багажная часть автобуса было заставлена пластиковыми ящиками, кофрами, сумками.

— Бензопила моя,— сразу сказал Саня.

Лёха, нагнувшись, вытащил ручную немецкую бензопилу Makita. Она была без кейса, но планку с зубцами прикрывал пластмассовый кожух. В корпусе пилы бултыхнулся бензин.

— Хер тебе,— сказал Лёха.— Пила моя. Бери чо другое.

— Лёха, вор слово держит,— в голосе Сани появилась угроза.

— Уркам своим уши грей.

— Лёха! Сукой будешь.

— Тебе чо пила?! — разъярился Лёха.— Бери чо другое! Навалом дерьма всякого! А пилу я щас Мурыгину сдам! Выпить хочешь ещё?

— Я тебе сразу сказал, что пила моя!

— Ну, сказал и сказал. Хера ли.

Саня молча вцепился в ручку пилы. Лёха легко оттолкнул его, и Саня задом повалился на землю, нелепо махнув палкой.

— Не лезь, козёл,— беззлобно посоветовал Лёха.

Саня, кряхтя, поднимался на ноги.

— Будешь щас чо брать? — спросил Лёха.

— А ты мне, бля, донесёшь до деревни? Я инвалид!

— Сам себе неси. Я те не ишак. Не будешь, так я закрываю.

Лёха захлопнул дверцу и бибикнул сигнализацией, потом сунул брелок с ключом от автобуса в карман камуфляжных штанов.

— Пошли,— буркнул он.— Надо, чтоб нас утром в деревне видели.

С пилой в руке Лёха деловито пошагал в темноту.

— Погоди! — крикнул Саня.— Куда побежал!

Саня заковылял вслед за Лёхой.

Они шли в сумерках начинающегося рассвета вдоль торфяных карьеров. Лёха двигался впереди, размахивая пилой, Саня еле поспевал следом. Он хромал, цеплялся палкой и материл Лёху:

— Лёха, гондон... Ты ведь меня обул, сука... Место лажовое, ключа от тачилы не дал, воровское слово не держишь... Ты ведь тачилу заберёшь и в город угонишь... А я, мандюк, ключ от сарая у Мурыгина брал... Я, значит, и тачилу укатил... И у этих фраеров московских спрашивал, где ты... Значит, не с тобой я был... Ты все стрелки на меня перевёл, везде меня подставил, да, Лёха? Ты братана своего подставил? Папу своего?

Казалось, что Саня спотыкается и шатается не от колченогости, а от сокрушительного прозрения.

Лёха не отвечал и только усмехался.

Возле горящего карьера он притормозил, положил бензопилу на дорогу, снял с ремня флягу и свинтил крышку. Чёрный плоский котлован лежал без огня, но во многих местах дымился.

— Может, бля, направить на деревню пал? — задумчиво спросил Лёха сам у себя. — Чо сгорит, власти выплату дадут. Уехать сможем. И Шестаков ничо не сделает.

Саня догнал Лёху и остановился сзади, тяжело дыша.

Лёха цыкнул зубом, глотнул водки из горла и вдруг закашлялся. В груди у него забурлило, он согнулся, повернувшись к Сане задом, и его начало толчками рвать водкой.

— А говоришь, не блюёшь, — презрительно сказал Саня.

Он двумя пальцами ловко вытащил из ножен на боку у Лёхи нож и перехватил рукоятку удобнее. Лёха отплевался, распрямился, вытер губы ладонью и повернулся к Сане, протягивая флягу.

Но Саня флягу не взял. Он спокойно, точно и крепко воткнул нож Лёхе в грудь — слева, лезвием между рёбрами. Лёха в изумлении открыл рот, выронил флягу, колени у него поплыли и ослабли, и он косо повалился на дорогу на бок, рядом с бензопилой.

— Папу в попу нельзя, баклан, — назидательно сказал Саня.

Он осторожно подогнул ноги, отставил палку и присел рядом с Лёхой, подобрал фляжку, побултыхал, проверяя, осталась ли водка, выпил и посмотрел на Лёху. В открытых глазах Лёхи плыл тёмный дым торфяного пожара. Саня пальцами надвинул Лёхе веки на глаза, спустил на свою ладонь рукав пиджака и обшлагом вытер ручку ножа, торчащего у Лёхи из груди. Крови на груди почти не было, только красная полоска едва-едва оторочила лезвие. Потом Саня обшарил карманы Лёхиных камуфляжных штанов и вытащил деньги, сигареты и брелок от автобуса.

— А говорил, падла, пустой скок, — задумчиво пробормотал Саня, рассматривая купюры.

Саня подобрал бензопилу, встал, осмотрел агрегат, открутил пробку и принялся трясти бензопилой над Лёхой, выливая бензин. Затем отложил пилу, взял Лёху за руку и потащил к горящему карьеру. Тело Лёхи оставляло широкую борозду. Саня не доволок приятеля до края котлована, бросил и принялся пихать вперёд палкой. Еле-еле у него получилось сдвинуть Лёху к чёрному рыхлому обрыву. Тело зависло, Саня ещё раз толкнул, и Лёха кувыркнулся вниз. Через секунду он выкатился на дно котлована, уже весь перепачканный сажей, и замер, картинно раскидав руки.

Саня ждал.

— Прости меня, раба многогрешного, господь наш Иисус Христос милостивый! — широко крестясь, торжественно произнёс он.

И тотчас Лёха, облитый бензином, вспыхнул. Загорелась одежда, волосы, а потом и весь чёрный торф вокруг Лёхи. Это казалось то ли колдовством, то ли небесной карой, потому что больше открытого огня нигде в котловане не было.

Саня облегчённо перевёл дух, поднял бензопилу и, опираясь на палку, поковылял к вышке, что темнела на фоне восхода.

38

Таймер отсчитывал последние секунды аудиофайла, когда Роман Артурович извлёк синюю пластиковую папку, достал из неё несколько распечатанных на принтере фотоснимков и протянул Кириллу. В правом нижнем углу снимков были обозначены дата и время. На снимках Кирилл увидел дымящийся карьер, потом, крупнее, — его дно, потом — чёрные, обугленные останки человека с коричневыми костями под коркой нагара. Так теперь выглядел Лёха Годовалов.

Значит, когда он, Кирилл, пил кофе с Лизой, ругался с Валерием и Гугером, искал автобус на полянах Фетова ручья, читал «Доношение» Павла Мельникова, Лёха лежал в карьере и потихоньку дожаривался.

— Снимки для милиции, — пояснил Роман Артурович. — А то ведь могут и вовсе не приехать. Такая у нас охрана правопорядка.

— Вы хотите сообщить в ментовку?

— Безусловно. Это тяжкое уголовное преступление. А вы, Кирилл, считаете, что можно наплевать на этих людей, если они люди только физиологически? Но я уверен, что подобные деяния нельзя оставлять безнаказанными, даже если эти деяния совершены с представителями, так сказать, низкоразвитой социальной и культурной страты.

— Вы принципиальный, Роман Артурович.

— Я человек культуры, Кирилл Алексеевич. А человек культуры соблюдает законы общества, потому что они — тоже часть культуры.

Кирилл понял, кого ему напоминает Роман Артурович. Подростком Кирилл смотрел фильм «Бунт на „Баунти“». Там рассказывалось, как в 1789 году взбунтовался экипаж английского парусника и высадил на шлюпке в океан капитана Блая и нескольких верных ему матросов. Бедолаги плыли-плыли и стали умирать от жажды. Тогда один матрос предложил товарищам убить его и выпить его кровь. И капитан Блай ответил: «Мы всё равно умрём, так что давайте, господа, умрём англичанами». Роман Артурович походил на капитана Блая.

— А что вы делали, когда эти законы нарушались? — желчно спросил Кирилл.

— Н-да, — печально кивнул Роман Артурович. — Наш пострел не везде поспел. Я поясню.

Роман Артурович устроился к Шестакову вполне официально, Шестаков даже не представлял, кого он взял на работу. Поэтому Роману Артуровичу приходилось делать всё, что было в обязанностях охранника и бодигарда. Вчера утром, когда Кирилл и Гугер обнаружили пропажу автобуса, в усадьбу завалился хозяин с гостями. Гости пили весь день, к вечеру осатанели, а ночью начались драки и разборки. Роман Артурович вёл себя как омоновец Ромыч: разнимал, утихомиривал, грузил пьяных в джипы. Двух самых буйных он усыпил выстрелами из пистолета — для них и зарядил оружие. Утром буяны всё равно не вспомнили бы, каким образом они уснули.

Отслеживать подопечных через телефоны Роману Артуровичу было просто некогда. Быстро отреагировать на драматический поворот событий, как получилось с дракой Кирилла и Лёхи, Роман Артурович не смог бы: он вообще не знал об угоне автобуса.

Не прошло и получаса после того, как последний джип укатил из усадьбы, в дверь к Ромычу замолотил Кирилл. Ромыч думал, что кто-то из очнувшихся гостей в хмельном кураже скомандовал возвращение, потому и встретил Кирилла с пистолетом в руке.

— Вы не представляете, Кирилл, как вы со стороны выглядели, — усмехнулся Роман Артурович. — У вас была то ли истерика, то ли приступ какой-то паранойи.

Я поступил так, как счёл наилучшим, в пределах своей медицинской компетенции, конечно, — отправил спать.

— Я не в претензии, — хмуро ответил Кирилл.

Потом Роман Артурович завёл «крузер» и поехал туда, откуда прибежали Кирилл и Лиза, — на карьеры. Но доехал только до храма. Ведь Кирилл успел сказать, что преследователи находятся возле церкви. Роман Артурович остановил машину, заглянул в храм и обнаружил там Гугера и Валерия.

— Сложно описать, в каком они были состоянии, — рассказывал Роман Артурович. — Одним словом — в невменяемом. Признаться, я никогда не видел ничего подобного. Было ощущение спектакля, где бесталанные дилетанты изображают сумасшедших. Ваши товарищи, Кирилл, выли и рычали, разбрасывали мусор, бродили как слепые и ударялись о стены. На слова они не реагировали. И я тоже усыпил их. И привёз в усадьбу.

— А они были одеты? — спросил Кирилл.

Оборотни, трансформируясь, разрывают одежду. Вернувшись в человеческий облик, они должны оказаться голыми.

— Были одеты. Но вся одежда изодрана в лохмотья.

Роман Артурович понял, что с подопечными случилось нечто чрезвычайное. Испуг, истерика, стресс, нервный срыв, шок — это не от ссоры, даже не от драки. Такое происходит, когда у человека рушится картина мира. Роман Артурович по телефону поднял с постели в Москве психолога и получил совет ввести транквилизаторы.

— На свой страх и риск я не ввёл их вам, Кирилл, — признался Роман Артурович. — Я же увидел, как вы защищали свою девушку. Значит, не поддались панике и сохранили остатки самоконтроля. И потому я решил, что, проснувшись, вы будете готовы к разговору.

— Я и готов, — подтвердил Кирилл.

До рассвета Роман Артурович изучал записи в телефоне Кирилла. Потом снова завёл «крузер» и покатил на места «боевых действий». Он ориентировался на маячки в двух других аппаратах. Один телефон Роман Артурович нашёл брошенным на рельсах узкоколейки в районе вышки. Другой телефон был у Сани Омского. Саня, пьяный, спал в угнанном автобусе. По маячку Роман Артурович и отыскал автобус.

Вернуть Саню в разум Роман Артурович не сумел. Саня проснулся, сделал глоток воды — и тотчас вновь окосел. Роман Артурович отвёз Саню домой. Дорога на карьеры не позволяла ехать на одной машине и тащить вторую на буксире, поэтому «крузер» остался на карьерах. Роман Артурович загнал автобус во двор усадьбы, просмотрел записи в телефонах и отправился за «крузером» пешком.

Когда он приехал обратно, Кирилл встретил его с пистолетом.

— Это то, что делали вы, — подвёл итог Кирилл. — И я знаю, что делал я. А что делали Гугер, Валерий и Саня? Как и почему Валерий и Гугер стали псоглавцами? Или вы не верите в оборотней?

— Не верю, — подтвердил Роман Артурович. — Но я верю вам.

— А я видел оборотней. И Лиза тоже.

— Знаете, Кирилл, прежде чем обсуждать оборотней, я бы хотел, чтобы вы послушали разговор Дергачёва с Денисом.

— Включите, послушаю, — согласился Кирилл.

Роман Артурович придвинул второе кресло и сел к компьютеру.

— У них было два разговора, — через плечо сообщил он. — Дергачёв убил Годовалова, потом спал в развалинах возле вышки, проснулся днём и с вашего телефона позвонил Денису.

— А я в это время искал автобус в лесу...

— Play, — сказал Роман Артурович и включил запись.

«Гугер: Кир, это ты, что ли?

Саня: Это я.

Гугер: Кто «я»?

Саня: Саня. Забыл Саню Омского, баклан? Где этот борзый-то у вас? Который с Лизкой нашей трётся.

Гугер: Я не знаю. Он ушёл часа два назад.

Саня: Лады... Тачилу обратно хочешь?

Гугер: «Тачилу»... Автобус то есть? Он у вас?!

Саня: Короче, пацан, если тачилу надо, берите мне грев и руки в ноги сюда, на карьеры.

Гугер: Какой грев?

Саня: Водяру, курево. И запивон. Чешите по рельсам, как на разрезы выйдете, слева будет вышка. Я под ней жду.

Гугер: Постойте...

Саня: Шуруй давай, херово мне».

— Это первый разговор, — пояснил Роман Артурович. — Не думаю, что тогда у Дергачёва уже был какой-то план. Его просто мучило похмелье, а снять абстиненцию было нечем, и сил дойти до деревни тоже не было. Он позвонил в расчёте на то, что поговорит с вами, но вас не застал. Тогда быстро переиграл и позвал ваших товарищей.

— А они, значит, повелись... Неужели решили, что они принесут опохмелку, а Саня с Лёхой за это отдадут автобус?

— Нет, они так не думали. Есть запись их обсуждения этого звонка Дергачёва. Денис и Валерий решили, что идти на карьеры — значит, вступить в переговоры. Это уже хорошо: ситуация сдвинется с мёртвой точки. Они взяли водку, минералку и сигареты, а Денис оставил вам свой телефон с запиской. Пока они шли на карьеры, Дергачёв обдумал своё положение. А оно — незавидное. Угон и убийство.

— Можно ещё кофе, Роман Артурович?

— Конечно.

Пока Роман Артурович включал кофемашину, Кирилл попытался представить: а как он поступил бы на месте Сани, чтобы отвести обвинения? У Кирилла ничего не придумывалось. Для этого нужно холодное мышление рептилии.

— Ваш кофе, Кирилл, — сказал Роман Артурович, подавая чашку и снова усаживаясь за компьютер. — И второй разговор с Дергачёвым. Он всё расставляет по местам. Качество записи хуже, пришлось сводить звук с двух файлов: с вашего аппарата, который был у Дергачёва, и с аппарата Валерия.

Теперь голос у Сани звучал более уверенно. Саня опохмелился, и ему стало комфортно.

«Валерий: Откуда мы знаем, что автобус и вправду у вас?

Саня: Бензопилу видишь, баклан? Чья она?

Гугер: А что вы нам предлагаете? Выкуп?

Саня: Расклад такой, пацаны. Борзый-то вам звонил, как убежал?

Валерий: Нет, он без телефона. Мы ему оставили свой в школе.

Саня: Попал ваш борзый, пацаны. По самое не балуйся. Знаете, чего он сделал? Он Лёху Годовалова прирезал, братана моего.

Валерий: Что??!

Саня: Что слышал. Борзый Лёхиной бабе впёр. Лёха вашу тачилу угнал. Борзый Лёху вычислил тут, на карьерах, и они сцепились. Короче, он у Лёхи финкарь вытащил и фанеру ему пробил. Лёха наповал. Сейчас в карьере валяется, горит как полено».

Голоса Сани, Валерия и Гугера звучали как с того света.

— Борзый — это я? — мёртво спросил Кирилл.

Роман Артурович, нажав клавишу «пауза», молча кивнул.

— Саня убийство на меня свалил? И Валерий с Гугером поверили?

— У вас, Кирилл, был мотив убить Годовалова. А у Дергачёва мотива не было. Личностная деградация — не мотив, а условие. Такое, при котором мотив и не нужен. Но ваши товарищи судили по правилам вашего общества. Они не вышли из зоны своих представлений о поведенческих нормах. Потому и поверили.

— *А я ушёл из зоны...* — начал понимать Кирилл.

Роман Артурович отжал клавишу «пауза».

«Саня: Короче, пацаны, я борзого приговорил. А с вами я меняюсь. Вы мне — его, я вам — тачилу. За братана я зубами рвать буду.

Валерий: Вы что, хотите убить Кирилла?

Гугер: Это уголовка. Тебя упекут по полной.

Саня: Не бзди. Мне пушка ваша нужна. Я ему в калган шмальну, потом сброшу к Лёхе в карьер. Пущай тоже горит. Типа как друг друга порешили и скатились в яму. Никакой мент по углям не опознает, как дело было».

— Вот такое выгодное предложение от Александра Александровича Дергачёва, мелкого уголовника по кличке Саня Омский, — подвёл итог Роман Артурович, опять нажимая на «паузу».

— Зачем это ему? — тихо спросил Кирилл. — Ему ведь плевать на меня, на Лизу, на Лёху...

— Затем, что снимаются все обвинения. Автобус угнал Годовалов. Мотив у него был — ревность и месть. Вы, Кирилл, нашли Годовалова и в драке убили друг друга. Вся деревня подтвердит, что вы и раньше конфликтовали. По сгоревшим останкам экспертиза не восстановит последовательность событий. А господин Дергачёв здесь ни при чём. Просто и эффективно.

— Но Валерий и Гугер... Они же сообщили бы в ментовку, что это не Лёха меня убил, а Саня...

— Не сообщили бы. Дергачёв предложил им план: они вызывают вас к вышке и направляют к горящему котловану. Там ждёт Дергачёв. Он стреляет вам в голову и сбрасывает в котлован. Валерий и Денис — соучастники убийства. Они будут молчать. Это ясно априори.

— А почему они были уверены, что я пойду к Сане на котлован?

— А почему вам не пойти? Валерий и Денис считали, что вы уже убили Годовалова, а Дергачёв вам не страшен, он инвалид.

— Но я-то не знал, что Лёха убит. Я бы думал, что у котлована оба упыря вместе. Зачем мне идти к ним в одиночку? Саня это понимал.

— Во-первых, вы уже ходили. А во-вторых, послушайте ещё.

«Саня: Значится, так, пацаны. Я валю отсюда на яму. Борзый к вам явится — позвоните мне. Я с ним сам перетру, чтобы пришёл.

Валерий: Вы уверены, что он пойдёт к вам?

Саня: Не сцыте, пойдёт».

— Дергачёв убедил бы вас, что он один, и вы бы пошли, — сказал Роман Артурович. — Это был верный капкан, Кирилл.

— Саня не отдал бы Гугеру с Валерием автобус, — с мукой ответил Кирилл, словно этим аргументом хотел переубедить Валерия и Гугера.

— Отдал бы. Сначала шантажом всё равно вынудил бы заплатить, а потом отдал. Но это — следующий акт пьесы.

— Как он всё это продумал?! — с тоской воскликнул Кирилл.

— Он ничего не продумывал. Он так живёт. Это не индивидуальный разум, а система отношений, которая Дергачёву абсолютно органична. Разве мастер айкидо продумывает в бою каждое движение своего тела? Нет. Он рефлекторно действует в системе освоенной кинетики. Аналогия, думаю, понятна.

— А Гугер с Валерием?..

Роман Артурович помолчал.

— Вот это — самое ужасное, — согласился он. — Ваши товарищи долго обсуждали, приносить вас в жертву или нет. Да, они отдали Дергачёву пистолет, но ещё не утвердились в решении послать вас на котлован к убийце. Они спорили до крика. Вы знаете суть этих споров, аргументы звучали не впервые. Вашим товарищам очень нужно было поговорить с вами ещё раз. Хотите послушать эту достоевщину?

— Не хочу. Вы мне вкратце перескажите.

— Если вкратце, то звучали две темы. Первая — выплата за автобус. На каждого из троих участников выплаты приходился бы долг примерно в семьсот тысяч. Это неподъёмная сумма. Но вас всех заставили бы изыскать её: через приставов или коллекторов, через продажу жилья. Выплата сломала бы судьбу и Валерию, и Денису.

— Прощай квартира в Москве,— подтвердил Кирилл.

— А вторая тема — во всём этом виноваты вы один, Кирилл. Потому вполне справедливо отдать вас на заклание и спасти свою судьбу.

— Они мне уже говорили, что это я во всём виноват.

— Я знаю. Я прослушивал записи с телефонов. Но таких оценок я не разделяю. Ваши товарищи представили социокультурную проблему как этическую. Но это не лукавство и не ошибка. Таковы императивы.

— Не понял.

— Ситуацию можно уподобить Римской империи. Есть Рим, есть варвары. На варваров законы Рима не распространяются. Кто посмеет это сделать — тот предатель. Он оскорбил Рим, уравняв варваров с римлянами. И вы это сделали, Кирилл. Вы наделили девушку-варварку правами римлянки. Вас надо наказать. Наказать за социокультурный проступок как за этическое преступление.

— Слишком сложные соображения, Роман Артурович...

— Никаких соображений нет, Кирилл. Есть архетипы культуры. Есть подчинение программе. Своим товарищам вы стали чужаком. И к вашей гибели они отнеслись так же, как к гибели чужака Годовалова.

— Когда я им стал чужаком? — закричал Кирилл.— Ругались — да, ну и что? Я же собрался уезжать! Я не собирался забирать Лизу с собой, вообще ничего не собирался делать!

— Друзья-римляне ждали вас на решающий суд. А вместо суда они увидели, что вы убегаете от них с девушкой-варваркой. Ну и...

— И что?

— И включилась программа. За вами погнались уже псоглавцы.

39

Надо было ждать утра, когда действие снотворного закончится, а Лиза, Гугер и Валерий проснутся. Роман Артурович предложил Кириллу ужин: овсяные хлопья, залитые молоком. Кирилл не стал отказываться. А Роман Артурович предпочёл энергетик.

— Ерунда все эти энергетики, — сказал он, разглядывая банку Burn, — но лучше ерунда, чем ничего. Не хотите прогуляться, Кирилл?

Кирилл согласился.

Прожекторы на углах усадьбы освещали дорогу, а небо оставалось ясным и тёмным. Карусель зодиака повернулась так, что огромный Лев, изогнувшись, будто перепрыгивал через храм на взгорье. Кирилл и Роман Артурович неспешно шагали по белым песчаным колеям.

— Я старше вас почти вдвое, Кирилл, — говорил Роман Артурович, — и моё детство пришлось на время Советского Союза. Тогда я думал, что к моим зрелым годам люди уже построят на Луне какой-нибудь город. А человечество, похоже, утратило интерес к космосу. Может, это и правильно. Нам ещё рано во вселенную.

Кирилл, прищурившись, посмотрел в небо. Звёзды показались ему габаритными огнями на невидимых громадах созвездий.

— В то время действительно многие мальчишки хотели стать космонавтами. А мне всегда это было непонятно. Ведь космонавты не летают к звёздам, не открывают иные миры. Их открывают астрономы, которые не покидают планету. И сейчас я благодарен своей профессии за такую возможность.

— Вы же не астроном,— хмыкнул Кирилл.

— А я говорю не про инопланетян.

Эта лирика показалась Кириллу подозрительной. Кто он вообще, этот Роман Артурович? То ли доктор наук, то ли спецназовец.

— А кто вы по профессии? Сотрудник фонда — не профессия.

— Конечно, это просто должность. Специалист по информационным технологиям — образование. А вот профессия... Названия у неё нет. Мы пользуемся жаргонным словом дэнжеролог. От английского «danger» — «опасность». Это не в смысле героя боевика, а в смысле таблички-предупреждения: осторожно.

Осторожно! — сам себе сказал Кирилл.

— От чего вы предостерегаете?

Роман Артурович задумчиво улыбнулся:

— Интересно, а как Даниил Львович вам это объяснял?

— Он чего-то намутил. Типа как есть артефакты культуры, которые влияют на жизнь общества, и ваш Фонд изучает эти влияния.

Роман Артурович рассмеялся:

— Н-да, Лурия умеет сказать главное, не сказав ничего. В общем, Кирилл, есть артефакты культуры, которые несут людям опасность. Мы отыскиваем такие артефакты, определяем принцип опасности, выясняем механизм действия и решаем, как сохранить артефакт, сделав его безопасным.

— Например? — тотчас спросил Кирилл.

— Корректнее всего приводить примеры из литературы. Скажем, у Толкина — Кольцо Всевластья, которое на горе Ородруин выковал волшебник Саурон. Механизм действия Кольца — выполнять желания владельца. Опасность в том, что Кольцо подчиняет себе владельца и развоплощает его. Способ нейтрализации — не надевать кольцо.

— Ой, только не надо таких примеров,— сморщился Кирилл.

Они подошли к опушке рощи, в которой пряталось кладбище.

— Ну, хорошо,— улыбнулся Роман Артурович.— Другой пример — голова Медузы горгоны. Голова — культурный артефакт. Механизм его действия — превращать в камень. Опасность — для тех, кто посмотрит на голову напрямую. Способ нейтрализации — смотреть на отражение.

— То есть Персей — первый дэнжеролог?

Роман Артурович снова рассмеялся.

— Повторю эту шутку в Фонде,— сказал он.— Выдам за свою, для повышения дутого авторитета...

Они спокойно шли по дороге сквозь кладбищенскую рощу, и это ничуть не волновало Романа Артуровича.

Оказывается, первые дэнжерологи появились не в Европе, а в СССР. В 1965 году в стране было учреждено ВООПИиК — Всероссийское общество охраны памятников истории и культуры. Одним из его создателей был Борис Пиотровский, директор Эрмитажа. Поэтому первые дэнжерологи работали при Эрмитаже как научные сотрудники. Их деятельность, разумеется, курировал КГБ.

Теорию и методологию своей работы эти специалисты взяли из статьи академика Лихачёва «Житие чудотворной иконы». С 1928 года по 1931 год Дмитрий Лихачёв был узником Соловецкого лагеря для политзаключённых. Там его и заинтересовал феномен чудотворных икон, благо, советский режим ни в грош не ставил их святость и тем самым облегчил доступ. Работу об иконах Лихачёв завершил лишь в 1943 году, в эвакуации в Казани. До 1990 года эта работа носила гриф секретности, но и после того, как гриф сняли, не была опубликована.

— Чудотворные иконы — тоже ваши объекты?

— В принципе, да,— кивнул Роман Артурович, механически сдвигая ногой с пути ржавый погребальный венок.— Хотя ими занимается РПЦ, что вполне естественно. Дело в том, Кирилл, что чудотворные иконы — самый распространённый пример культурного артефакта, наделённого трансцендентными свойствами, правда, в случае иконы они трактуются как сакральные. А Церковь первой и разработала механизм нейтрализации подобных артефактов. Так что если Персей — первый дэнжеролог, то Церковь — первый институт дэнжерологии.

— И какой механизм нейтрализации чудотворной иконы?

— Перемещение в храм. Церковь сознательно внедрила в паству мысль, что держать чудотворную икону дома — грех, хотя божий дух дышит где хочет. Но просителей чуда у такой иконы храм сам по себе программирует на этику добра.

— Ничего себе — этика добра у псоглавцев! — возмутился Кирилл.

Ему уже не было страшно. Рядом с Романом Артуровичем страх как-то развеивался, что ли. Или нет: Роман Артурович умел объяснять, почему страшно, и страшное переставало пугать. Хотя про Псоглавца Роман Артурович пока что ничего не объяснил.

— Давайте разберёмся,— охотно поддержал Роман Артурович.— Во-первых, изображение Псоглавца находится в храме иного культа, да?

— Ну, да. Это раскольничий образ.

— А во-вторых, в сакральном смысле раскольники не отличались от никониан. Бога они все понимали одинаково. Различия были в обрядах и в общественном укладе. У раскольников — самоуправление и личная свобода, у никониан — бюрократия и крепостное право. Так что раскольничьи феномены — гражданские. Раскольники выдавали их за церковные, чтобы лишний раз не злить светскую власть.

— Что же, на Псоглавца, что ли, не молились? — удивился Кирилл.

— Святой Христофор — объект веры. Псоглавец — замаскированная под него общественная функция. Кто он, по-вашему, Псоглавец?

— Он?.. — Кирилл колебался: говорить ли? — Он *бог конвоя*. Он преследует тех, кто убегает из мира раскольников.

— Так, — кивнул Роман Артурович. — Но вы сузили ареал Псоглавца. Он ведь нападает не только на раскольников.

Роман Артурович был прав. Лиза крестилась двуперстием, но Лёха с головой собаки напал на неё не за веру, а за то, что она уезжала поступать в институт. И отца у Лизы псоглавцы убили за то, что он хотел перевезти семью в город, а не за веру. Инок Христофор растерзал брата за любовь. Торфяные гапоны грызли зэков за побег. А Валерий с Гугером?.. Они погнались за Кириллом, чтобы вернуть вещь.

— Атака псоглавцев — вовсе не месть за веру, — Роман Артурович внимательно глядел на Кирилла. — Псоглавец — пограничник. Он охраняет границы локусов. То есть поведенческих зон. Разных зон. Уголовного лагеря. Деревни Калитино. Раскольничьего скита. Или города Москвы, Кирилл. Жертвы псоглавцев — нарушители норм своей культурной зоны. А какая зона — это не важно.

— Нарушил норму — это... *ушёл из зоны*, — сам себе сказал Кирилл.

Да, ведь он *ушёл из зоны*. Но ушёл не тогда, когда лёг в постель с Лизой, а тогда, когда на карьерах уже приближался к вышке, но поверил Лизе, а не своим товарищам, и на дрезине бежал прочь.

— Псоглавец фиксирует не систему ценностей раскольников, а их поведенческую стратегию: покарать отступника. Это поведенческая стратегия сторожевой собаки — догнать и разорвать беглеца. А прав беглец или не прав, собаку не интересует.

Кирилл и Роман Артурович миновали перелесок. Впереди за пустошью под звёздами светлели крыши деревни Калитино. Окна не горели, трубы не дымили, собаки не лаяли. Теперь понятно, почему в Калитине нет собак. Потому что они есть. Это псоглавцы.

— Пойдёмте обратно,— предложил Роман Артурович.

Они развернулись.

— Но ведь Псоглавец не сходит с фрески, да? — спросил Кирилл.— Это люди превращаются в псоглавцев и гонятся за убежавшими. Так?

— Видимо, так.

— А кого фреска превращает в преследователя?

— Видимо, кто подвернётся. У кого и так есть мотив преследовать.

У Годовалова был мотив догнать Лизу, подумал Кирилл. Обида и ревность. Мотивом для убийцы Николая Токарева вполне мог быть заказ Шестакова. А мотивом для Валерия и Гугера — выкуп автобуса.

Кирилл долго молчал. Песок дороги мягко хрустел под ногами.

— Но почему — псоглавцы? — наконец спросил Кирилл. — Почему — оборотни? Ведь Лёха, Валерий или Гугер не были раскольниками! Да им вообще было плевать и на историю деревни, и на историю раскола! Годовалов — круглый идиот! Почему же получилось по-раскольничьи?

— Я ведь прослушал ваши разговоры,— напомнил Роман Артурович.— Я понимаю, что на вас подействовали аргументы Валерия. И сейчас вы спрашиваете: откуда псоглавец, культурный герой, если здесь нет культуры? Однако у Валерия ортодоксальные представления о бытии культуры. Валерий говорил: культура либо есть, либо её нет,— Роман Артурович усмехнулся.— То есть культура как беременность. Но есть формы существования культуры, о которых Валерий не знает. Можно попробовать рассказать вам, Кирилл, об одной из таких латентных форм. Получится очень вульгарная теория дэнжерологии. Желаете узнать? — Роман Артурович посмотрел на Кирилла.

— Давайте. Может, пойму.

Они шли через кладбищенский лесок, и странный дэнжеролог излагал Кириллу странные вещи. Культура, говорил Роман Артурович, это совокупность определённых стратегий изменения, постижения или отражения мира. Это особым образом организованная информация. А вот что такое информация, никто до сих пор не знает.

Дэнжерология зиждилась на утверждении, что информация имеет ещё и физическую природу. Как свет, который и электромагнитная волна, и поток фотонов, то есть сразу и нематериален, и материален.

В материальном измерении культуру, то есть информацию, можно заархивировать, как файл с текстом в программе Word. И флэшкой, то есть хранителем файла, обычно является некий артефакт той самой заархивированной культуры. Скажем, фреска Псоглавца.

— Такой носитель мы называем английским термином «сабджект», — пояснил Роман Артурович. — Парфенон — сабджект античности, а Витрувианский человек — сабджект Ренессанса. Пирамиды — сабджекты Древнего Египта, а «Слово о полку Игореве» — сабджект Древней Руси. Шапки шаманов — сабджекты языческих культур, фильм «Аватар» — сабджект новейшей эпохи, а Псоглавец — сабджект культуры раскола.

Пока что Кирилл всё понимал. Культура — это информация, информацию можно записать, запись — это сабджект, артефакт.

Но дело было не в сабджекте, а в окружающей его среде. Если она была органична культуре сабджекта, то сабджект по мере надобности легко можно было разархивировать и заархивировать обратно. Но если окружающая среда была неорганична или даже агрессивна, то сабджект становится опасен для людей. И к нему следовало подпускать только сапёров культуры — дэнжерологов.

Сабджект напомнил Кириллу какого-то дикого зверя вроде бизона. В прерии, наверное, к бизону можно было подойти и даже покормить, а в городе бизон обезумеет, понесётся и начнёт бодать всех подряд.

— Нынешняя российская деревня утратила былую культуру русской деревни, а современную культуру города не обрела, — говорил Роман Артурович. — Нынешная российская деревня — не носитель культуры вообще. Агрессивная среда. Но в ней с прежних времён остались сабджекты. Ведь как стоял в Калитине храм с Псоглавцем, так и стоит. И его сабджект можно разархивировать.

В общем, Кирилл понял, что Лёха Годовалов, Саня Омский или Мурыгин, дегенераты, просто не могли разархивировать Псоглавца. Они невосприимчивы к культуре. Они жили возле храма, как крысы в доме с телевизором, но включать телевизор не умели.

— Вот вам ещё аналогия, Кирилл, — говорил Роман Артурович. — Культура — джинн, сабджект — бутылка, в которой его заархивировали. Человек культуры умеет открывать бутылки. Но победит джинна лишь тот, кто знает природу джиннов. Вы, Кирилл, открыли бутылку, разархивировали сабджект раскольников, выпустили джинна. Но вы — с точки зрения джинна — совершили преступление, и джинн культуры бросился на вас: вы *ушли из зоны*, а за вами кинулись *боги конвоя*.

Для человека культуры, понял Кирилл, разархивировать сабджект — нет проблем. Особенно когда под рукой Google. Но беда была в том, что Кирилл не знал всех законов этой культуры и совершил деяние, которое в этой культуре карается псоглавцами. Они и явились.

— И вот тут я должен был оказаться на их пути, — мрачно признал Роман Артурович. — Но я всё проморгал.

Впереди за деревьями кладбищенской рощи появился свет прожекторов на заборе усадьбы.

— А в Москве такая история могла произойти? — спросил Кирилл. — Ведь там тоже есть фрески Псоглавца...

— Москва — огромная сумма сообществ. В Москве перейти в другое сообщество — не преступление, — словно отмахнулся Роман Артурович. — А здесь было только два сообщества — ваше и местное. Вы своё сообщество оставили. Оставили ради другого сообщества, которое было тупое и агрессивное, антагоничное любой культуре. И ваше сообщество отомстило вам. По-раскольничьи.

— А почему Лиза видела псоглавцев? — вспомнил Кирилл. — Или её отец? Они из той же убогой среды, что Лёха или Саня, они не сумеют разархивировать ваш сабджект!

— А я не влезу в вашу личную жизнь, Кирилл? — искоса глянул Роман Артурович. — Вы можете узнать вещи, которые вам... э-э... скажем, будут неприятны. Не о девушке. О себе.

— Вы осторожны, как дэнжеролог, — желчно ответил Кирилл.

Если информация имеет и материальную природу, то её можно воспринимать чувственно. К примеру, человек может быть лишён музыкального слуха, но музыку от шума он отличает. Музыка — организованный звук, а культура — организованная информация. Чувствовать культуру — быть восприимчивым, а не образованным. Образование лишь помогает понять то, что почувствовал. Впечатление и познание — равноценные способы разархивации сабджекта.

— Ваша девушка, Кирилл, не спутает прогноз погоды и пушкинское «мороз и солнце, день чудесный», — мягко сказал Роман Артурович. — Я не вправе комментировать ваш выбор, но эта девушка многое понимает интуитивно. Такое ведь не редкость.

Кирилл вспомнил, как Лиза рассказывала ему о поездке в Москву. Лиза не увидела в Москве ни бутиков, ни баннеров, ни иномарок...

Кирилл разозлился. Получается, Роман Артурович ткнул его носом в собственное свинство. Ведь Кирилл уже доказал себе, что в Москве Лиза будет как корова в городе... Что ей попросту не хватит культуры, а потому пускай сидит в Калитине.

— И всё-таки, как же люди становятся оборотнями? — зло спросил Кирилл, меняя тему. — Это нарушение физических законов! Или фреска укусила Гугера с Валерой? Вы мне уже всё объяснили, кроме этого.

— Ох, Кирилл... — вздохнул Роман Артурович. — Ваша страсть к кино неистребима. Я не верю в оборотней. Их видели только вы и Лиза, которые *ушли из зоны*. А я увидел двух парней в шоке.

— То есть оборотней не было?

— Может, и были, — пожал плечами Роман Артурович. — Культура воздействует избирательно. То, что для вас катарсис, для меня — ничто. Да, вы видели чудовищ. И я не знаю, что это было.

— Оборотни, — убеждённо сказал Кирилл.

Они уже подходили к железным воротам и к сторожке.

— Мельников тоже описывал оборотней, — добавил Кирилл.

— Писатель Андрей Печерский, автор «Доношения»? Но ведь он носитель той же религии, что и раскольники. Его опыт, так сказать, не считается. Он нерепрезентативен. Верующий человек увидел еретиков в обличье оборотней — дело житейское. У Пелевина вон оборотни в погонах. Псоглавцы не рушат мировоззрение верующего человека. А вот ваше мировоззрение позитивиста рушат. Поэтому вам и требуется, чтобы фреска кусалась.

— Но я-то неверующий человек.

— Зато вы верите в Голливуд, — усмехнулся Роман Артурович. — А в Голливуде оборотничество — это вирус, передающийся через укус.

— Значит, у меня были глюки? Самовнушение?

Роман Артурович остановился у крылечка своей сторожки.

— Тоже нет, Кирилл. Я убеждён, что если бы вас убили, извините, конечно, то раны ваши были бы как от волчьих укусов. Это какая-то ваша изолированная часть реальности. Сабджект можно уподобить аккумулятору. В нём огромный заряд. Триста пятьдесят лет истории раскола и миллионы человеческих жизней — и всё в одном сабджекте. С таким зарядом изменяются метрики пространства. Скажем, при взрыве в Чернобыле взрывная волна проходила сквозь бетон как сквозь воздух, не повреждая материал, — это чудеса приложения огромных сил. Мы не знаем физики огромных объёмов информации.

— А говорите, вы специалист.

Роман Артурович поднялся на крыльцо и открыл дверь сторожки, приглашая Кирилла войти.

— Художник работает с красками и цветом, но он не химик и не оптик. Моя задача — выхватить гранату из руки ребёнка, а не растолковать ему принцип действия тротила.

Кирилл вошёл.

— Вы успели выхватить гранату в последний момент, — сказал он.

— Это верно, — согласился Роман Артурович, запирая за собой дверь. — Не хотите кофе?

— Хочу.

— Кофемашина к вашим услугам. А я проведаю ваших товарищей.

Роман Артурович открыл другую дверь и спустился во двор.

В сторожке горел приглушённый свет. Мониторы компьютеров погасли в режиме экономии, на аппаратуре перемигивались огоньки. В узком окошке темнела полночь.

Лиза спала на диванчике, укрытая пледом. Кирилл хотел подойти к кофемашине, но передумал и осторожно присел рядом с Лизой на край дивана. Потом тихонько отвёл с лица Лизы рассыпавшиеся волосы. Лиза не просыпалась.

— Здравствуй, милая, — шёпотом сказал Кирилл. — Я опять с тобой. Я *ушёл из зоны.*

Маврин А.

М 12 Псоглавцы: Роман. — СПб.: Азбука, Азбука-Аттикус, 2011. — 352 с.

ISBN 978-5-389-01647-7

«Псоглавцы» — блестящий дебютный роман Алексея Маврина, первый в России роман о «дэнжерологах», людях, охотящихся за смертельно опасными артефактами мировой культуры.

Затерянная в лесу деревня, окруженная торфяными карьерами. Рядом руины уголовной зоны. Трое молодых реставраторов приезжают в эту глухомань, чтобы снять со стены заброшенной церкви погибающую фреску. Легкая работа всего на пять дней... Но на фреске — Псоглавец, еретическое изображение святого Христофора с головой собаки, а деревня, оказывается, в старину была раскольничьим скитом. И во мгле торфяных пожаров все явственней начинает проступать иная история — таинственная и пугающая.

Много загадок таит эта деревня. По ночам в коридоре — цокот собачьих когтей, запах псины... распахнешь дверь — никого.

Бежать — но многим ли удавалось отсюда уйти...

А в ветхом домике по соседству — робкая девушка «с египетским разрезом глаз... и таким изгибом губ, потрескавшихся от жары, словно эти губы знали о жизни всё»...

УДК 882
ББК 84(2Рос-Рус)6

Литературно-художественное издание

АЛЕКСЕЙ МАВРИН

ПСОГЛАВЦЫ

Ответственный редактор Татьяна Фролова
Художественный редактор Вадим Пожидаев
Технический редактор Татьяна Тихомирова
Корректоры Ирина Киселева, Татьяна Бородулина
Верстка Александра Савастени

Подписано в печать 22.07.2011.
Формат издания 84 × 108 $^{1}/_{32}$. Печать офсетная.
Гарнитура «Петербург». Тираж 15 000 экз.
Усл. печ. л. 18,48. Заказ № 3409.

ООО «Издательская Группа „Азбука-Аттикус“» —
обладатель товарного знака АЗБУКА®
119991, г. Москва, 5-й Донской проезд, д. 15, стр. 4

Филиал ООО «Издательская Группа „Азбука-Аттикус“» —
в Санкт-Петербурге
196105, г. Санкт-Петербург, ул. Решетникова, д. 15

ЧП «Издательство „Махаон-Украина“»
04073, г. Киев, Московский пр., д. 6 (2-й этаж)

Отпечатано в ОАО «Тульская типография»
300600, г. Тула, пр. Ленина, 109